BONS NEGÓCIOS

CB031078

BONS NEGÓCIOS

PORTUGUÊS DO BRASIL PARA O MUNDO DO TRABALHO

DENISE SANTOS

Tem bacharelado e licenciatura em Português e Inglês pela Universidade Federal do Rio de Janeiro, e é mestre em Educação em Língua Inglesa pela University of Oklahoma (Estados Unidos) e doutora em Linguística Aplicada pela University of Reading (Reino Unido). Tem participação frequente em congressos nacionais e internacionais, e possui vários trabalhos publicados em livros e revistas acadêmicas no Brasil e no exterior, bem como livros didáticos para o ensino de inglês e de português como língua estrangeira. Mais informações em <www.denisesantos.com>.

GLÁUCIA V. SILVA

É docente na University of Massachusetts Dartmouth (Estados Unidos) e atua nas áreas de linguística, língua portuguesa e metodologia de ensino, lecionando tanto na graduação quanto na pós-graduação. Bacharel em Letras (Português-Inglês) pela Universidade Federal do Rio de Janeiro, obteve os títulos de mestre em Linguística e de doutora em Linguística Hispânica pela University of Iowa (Estados Unidos). Sua pesquisa atual centra-se no ensino e aprendizagem de português como língua estrangeira e como língua de herança.

4ª REIMPRESSÃO

© 2013 Denise Santos e Gláucia V. Silva

Capa e projeto gráfico: Alberto Mateus
Editoração eletrônica: Crayon Editorial
Supervisão editorial: Faccioli Editorial
Assistência editorial: David Santos
Revisão: Sandra Garcia Cortés

Áudios
Locutores: Alessandra Merz, Marina Sirabello, Rodrigo de Araújo Costa e Tatá Guarnieri
Produtora: JM Produção de Áudio

Dados Internacionais de Catalogação na Publicação (CIP)
(Câmara Brasileira do Livro, SP, Brasil)

Santos, Denise
Bons negócios : português do Brasil para o mundo do trabalho / Denise Santos, Gláucia V. Silva. -- 1. ed. -- Barueri, SP : DISAL, 2013.

ISBN 978-85-7844-151-7

1. Português comercial - Estudo e ensino 2. Negócios I. Silva, Gláucia V. II. Título.

13-09785 CDD-469

Índices para catálogo sistemático:
1. Português comercial : Linguística aplicada 469

Todos os direitos reservados em nome de:
Bantim, Canato e Guazzelli Editora Ltda.
Alameda Mamoré 911 - cj. 107
Alphaville - BARUERI - SP
CEP: 06454-040
Tel. / Fax: (11) 4195-2811
Visite nosso site: www.disaleditora.com.br
Televendas: (11) 3226-3111
Fax gratuito: 0800 7707 105/106
E-mail para pedidos: comercial@disal.com.br
Nenhuma parte desta publicação pode ser reproduzida, arquivada ou transmitida de nenhuma forma ou meio sem permissão expressa e por escrito da Editora.

"If you talk to a man in a language he understands, that goes to his head. If you talk to him in his own language, that goes to his heart."

NELSON MANDELA

SUMÁRIO

SEÇÕES INICIAIS

COMUNICAÇÃO ORAL	COMUNICAÇÃO ESCRITA	CULTURA
Apresentações pessoais (*Meu nome é... / Eu me chamo... / Eu sou (de)...*) Perguntas com respostas *sim/não* *O nome dele/a é...* Nível de formalidade (*Sr/a; Dr/a*) Cumprimentando Agradecendo	Compreensão escrita: Cartões de visita Produção escrita: Informações pessoais em currículo	Profissionais brasileiros
Falando e ouvindo sobre profissões	Compreensão escrita: Folheto informativo Produção escrita: Banco de dados com vocabulário	Formação profissional no Brasil
Falando sobre o trabalho/rotina Expressando opinião com *Que legal/Que pena* etc. Expressando reação semelhante ou diferente: *Eu também; Eu não.*	Compreensão escrita: Texto instrucional Produção escrita: Artigo de jornal *on-line*	Sindicatos e conselhos profissionais
Falando e ouvindo sobre características de empresas Concordando e discordando: *Acho que sim; Acho que não; Também acho* etc. Sons da letra *j*	Compreensão escrita: *Website* de empresa Produção escrita: *Press release*	Multinacionais brasileiras
Falando sobre características pessoais Fazendo reservas em hotéis Ouvindo sobre datas e locais Ouvindo previsões do tempo Falando e ouvindo sobre hotéis	Compreensão escrita: *Website* de hotel Produção Escrita: Listas e fichas *on-line*	Férias e feriados nacionais
Ouvindo e falando sobre contratações e rescisões Descrevendo eventos em curso Expressando e justificando opiniões	Compreensão escrita: Artigo de jornal com informações sobre tipos de contrato Produção escrita: Anúncio *on-line* sobre contratação	Regimes de trabalho Carteira de trabalho
Descrevendo e fazendo planos Expressando opiniões Falando ao telefone	Compreensão escrita: Títulos de notícias Produção escrita: *Chat*	Ministérios brasileiros
Falando sobre eventos e fatos do passado Descrevendo problemas ocorridos Descrevendo resultados de pesquisa Falando e ouvindo sobre tecnologias	Compreensão escrita: Notícia de jornal Produção escrita: Notícia *on-line*	Invenções brasileiras
Falando e ouvindo sobre acontecimentos recentes Considerando aspectos que envolvem dinheiro Criando envolvimento na interação Ganhando tempo ao falar	Compreensão escrita: Infográfico Produção escrita: Relatório descrevendo gráfico	Impostos e taxas
Comparando preços e produtos Pedindo esclarecimentos Verificando entendimento Sons das letras *r, c, ç, s, z*	Compreensão escrita: Artigo de jornal Produção escrita: Texto descritivo e informativo	O Mercosul

APÊNDICES

COMUNICAÇÃO ORAL	COMUNICAÇÃO ESCRITA	CULTURA
Conversando sobre descrições e eventos habituais no passado Participando de entrevistas de trabalho Ganhando tempo ao falar Dando exemplos Pedindo, dando e verificando esclarecimentos Dando e justificando opinião	Compreensão escrita: Texto informativo Produção escrita: Carta de apresentação	Espaço pessoal, cumprimentos e linguagem corporal
Contrastando descrições/eventos habituais no passado e eventos pontuais recentes Falando sobre reuniões passadas e futuras Conduzindo reuniões: agradecendo a presença, descrevendo objetivos, mantendo o foco, mudando de assunto, interrompendo, fechando a reunião	Compreensão escrita: *E-mails* formais e informais Produção escrita: Ata de reunião	Hierarquias e formalidades: distância do poder
Falando sobre apresentações Participando de apresentações Dando sugestões	Compreensão escrita: Texto com dicas sucintas Produção escrita: Apresentação em *slides*	Como se vestir no trabalho
Avaliando desempenho e cumprimento de metas Tecendo argumentos e defendendo posições	Compreensão escrita: Artigo *on-line* Produção escrita: Relatório de desempenho	Apelidos e valores culturais
Mostrando concordância e entendimento Mostrando discordância e objeção Encaminhando e finalizando negociações Falando sobre situações em diferentes momentos no passado Sons da letra *x*	Compreensão escrita: Artigo de revista Produção escrita: Memorandos internos	Preferências brasileiras ao negociar
Ouvindo anúncios Falando sobre produtos e publicidade Dando exemplos	Compreensão escrita: Artigo de revista Produção escrita: Folheto promocional de produto	Conar
Fazendo e lidando com reclamações Expressando dúvida, incerteza ou desejo	Compreensão escrita: Artigo de revista Produção escrita: Cartas formais	Procon
Descrevendo situações Considerando alternativas e hipóteses	Compreensão escrita: Artigo *on-line* Produção escrita: Material para *website* sobre ética empresarial	Noção de "tempo"
Reformulando, esclarecendo e/ou retificando o que é dito Falando e ouvindo sobre possibilidades no futuro	Compreensão escrita: Carta-problema com resposta em revista Produção escrita: Resposta a carta-problema	Líderes brasileiros
Discutindo aspectos do futuro Dando más notícias e reagindo a elas	Compreensão escrita: Artigo de jornal Produção escrita: Perguntas frequentes	As constituições brasileiras e os Três Poderes

ORGANIZAÇÃO DOS ÁUDIOS

FAIXA	DESCRIÇÃO	PÁGINA
1	Apresentação	
2	What You Need to Know – The Alphabet – Ex. 1	15
3	What You Need to Know – The Alphabet – Ex. 2	15
4	What You Need to Know – Numbers – Ex. 1	16
5	Pronunciation Guide – Exercício 1	20
6	Unidade 1 – Começando o Trabalho – Leia e Ouça	23
7	Unidade 1 – Compreensão Oral – Exercício 1	24
8	Unidade 1 – Compreensão Oral – Exercício 2	25
9	Unidade 1 – Produção Oral – Exercício 1	26
10	Unidade 1 – Produção Oral – Exercício 4	27
11	Unidade 1 – Compreensão Escrita – Exercício 1	28
12	Unidade 1 – Vocabulário e Pronúncia – Exercício 1	32
13	Unidade 2 – Começando o Trabalho – Leia e Ouça	35
14	Unidade 2 – Compreensão Oral – Exercício 1	36
15	Unidade 2 – Compreensão Oral – Exercício 2	37
16	Unidade 2 – Compreensão Oral – Exercícios 3 e 4	37
17	Unidade 2 – Compreensão Oral – Exercício 5	37
18	Unidade 2 – Produção Oral – Exercício 1	38
19	Unidade 2 – Produção Oral – Exercício 2	38
20	Unidade 2 – Produção Oral – Exercício 3	38
21	Unidade 2 – Produção Oral – Exercício 6	39
22	Unidade 2 – Vocabulário e Pronúncia – Exercício 1	44
23	Unidade 3 – Começando o Trabalho – Leia e Ouça	47
24	Unidade 3 – Compreensão Oral – Exercício 1	48
25	Unidade 3 – Compreensão Oral – Exercício 2	49
26	Unidade 3 – Compreensão Oral – Exercício 3	49
27	Unidade 3 – Produção Oral – Exercício 1	50
28	Unidade 3 – Produção Oral – Exercício 5	51
29	Unidade 3 – Vocabulário e Pronúncia – Exercício 1	56
30	Unidade 4 – Começando o Trabalho – Leia e Ouça	59
31	Unidade 4 – Compreensão Oral – Exercício 1	60
32	Unidade 4 – Compreensão Oral – Exercício 2	61
33	Unidade 4 – Compreensão Oral – Exercício 3	61
34	Unidade 4 – Produção Oral – Exercício 1	62
35	Unidade 4 – Produção Oral – Exercício 4b	63
36	Unidade 4 – Vocabulário e Pronúncia – Exercício 1	68
37	Unidade 4 – Vocabulário e Pronúncia – Exercício 2	68
38	Unidade 5 – Começando o Trabalho – Leia e Ouça	71
39	Unidade 5 – Compreensão Oral – Exercício 1	72
40	Unidade 5 – Compreensão Oral – Exercício 2	72
41	Unidade 5 – Compreensão Oral – Exercício 3	73
42	Unidade 5 – Compreensão Oral – Exercício 4	73
43	Unidade 5 – Compreensão Oral – Exercício 5	73
44	Unidade 5 – Compreensão Oral – Exercício 6	73
45	Unidade 5 – Produção Oral – Exercício 1	74
46	Unidade 5 – Vocabulário e Pronúncia – Exercício 1	80
47	Unidade 5 – Vocabulário e Pronúncia – Exercício 3	80
48	Unidade 5 – Vocabulário e Pronúncia – Exercício 4	80
49	Unidade 6 – Começando o Trabalho – Leia e Ouça	83
50	Unidade 6 – Compreensão Oral – Exercício 1	84
51	Unidade 6 – Compreensão Oral – Exercício 2	84
52	Unidade 6 – Compreensão Oral – Exercício 4	85
53	Unidade 6 – Compreensão Oral – Exercício 5	85
54	Unidade 6 – Compreensão Oral – Exercício 6	85
55	Unidade 6 – Vocabulário e Pronúncia – Exercício 1	92
56	Unidade 7 – Começando o Trabalho – Leia e Ouça	95
57	Unidade 7 – Compreensão Oral – Exercício 1	96
58	Unidade 7 – Compreensão Oral – Exercícios 2 e 3	96
59	Unidade 7 – Compreensão Oral – Exercício 4	97
60	Unidade 7 – Compreensão Oral – Exercícios 5 e 6	97
61	Unidade 7 – Vocabulário e Pronúncia – Exercício 1	104
62	Unidade 7 – Vocabulário e Pronúncia – Exercício 2	104
63	Unidade 8 – Começando o Trabalho - Leia e Ouça	107
64	Unidade 8 – Compreensão Oral – Exercício 1	108
65	Unidade 8 – Compreensão Oral – Exercício 2	108
66	Unidade 8 – Compreensão Oral – Exercício 3	109
67	Unidade 8 – Compreensão Oral – Exercício 4	109
68	Unidade 8 – Compreensão Oral – Exercício 5	109
69	Unidade 8 – Vocabulário e Pronúncia – Exercício 1	116
70	Unidade 9 – Começando o Trabalho – Leia e Ouça	119
71	Unidade 9 – Compreensão Oral – Exercício 1	120
72	Unidade 9 – Compreensão Oral – Exercício 2	120
73	Unidade 9 – Compreensão Oral – Exercício 3	121
74	Unidade 9 – Compreensão Oral – Exercício 4	121
75	Unidade 9 – Compreensão Oral – Exercício 5	121
76	Unidade 9 – Vocabulário e Pronúncia – Exercício 1	128
77	Unidade 9 – Vocabulário e Pronúncia – Exercício 2	128

FAIXA	DESCRIÇÃO	PÁGINA
78	Unidade 9 – Vocabulário e Pronúncia – Exercício 3	128
79	Unidade 10 – Começando o Trabalho – Leia e Ouça	131
80	Unidade 10 – Compreensão Oral – Exercícios 1 e 2	132
81	Unidade 10 – Compreensão Oral – Exercícios 3 e 4	132
82	Unidade 10 – Compreensão Oral – Exercício 5	133
83	Unidade 10 – Produção Oral – Exercício 1	134
84	Unidade 10 – Vocabulário e Pronúncia – Exercício 1	140
85	Unidade 10 – Vocabulário e Pronúncia – Exercício 2	140
86	Unidade 10 – Vocabulário e Pronúncia – Exercício 3	140

FAIXA	DESCRIÇÃO	PÁGINA
1	Unidade 11 – Começando o Trabalho – Leia e Ouça	143
2	Unidade 11 – Compreensão Oral – Exercício 1	144
3	Unidade 11 – Compreensão Oral – Exercício 2	144
4	Unidade 11 – Compreensão Oral – Exercício 3	144
5	Unidade 11 – Compreensão Oral – Exercício 4	145
6	Unidade 11 – Vocabulário e Pronúncia – Exercício 1	152
7	Unidade 12 – Começando o Trabalho – Leia e Ouça	155
8	Unidade 12 – Compreensão Oral – Exercício 1	156
9	Unidade 12 – Compreensão Oral – Exercícios 2 e 3	156
10	Unidade 12 – Compreensão Oral – Exercício 4	157
11	Unidade 12 – Compreensão Oral – Exercício 5	157
12	Unidade 12 – Vocabulário e Pronúncia – Exercício 2	164
13	Unidade 13 – Começando o Trabalho – Leia e Ouça	167
14	Unidade 13 – Compreensão Oral – Exercício 2	168
15	Unidade 13 – Compreensão Oral – Exercício 3	168
16	Unidade 13 – Compreensão Oral – Exercício 4	169
17	Unidade 13 – Compreensão Oral – Exercício 6	169
18	Unidade 13 – Gramática – Exercício 4	178
19	Unidade 14 – Começando o Trabalho – Leia e Ouça	179
20	Unidade 14 – Compreensão Oral – Exercício 1	180
21	Unidade 14 – Compreensão Oral – Exercício 2	181
22	Unidade 14 – Compreensão Oral – Exercício 3	181
23	Unidade 14 – Vocabulário e Pronúncia – Exercício 1	188
24	Unidade 15 – Começando o Trabalho – Leia e Ouça	191
25	Unidade 15 – Compreensão Oral – Exercício 1	192
26	Unidade 15 – Compreensão Oral – Exercícios 2 e 3	192

FAIXA	DESCRIÇÃO	PÁGINA
27	Unidade 15 – Compreensão Oral – Exercício 4	193
28	Unidade 15 – Vocabulário e Pronúncia – Exercício 1	200
29	Unidade 15 – Vocabulário e Pronúncia – Exercício 2	200
30	Unidade 15 – Vocabulário e Pronúncia – Exercício 3	200
31	Unidade 16 – Começando o Trabalho – Leia e Ouça	203
32	Unidade 16 – Compreensão Oral – Exercício 1	204
33	Unidade 16 – Compreensão Oral – Exercício 2	204
34	Unidade 16 – Compreensão Oral – Exercícios 3 e 4	204
35	Unidade 16 – Compreensão Oral – Exercícios 5 e 6	205
36	Unidade 16 – Compreensão Oral – Exercícios 7 e 8	205
37	Unidade 16 – Vocabulário e Pronúncia – Exercício 2	212
38	Unidade 17 – Começando o Trabalho – Leia e Ouça	215
39	Unidade 17 – Compreensão Oral – Exercício 1	216
40	Unidade 17 – Compreensão Oral – Exercício 2	216
41	Unidade 17 – Compreensão Oral – Exercício 3	216
42	Unidade 17 – Compreensão Oral – Exercício 4	217
43	Unidade 17 – Compreensão Oral – Exercício 5	217
44	Unidade 17 – Compreensão Oral – Exercício 6	217
45	Unidade 17 – Vocabulário e Pronúncia – Exercício 1	224
46	Unidade 17 – Vocabulário e Pronúncia – Exercício 2	224
47	Unidade 18 – Começando o Trabalho – Leia e Ouça	227
48	Unidade 18 – Compreensão Oral – Exercício 1	228
49	Unidade 18 – Compreensão Oral – Exercício 2	228
50	Unidade 18 – Compreensão Oral – Exercício 3	228
51	Unidade 18 – Vocabulário e Pronúncia – Exercício 1	236
52	Unidade 18 – Vocabulário e Pronúncia – Exercício 2	236
53	Unidade 19 – Começando o Trabalho – Leia e Ouça	239
54	Unidade 19 – Compreensão Oral – Exercício 1	240
55	Unidade 19 – Compreensão Oral – Exercício 2	240
56	Unidade 19 – Compreensão Oral – Exercício 3	240
57	Unidade 19 – Compreensão Oral – Exercícios 4 e 5	241
58	Unidade 19 – Vocabulário e Pronúncia – Exercício 2	248
59	Unidade 20 – Começando o Trabalho – Leia e Ouça	251
60	Unidade 20 – Compreensão Oral – Exercício 1	252
61	Unidade 20 – Compreensão Oral – Exercício 2	252
62	Unidade 20 – Compreensão Oral – Exercício 3	252
63	Unidade 20 – Compreensão Oral – Exercício 4	253
64	Unidade 20 – Compreensão Oral – Exercício 5	253
65	Unidade 20 – Vocabulário e Pronúncia – Exercício 1	260

WELCOME!

Bons Negócios is a book designed for those who want to learn Brazilian Portuguese for business either individually, in private lessons, or group lessons. The book is written for those with little or no prior knowledge of Portuguese and its main aim is to develop learners' linguistic skills in speaking, listening, reading, and writing while simultaneously extending vocabulary and grammar knowledge. The book also aims to help learners understand some cultural aspects characterizing life and work in Brazil.

THEMES AND STRUCTURE OF *BONS NEGÓCIOS*

In *Bons Negócios*, Brazilian Portuguese is presented and practiced around key themes in the workplace, such as team work, negotiations, interviews, presentations, and leadership. Those themes therefore form the central core of the twenty units comprising this book, and each unit is organized as follows:

- ***Começando o Trabalho* (Starting the Work)**: In this section learners are presented with a situation involving the theme of the unit. They are then asked to reflect and make some conclusions about how the Portuguese language is used in that situation.
- ***Compreensão Oral* (Listening)**: This section includes several tasks for oral comprehension practice, starting from more simple activities and moving on to more challenging ones. Task demands vary within each unit: learners may be asked, for example, to listen for general ideas or for specific details, to observe how the language is used, to make inferences, etc. The listening contexts and their levels of formality also vary from individual presentations to group meetings, dialogues, summaries of news articles, conversation between colleagues, to name a few.
- ***Produção Oral* (Speaking)**: Here learners are offered opportunities for oral production in both formal and more informal situations at work. Those opportunities range from more guided production of sentences to less controlled role plays, also including several other tasks with varying degrees of guidance and challenge: oral presentations, negotiations, job interviews, and many others.
- ***Compreensão Escrita* (Reading)**: This section includes a reading task. There is a wide range of texts in the book (e.g., newspaper and magazine articles, websites, brochures, letters) so that learners can familiarize themselves with the content and form of different texts. The exercises focus on vocabulary and comprehension and culminate with an invitation for learners to make connections between the texts read and their own lives.
- ***Produção Escrita* (Writing)**: In this section learners will be guided towards the production of a written text. Each unit focuses on a different text, and some examples are e-mails, slides, press releases, promotional materials, and CVs.

- ***Vocabulário e Pronúncia* (Vocabulary and Pronunciation)**: Here learners will read and listen to key vocabulary associated with the unit, and have opportunities to practice that vocabulary in written and/or oral form.
- ***Informações Culturais* (Cultural Information)**: This section provides learners with information about Brazilian culture. The topics include dress codes, body language, ways of negotiating, key Brazilian institutions, people and companies, etc.
- ***Gramática* (Grammar)**: At the end of each unit there are exercises to consolidate the grammar points addressed in the unit. Learners can consult the Mini-grammar (*Minigramática*) in the Appendix while doing those exercises; they can also check their answers in the answer key (*Respostas dos Exercícios*) at the end of the book.

In addition to 20 main units, this book includes an Appendix where the learner can find 4 sections to be used as reference:

- ***Minigramática* (Mini-grammar)**: a mini-grammar containing a summary of the main grammar points presented in the units;
- ***Transcrição dos Áudios* (Audioscript)**: the audioscripts of the material recorded on the CDs accompanying the book;
- ***Respostas dos Exercícios* (Answer Key)**: the answers to the exercises proposed in the book;
- ***Glossário Português-Inglês* (Portuguese-English Glossary)**: a glossary listing the key vocabulary from the book, together with their translation in English.

Each unit in *Bons Negócios* contains several small boxes with linguistic information (spelling, grammar, language use, etc.) that provides the reader with further details about the topics in focus. There are also boxes that invite the readers to make connections between the materials presented in the book and their own lives: at the end of the section on reading comprehension (*Compreensão Escrita*) there is a box entitled ***O Texto e Você*** (The Text and You) that contains such questions; a similar box is found at the end of the section containing cultural information (*Informações Culturais*): there, a box entitled ***Conexões Interculturais*** (Intercultural Connections) aims to lead the readers to reflect on how their culture relates to Brazilian culture.

Following this introduction the reader can find two supplementary sections that should be used as reference by those working with *Bons Negócios*. The first section is called ***What You Need to Know***: it outlines basic vocabulary such as the alphabet and numbers in Portuguese (with audio support). It also discusses some fundamental characteristics of the Portuguese language which the learner should be aware of before delving into the material. The section closes with a short list of grammatical terms and their definition. Some learners may find that list helpful when reading some explanations in the book, or when tackling some exercises.

The final supplementary section before the main unit is called ***Pronunciation Guide***: it lists and explains most sounds of Brazilian Portuguese and it is accompanied by audio recordings illustrating those sounds.

HOW TO USE THIS BOOK

The overall structure of this book has been designed following a sequence starting from less complex towards more complex ideas. In that regard, it makes sense to follow the sequence of the units and work from the beginning to the end. That does not mean that some units (or parts of units) cannot be skipped, or worked in a different order, if the learners have different needs.

Within each unit there is also scope for users to reorient the sequence of the work. If learners prefer, say, to have a firm grasp of grammar before carrying out the listening and/or speaking exercises, it is possible to do so. The units are flexible enough to allow for that or other sequences that users might prefer. Self-learners might want to spend some time familiarizing themselves with the structure of each unit before engaging in their work with *Bons Negócios*. If adopted in a course with a group of learners, teachers and students might define what sequence matches their needs and expectations. It goes without saying that one possible option is to follow the sequence presented in the book with no changes.

The symbol ⦿ in the book indicates there is a corresponding audio material (please see below - Audio Information). The symbol ☞ is used next to boxes that bring extra linguistic and/or cultural information.

Audio information

You can find all the audio content of this book in one of the platforms below:

Any of these platforms requires an access code (free version available). Once registered, you have to search for Disal Editora, then for Book Playlist and you will find all the audio content mentioned in the book. If you need any assistance, please do not hesitate to contact us: marketing@disaleditora.com.br

NOTE: IF YOU FIND ANY CITATION OR REFERENCE TO CD THROUGHOUT THE BOOK, IT MEANS AUDIO CONTENT.

A FINAL MESSAGE FROM THE AUTHORS

The learning of a foreign language can be a challenging task, and while designing *Bons Negócios* we have tried to focus on four issues which we believe can support that challenge and at the same time lead to effective learning: **relevance**, **opportunities for practice**, **reflection**, and **connections**. The themes and activities we propose are, we believe, relevant to the learners who wish to develop their Portuguese knowledge and skills in the workplace in Brazil. We also try to propose a wide range of opportunities for practice of oral and written Portuguese for business; however, we understand that practice only will not necessarily help learners achieve success in their learning process. In order to be effective, practice needs to be accompanied by reflection from the learner about his or her own learning process, and about the content that is being learned. This is the reason why *Bons Negócios* regularly asks students to reflect on how the Portuguese language is used and in what ways those uses compare to the learners' native language. We also invite learners to make connections between what they read and their own life.

With those ideas in mind, we welcome you to *Bons Negócios* and wish you happy learning!

WHAT YOU NEED TO KNOW

THE ALPHABET

1:2 **1 Listen and repeat the letters of the alphabet in Portuguese.**

OTHER THINGS TO REMEMBER ABOUT LETTERS IN PORTUGUESE

Portuguese spelling uses a few graphic marks (***acentos***) together with some letters:

- ***acento agudo*** **(´):** can be used with all the vowels, for example: *empresário, café, litígio, escritório, público;*
- ***acento circunflexo*** **(^):** can be used with *a, e,* or *o,* for example: *contemporâneo, contêiner, bônus;*
- ***acento grave*** **(`):** only used with *a*, indicating preposition "*a*" plus article "*a*": *Vou a+a reunião → Vou à reunião;*
- ***til*** **(~):** used with *a* and *o*: *negociação; negociações;*
- ***cedilha*** **(¸):** used with the letter *c* before *a, o,* or *u* to give it a [s] sound: *eleição, preço, açúcar*. We never use *ç* at the beginning of a word.

1:3 **2 The following abbreviations are common in Portuguese. Match them with their meanings, then read them aloud. You can also listen to them on the CD.**

a.	TI	____ Instituto Nacional do Seguro Social
b.	RH	____ Nota Fiscal
c.	OAB	____ Cadastro de Pessoas Físicas
d.	FGTS	____ Imposto Predial e Territorial Urbano
e.	NF	____ Recursos Humanos
f.	CNPJ	____ Discagem Direta à Distância
g.	CLT	____ Instituto Brasileiro de Geografia e Estatística
h.	PME	____ Unidade da Federação (Estado)
i.	INSS	____ Tecnologias de Informação
j.	DDD	____ Ordem dos Advogados do Brasil
k.	CEP	____ Cadastro Nacional da Pessoa Jurídica
l.	CPF	____ Pequenas e Médias Empresas
m.	IBGE	____ Consolidação das Leis do Trabalho
n.	IPTU	____ Fundo de Garantia do Tempo de Serviço
o.	UF	____ Código de Endereçamento Postal

NUMBERS

1:4 ⓘ **1 Listen and repeat these numbers.**

1	um / uma
2	dois / duas
3	três
4	quatro
5	cinco
6	seis
7	sete
8	oito
9	nove
10	dez
11	onze
12	doze
13	treze
14	catorze
15	quinze
16	dezesseis
17	dezessete
18	dezoito
19	dezenove
20	vinte
21	vinte e um / vinte e uma
22	vinte e dois / vinte e duas
23	vinte e três
24	vinte e quatro
25	vinte e cinco
26	vinte e seis
27	vinte e sete
30	trinta
40	quarenta
50	cinquenta
60	sessenta
70	setenta
80	oitenta
90	noventa
100	cem

101	cento e um/cento e uma
102	cento e dois /cento e duas
110	cento e dez
111	cento e onze
120	cento e vinte
121	cento e vinte e um / cento e vinte e uma
130	cento e trinta
140	cento e quarenta
150	cento e cinquenta
200	duzentos
300	trezentos
400	quatrocentos
500	quinhentos
600	seiscentos
700	setecentos
800	oitocentos
900	novecentos
1.000	mil
1.001	mil e um / mil e uma
1.100	mil e cem
2.000	dois mil / duas mil
3.000	três mil
10.000	dez mil
100.000	cem mil
1.000.000	um milhão
2.000.000	dois milhões

OTHER THINGS TO REMEMBER ABOUT NUMBERS IN PORTUGUESE

- The numbers 1 and 2 (and 21, 32, 41, 52, etc.) have a masculine form (*um, dois*) and a feminine form (*uma, duas*). Thus, we say *um produto, dois produtos*, and *uma entrevista, duas entrevistas*.
- The number *cem* is only used for 100. All subsequent numbers (101, 102, etc.) use *cento*: *cento e um, cento e dois*, etc.

CHARACTERISTICS OF THE PORTUGUESE LANGUAGE THAT YOU NEED TO KNOW

Portuguese is a Romance language, that is, it derives from Latin and because of that it shares a number of characteristics with other Romance languages (like French, Italian or Spanish). If you speak any of those languages you may find some of the comments below familiar; if not, make sure you read them carefully before starting your work with *Bons Negócios*:

- In Portuguese, **nouns have gender**: that means that the Portuguese words for things, ideas or processes are either feminine or masculine, for example: *a casa* (the house, feminine); *o escritório* (the office, masculine); *a negociação* (the negotiation, feminine); *o pensamento* (the thought, masculine).
- Following from the point above, **adjectives that accompany nouns also have gender**: *a casa moderna; o escritório moderno; a negociação longa; o pensamento longo.*
- In addition to gender, **nouns and adjectives have number** in Portuguese, that is, they are either singular or plural: *o escritório novo; os escritórios novos.*
- **Words have marked syllables** in Portuguese: try saying *"pen-sa-men-to"* (4 syllables) while clapping your hands together with each syllable: four syllables, four claps.
- The strongest syllable in a word may be the last (*você*), the one before the last (*trabalho*) or the one before that (*último*). **Most Portuguese words have their strongest syllable in the syllable before the last**: *co-<u>mér</u>-cio; pro-<u>du</u>-to; tra-<u>ba</u>-lho; <u>no</u>-me.*
- If there is an accent in the word ([´], [~] or [^], as in *petróleo; ação; contêiner*), that means that **the strongest syllable of the word is where the accent is**.
- **In Portuguese, verbs change according to the person they refer to**. So we say: *eu trabalho* (I work); *você trabalha* (you work); *nós trabalhamos* (we work); *eles trabalham* (they work). Those endings have nothing to do with gender (both men and women will say *"Eu trabalho"* when speaking about themselves). They illustrate, rather, verb conjugation, which is something you will study further in this book.

"TECHNICAL TERMS" YOU NEED TO KNOW

TERM	ENGLISH TRANSLATION	DEFINITION AND EXAMPLES
adjetivo	adjective	A word that characterizes a noun by adding qualities, notions of appearance or states to it: *um chefe **generoso** / a generous boss; um candidato **bem-vestido** / a well-dressed candidate; um funcionário **saudável** / a healthy employee.*

TERM	ENGLISH TRANSLATION	DEFINITION AND EXAMPLES
artigo	article	A word that accompanies a noun, defining its type of reference (definite or indefinite). In Portuguese, there are two definite articles: *o* and *a* (and their plural forms, *os* and *as*): ***o*** *país / the country;* ***a*** *cidade / the city;* ***os*** *países / the countries;* ***as*** *cidades / the cities.* There are also two indefinite articles: *um* and *uma* (and their plural forms, *uns* and *umas*): ***um*** *emprego / a job;* ***uma*** *entrevista / an interview;* ***uns*** *empregos / (some) jobs;* ***umas*** *entrevistas / (some) interviews.*
concordância	agreement	A grammatical notion that refers to the changes made to some words when they occur together. For example, in *Eu trabalho aqui* the verb *trabalhar* agrees with "*eu*". If we change the subject to "*nós*", the verb changes as well: *Nós trabalhamos aqui.*
conjunção	conjunction	A word that joins phrases, clauses or sentences. For example, *Eu sou organizada* ***e*** *eficiente / I am organized and efficient; A diretora vai ao escritório,* ***mas*** *não vai à fábrica / The director is going to the office but she is not going to the factory; O diretor vai ao escritório.* ***Porém****, ele não visita as fábricas / The director is going to the office. However, he doesn't visit the factories.*
demonstrativo	demonstrative	A word that shows who or what is being referred to: ***este*** *vendedor / this salesperson;* ***essa*** *gerente / that manager;* ***aquela*** *reunião / that meeting.*
frase	sentence	A group of words that form a grammatical unit, such as: *Eu trabalho no escritório / I work at the office.* A sentence can also be a question (*Onde você trabalha? / Where do you work?*), a command (*Faça isso! / Do that!*) or an exclamation (*Que pena! / What a shame!*).
gênero	gender	A grammatical category that involves the notion of "masculine" and "feminine". For example, in Portuguese nouns are either masculine (*o livro / the book, o gato / the (male) cat, o arquiteto / the (male) architect*) or feminine (*a mesa / the table, a gata / the (female) cat, a arquiteta / the (female) architect*).
imperativo	imperative	A verb form that expresses an order, a command, a suggestion or a piece of advice: *Faça isso! / Do that!; Venha cá! / Come here!*
infinitivo	infinitive	The basic form of the verb. In Portuguese pure infinitives always end in ***-r***: *pensar / to think; estabelecer / to establish; imprimir / to print.*
locução verbal	verb phrase	A group of verbs that doesn't form a complete sentence but which has its own unity and meaning: *quer fazer / wants to do; pensou em abrir / thought about opening.*
número	number	A grammatical category that involves the notion of "singular" and "plural": *um contrato / one contract; dois contratos / two contracts.*
objeto direto	direct object	The part of the sentence that "receives" the action. In *Eu vendo* ***ações*** */ I sell stocks, ações/stocks* is the direct object.
objeto indireto	indirect object	The part of the sentence that specifies to whom or for whom the action of the verb is done. In *Eu vendi ações para* ***o investidor*** */ I sold stocks to the investor, o investidor/the investor* is the indirect object.

TERM	ENGLISH TRANSLATION	DEFINITION AND EXAMPLES
oração	clause	A sequence of words that contains a verb or a verb phrase. For example, in *Ela encontrou um bom emprego e vai morar em Recife / She found a good job and is going to live in Recife*, there are two clauses because there are two verbs/verb phrases: *encontrou; vai morar* (*found; is going to live*).
oração dependente	dependent clause	A clause that is dependent on a main clause. In *Nós vendemos o que fabricamos / We sell what we make*, the dependent clause is *o que fabricamos / what we make*, since that part of the sentence only makes sense in the presence of the main clause.
oração principal	main clause	A clause that can "stand on its own", as it were. For example, in *Nós vendemos o que fabricamos / We sell what we make*, there are two clauses. *Nós vendemos / We sell* is the main clause, since it makes sense without the rest of the sentence.
possessivo	possessive	A word that expresses ownership: ***Meu*** *laptop é muito bom / My laptop is very good.*
preposição	preposition	Words that link other words together, for example **com** (*Eu vou com você / I'm going with you*), **para** (*Um livro para contadores / A book for accountants*); **sobre** (*Um livro sobre negócios / A book about business*).
primeira pessoa	first person	A grammatical notion that refers to the person who speaks (or writes). It can have a singular form (***eu*** */ I*) or a plural form (***nós*** */ we*).
pronome	pronoun	A word that replaces a noun, for example ***ele*** (*he*); ***ela*** (*she*); ***ninguém*** (*nobody*), or accompanies nouns, adding information to those nouns: ***dele*** (*his*); ***nosso*** (*our/s*); ***este/a*** (*this*).
segunda pessoa	second person	A grammatical notion that refers to the person to whom we speak (or write). It can have a singular form (***você*** */ you*) or a plural form (***vocês*** */ you*).
sílaba tônica	stressed syllable	The syllable that bears the most emphasis when a word is spoken: *Bra**sil*** (*Brazil*), *brasi**lei**ro* (*Brazilian*), *tra**ba**lho* (*work*), *vo**cê*** (*you*).
substantivo	noun	A word that refers to a person (***Pedro; Marta***), a place (***escritório*** */ office;* ***São Paulo***), an object (***computador*** */ computer*) or an abstract idea (***justiça*** */ justice;* ***sucesso*** */ success*).
sujeito	subject	The part of a clause that indicates about what or whom the clause is, or who or what has committed a certain action. In *O gerente de marketing não compareceu à reunião / The marketing manager hasn't come to the meeting*, the subject is *O gerente de marketing / The marketing manager*.
terceira pessoa	third person	A grammatical notion that refers to the person or people who is/are being talked or written about. It can have a singular form (***ele***; ***ela*** */ he; she; it*) or a plural form (***eles***; ***elas*** */ they*).
verbo	verb	A word that usually indicates an action (***trabalhar*** */ to work;* ***escrever*** */ to write*). It can also indicate a verbal process (***dizer*** */ to tell;* ***responder*** */ to answer*), a mental process (***pensar*** */ to think; gostar / to like*), or a state (***estar*** */ to be;* ***ficar*** */ to remain*).

PRONUNCIATION GUIDE

Below we present a summary of the sounds of Brazilian Portuguese. It is not expected that learners should know all those sounds before starting to work with *Bons Negócios*; rather, the information below is to be used as reference whenever needed.

Note that symbols within square brackets ([ ]) represent sounds, not letters. The examples given illustrate key vocabulary in business; for their meanings the learner can check the glossary at the end of the book or a good dictionary.

1:5 **1 Listen to the examples, repeat them, and check the comments for further information about those sounds.**

Note: Eng = English.

	EXAMPLES	COMMENTS
A	**a**gend**a** d**a**ta **á**gua hor**a** b**a**nco din**â**mic**a**	The letter *a* is pronounced [a], close to Eng *market*, in the beginning of a word (*agenda*) or when it is stressed (*data, água*). It is pronounced close to Eng *money* when it is unstressed (*hora*). When it is nasalized (*banco, dinâmica*), the letter *a* sounds somewhat like Eng *number*.
B	**b**olsa a**b**erto	The letter *b* is always [b].
C	**c**arro **c**liente a**c**esso **ch**eque a**ç**ão	The letter *c* is pronounced [k], as in Eng ***c**lient*, when it appears before *a, o, u* or a consonant (***c**arro, **c**liente*). It is pronounced [s], as in Eng ***c**irculation*, when it appears before the vowels *e* and *i* (*a**c**esso*). *Ch* is pronounced [ʃ], as in Eng ***sh**are*. Note that *ç* sounds like [s] (*a**ç**ão*).
D	**d**a**d**os **d**emissão pe**d**ra **d**ivi**d**ir gran**d**e	The letter *d* is always pronounced [d], as in Eng ***d**ebt*, before the vowels *a, o, u*, before *e* when it sounds [e], and before *r* (***d**a**d**os, **d**emissão, pe**d**ra*). In several Brazilian dialects, *d* is pronounced [dʒ], as in Eng ***j**ob*, before the sound [i] (***d**ivi**d**ir, gran**d**e*). In other dialects, *d* is always [d].
E	pr**e**ço m**ê**s ch**e**f**e** caf**é** g**e**r**e**nt**e**	In many dialects, the letter *e* is pronounced [e], close to Eng *p**ay***, in several words (e.g., *pr**e**ço*) and when it bears the circumflex accent (*m**ê**s*). The letter *e* is pronounced [ɛ], as in Eng *s**e**ll*, in certain stressed syllables (*ch**e**fe*) and when it bears the acute accent (*caf**é***).The letter *e* is also pronounced [i], as in Eng ***easy***, in certain unstressed contexts (*chef**e**, gerent**e***). Finally, the letter *e* can be nasalized, close to Eng *v**e**ndor* (*ger**e**nte*).
F	**f**raude	The letter *f* is always [f].

	EXAMPLES	COMMENTS
G	**g**arantia **g**rande **g**erir rea**g**ir	The letter *g* is pronounced [g], as in Eng ***g**oal*, when it appears before *a, o, u* (***g**arantia*), and also before the consonants *l* and *r* (***g**rande*). The letter *g* is pronounced [ʒ], as in Eng *plea**s**ure*, when it occurs before the vowels *e* and *i* (***g**erir*, *rea**g**ir*).
H	**h**ora c**h**eque trabal**h**o engen**h**aria	When it occurs in the beginning of a word, the letter *h* is silent (***h**ora*). *Ch* is pronounced [ʃ], as in Eng ***sh**are* (***ch**eque*). *Lh* is pronounced [ʎ], close to Eng *mi**ll**ion* (*traba**lh**o*). *Nh* is pronounced [ɲ], close to Eng *o**ni**on* (*enge**nh**aria*).
I	**i**gual **i**nvest**i**r	When it is not nasalized, the letter *i* is pronounced [i], as in Eng *l**ea**se* (***i**gual*). The letter *i* is nasalized [ĩ], close to Eng ***i**nvest*, when it occurs before *m* or *n* (***i**nvestir*).
J	**j**uros	The letter *j* is always [ʒ], as in Eng *plea**s**ure*.
K	*marketing*	The letter *k* is normally used in loan words.
L	**l**ei **l**ega**l** deta**l**he	In the beginning of a syllable, the letter *l* is pronounced [l], as in Eng ***l**aw*. At the end of a syllable, the letter *l* is commonly pronounced [u] in Brazil, as in Eng *lo**w*** (*lega**l***). With an *h*, it forms the sound [ʎ], close to Eng *mi**ll**ion* (*deta**lh**e*).
M	**m**áquina i**m**portar	In the beginning of a syllable, the letter *m* is pronounced [m], as in Eng ***m**achine*. When it follows a vowel at the end of a syllable, the letter *m* signals that the vowel is nasalized (***i**mportar*).
N	**n**ome í**n**dice ga**n**har	In the beginning of a syllable, the letter *n* is pronounced [n], as in Eng ***n**ame*. When it follows a vowel at the end of a syllable, the letter *n* signals that the vowel is nasalized (*índice*). With an *h*, it forms the sound [ɲ], close to Eng *o**ni**on* (*ga**nh**ar*).
O	**ó**timo p**ô**r exp**o**r banc**o** c**o**nta aç**õ**es	A stressed *o* can sound like [ɔ], as in Eng *l**o**ss* (***ó**timo*), or [o], close to Eng *l**o**w* (*p**ô**r*, *exp**o**r*). At the end of a word, if it is unstressed, *o* is pronounced [u], as in Eng *l**o**se* (*banc**o***). The letter *o* can also represent a nasalized sound [õ], close to Eng *b**o**nd* (*c**o**nta, aç**õ**es*).
P	**p**lano	The letter *p* is pronounced [p].
Q	**q**uantia	The letter *q* is pronounced [k].
R	**r**eunião ca**rr**eir**a** segu**r**o emp**r**ego seto**r**	In the beginning of a word, in *rr*, or after *l, n, s* the letter *r* is pronounced somewhat like the letter *h* in Eng ***h**ot* (***r**eunião*, *ca**rr**eira*). Between vowels and after consonants (other than *l, n, s*), the letter *r* is pronounced as in American Eng *pe**tt**y* (*segu**r**o*, *emp**r**ego*). At the end of a syllable/word (*seto**r***), the pronunciation for *r* varies within Brazil.
S	**s**alário profi**ss**ão vi**s**ita mê**s**	In the beginning of a word or in *ss*, the letter *s* is pronounced [s], as in Eng ***s**alary* (***s**alário*, *profi**ss**ão*). When it appears between vowels, *s* is pronounced [z] as in Eng *vi**s**it* (*vi**s**ita*). At the end of a syllable/word (*mê**s***), pronunciation of *s* depends on what follows it. If it is followed by a vowel it is pronounced [z]. If it is followed by a voiced consonant sound (such as [b], [d], [g], [l], [m], etc.), it is also pronounced [z] (in most dialects). If it is followed by a voiceless consonant sound (such as [p], [t], [k]) or if it is not followed by another word, it is pronounced [s] in most dialects.

	EXAMPLES	COMMENTS
T	**t**arifa discu**t**ir	Before *a, o, u, l, r* and sometimes *e*, the letter *t* is pronounced [t], as in Eng *s**t**ay* (***t**arifa*). In several dialects of Brazilian Portuguese, *t* is pronounced [tʃ] as in Eng *vou**ch**er*, before the sound [i] (*discu**t**ir*). In other dialects, *t* is always [t].
U	**u**ma f**u**ncionar ig**u**al q**u**e	The letter *u* is pronounced [u] as in Eng *d**o*** in many instances (***u**ma*). It can also be nasalized (*f**u**ncionar*). After *g, q* and before *a, o*, it is pronounced [w], as in Eng ***w**ait* (*ig**u**al*). After *g, q* and before *e, i*, the letter *u* is not pronounced, since it signals a "hard" *g* [g] or *q* [k] (*q**u**e*).
V	**v**ersátil	The letter *v* is pronounced [v].
W	***w**eb* *do**w**nload*	The letter *w* is normally used in loan words.
X	ta**x**a apro**x**imação e**x**igir fle**x**ível	The letter *x* can be pronounced as four different sounds: (1) [ʃ] as in Eng ***sh**are* (*ta**x**a*); (2) [s] (*apro**x**imar*); (3) [z] (*e**x**igir*); (4) [ks] as in Eng *fle**x**ible* (*fle**x**ível*).
Y	*deliver**y***	The letter *y* is normally used in loan words.
Z	organi**z**ar capa**z**	The letter *z* is pronounced [z] before a vowel (*organi**z**ar*). It may be [s] or [z] at the end of a word (*capa**z***), depending on the word that follows it (if any). If it is followed by a word starting with a vowel, *z* is pronounced [z]. If it is followed by a voiced consonant sound (such as [b], [d], [g], [l], [m], etc.), *z* is pronounced [z] in most dialects. If it is followed by a voiceless consonant sound (such as [p], [t], [k]) or if it is not followed by another word, it is pronounced [s] in most dialects.

UNIDADE 1 PROFISSIONAIS

COMEÇANDO O TRABALHO

1:6 ► LEIA E OUÇA.

► REFLEXÕES INICIAIS.

1 Observe e indique: igual (=) ou diferente (≠)?

a. Meu nome é...		Eu me chamo...
b. Eu sou brasileiro.		Eu sou do Brasil.
c. Eu sou brasileiro.		Eu sou brasileira.

► SOBRE VOCÊ.

2 Responda.

a. Qual é o seu nome? ____________________

b. Qual é a sua nacionalidade? ____________________

PÁGINA 32 ◣ VEJA A LISTA DE NACIONALIDADES.

O nome → masculino

A nacionalidade → feminino

COMPREENSÃO ORAL

1:7 **1 Ouça e complete os diálogos com as opções a seguir.**

muito prazer · prazer · eu me chamo · meu nome é · boa tarde
muito prazer · meu nome é · de onde · como vai · bom dia · eu me chamo

DIÁLOGO 1

Teresa:	Bom dia. ________________ Teresa Batista.
Jack:	Muito prazer, D. Teresa. ________________ Jack Tate.
Teresa:	Muito prazer. O senhor é inglês?
Jack:	Não, eu sou americano. A senhora é brasileira?
Teresa:	Sou, sim.

DIÁLOGO 2

Raquel:	Oi, tudo bem?
Marcos:	Oi, tudo bem. Meu nome é Marcos, e o seu?
Raquel:	Raquel. ______________.
Marcos:	O ____________ é meu.

DIÁLOGO 3

Fernando:	Olá, ________________ Fernando.
Juan:	Eu me chamo Juan. Muito prazer.
Fernando:	________________, Juan. De onde você é?
Juan:	Eu sou argentino.

DIÁLOGO 4

José Ricardo:	Boa tarde, ________________ José Ricardo.
Anne:	________________. Eu me chamo Anne Johnson.
José Ricardo:	Muito prazer. ________________ a senhora é?
Anne:	Eu sou canadense.

DIÁLOGO 5

Fernando:	______________, D. Teresa. Como vai?
Teresa:	Bem, obrigada. E o senhor, ________________?
Fernando:	Bem, obrigado.

Você → informal O senhor / A senhora → formal	Tudo bem? → informal Como vai? → formal

Os homens (Fernando, José Ricardo, Marcos etc.) usam *obrigad**o***.
As mulheres (Teresa, Raquel, Anne etc.) usam *obrigad**a***.
Veja o Diálogo 5.

D. = Dona (tratamento formal para mulheres)
Sr. = Senhor (tratamento formal para homens)

1:8 **2 Ouça e sublinhe o que ouve.**

a. Ela é da Inglaterra.
Ela é inglesa.

b. Você é sueco?
Você é da Suécia?

c. Ele é japonês.
Ele é do Japão.

d. Nós somos americanos.
Nós somos dos Estados Unidos.

e. Eu sou brasileiro.
Eu sou do Brasil.

f. Vocês são chineses?
Vocês são da China?

g. Elas são mexicanas.
Elas são do México.

h. Eles são indianos.
Eles são da Índia.

de + a = da
de + o = do
de + as = das
de + os = dos

PRODUÇÃO ORAL

1:9 ⊙ **1 Leia e ouça os exemplos. Depois, fale sobre as pessoas das fotos seguindo os exemplos.**

O nome dele é Richard Branson.
Ele é inglês. / Ele é da Inglaterra.

O nome dela é Oprah.
Ela é americana. / Ela é dos Estados Unidos.

a.

Eike Batista
(Brasil)

b.

Kiran Mazumdar-Shaw
(Índia)

c.

Bill Gates
(Estados Unidos)

2 Complete os diálogos.

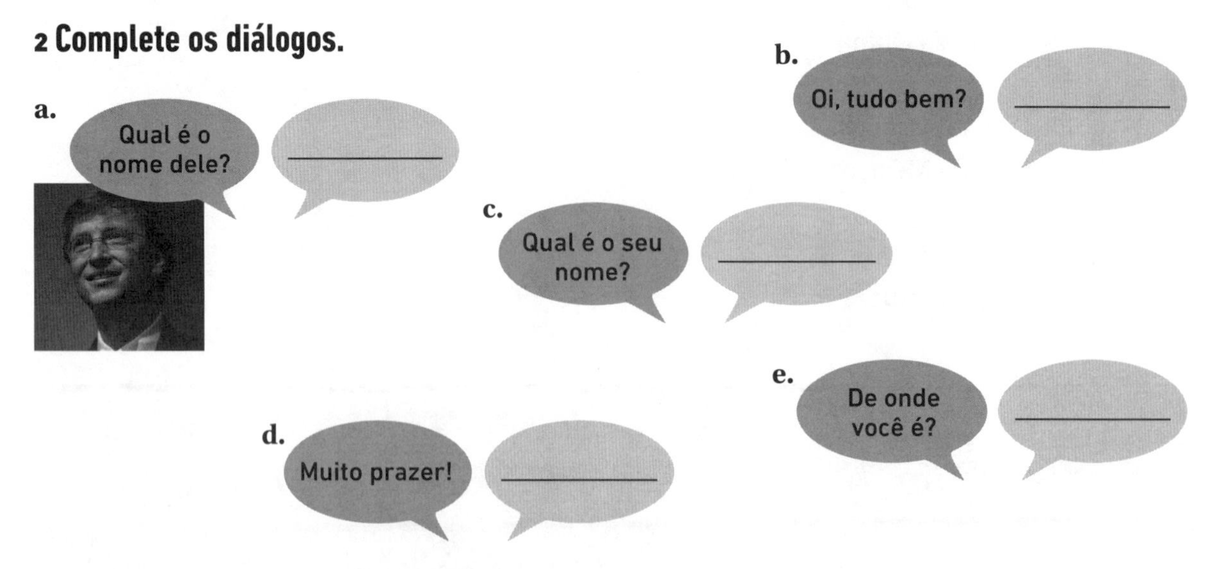

3 Leia os diálogos completos em voz alta.

1:10 ⊙ **4 Leia e ouça os exemplos. Depois, responda em voz alta.**

Teresa é brasileira? *É, sim.*

Você é brasileiro? *Não, não sou.*

a. Bill Gates é americano?
b. José Ricardo é português?
c. Você é canadense?
d. Richard Branson e Tony Blair são ingleses?
e. Raquel Jung é alemã?
f. Você e Warren Buffet são brasileiros?
g. Fernando Kinoshita é mexicano?
h. Eike Batista é brasileiro?
i. Kiran Mazumdar-Shaw é indiana?
j. Mark Zuckerberg é alemão?

5 Observe a cena e escreva um diálogo entre Marta e Luís.

Luís: ______________________________
Marta: ______________________________
Luís: ______________________________
Marta: ______________________________

6 Leia o diálogo do Exercício 5 em voz alta.

COMPREENSÃO ESCRITA

1:11 ⊙ **1 Leia e ouça o diálogo.**

Paulo:	Bom dia. A senhora é a Doutora Valéria Santos, a advogada?
Valéria:	Sou, sim. E o senhor?
Paulo:	Meu nome é Paulo Vieira. Muito prazer, doutora. Eu preciso conversar com a senhora e eu gostaria de confirmar os seus dados. O seu escritório fica na Avenida Rio Branco, número 57, sala 304. É isso mesmo?
Valéria:	Sim, é isso mesmo, senhor Paulo.
Paulo:	O telefone é 2237-0981?
Valéria:	Não, é 2273-0981.
Paulo:	Muito obrigado, doutora. Vou telefonar para o seu escritório para marcar uma hora com a senhora.
Valéria:	Pois não, senhor Paulo. Esperamos seu telefonema. Até breve, então.
Paulo:	Até breve.

Doutor (Dr.) / Doutora (Dra.) = forma de tratamento para médicos e advogados.

2 Qual cartão de visita corresponde ao diálogo do Exercício 1?

[1]

DR. VALÉRIO SANTOS
Advogado

R. Rio Branco, 57, sala 304
Belo Horizonte
Tel.: 31-2237-0981
E-mail: vfsantos23@oab.br

[2]

VALÉRIA SANTOS
Advogada

Av. Rio Branco, 57/304
Rio de Janeiro
Tel.: 21-2273-0981
E-mail: valeriasantos97@oab.br

[3]

DRA. VALÉRIA M. SANTOS
Advogada

Pç. Rio Branco, 304/57
São Paulo
Tel.: 11-2273-0981
E-mail: valeriamsantos@oab.br

R. = Rua   Av. = Avenida
Pç. = Praça   @ = arroba

3 Leia os cartões e complete as perguntas.

FÁBIO TORRES CUNHA
Consultoria em Marketing e Publicidade

Tel. fixo: 11-2667-5483
Tel. celular: 11-99486-0299
E-mail: ftcunha@somarketing.com.br
website: http://somarketing.com.br

MARIA BEATRIZ SCHNEIDER
Administradora
Perfeição Cosméticos

Rua do Comércio, 25 - Porto Alegre
Telefone: 51-3452-0987
E-mail: beatrizs@perfeicaocosmeticos.com.br
website: http://perfeicaocosmeticos.com.br

a. Qual é o ______________________ de Fábio?
11-99486-0299.

b. Qual é o ______________________ dele?
ftcunha@somarketing.com.br

c. ______________________ o endereço de Perfeição Cosméticos?
Rua do Comércio, 25, Porto Alegre.

d. ______________________ o *e-mail* de Maria Beatriz?
beatrizs@perfeicaocosmeticos.com.br

e. ____?
http://perfeicaocosmeticos.com.br

O TEXTO E VOCÊ

Responda oralmente.

- Que informações o seu cartão de visita apresenta?

PRODUÇÃO ESCRITA

1 No seu bloco de notas, compare os dois currículos.

a. Que informações eles contêm?
b. Qual dos dois você prefere? Por quê?

CURRÍCULO 1

[Nome Completo]

[Nacionalidade], [Estado Civil], [Idade] anos
[Endereço – Rua/Av. + Número + Complemento]
[Bairro] – [Cidade] – [Estado]
Telefone: [Telefone com DDD] / E-mail: [E-mail]
Filhos: [Sim/Não] / Quantos: [Quantidade]

OBJETIVO

[Cargo pretendido]

FORMAÇÃO ACADÊMICA

-
-

EXPERIÊNCIA PROFISSIONAL

-
-

CURRÍCULO 2

NOME COMPLETO
Data de nascimento, estado civil
Endereço com CEP
Telefones (residencial/celular)
e-mail

ÁREAS DE INTERESSE (2 ou 3 no máximo)

Formação Acadêmica
- nome da instituição de ensino
- curso
- início e término

Idioma(s)
- qual(is) idioma(s) / nível de conhecimento

Experiência Internacional (relatar todas as experiências que não sejam turísticas)
- local (país, cidade, instituição de ensino / empresa)
- período

Informática
- listar os conhecimentos

Cursos Complementares (ou extracurriculares)
- nome do curso / seminário / congresso / palestra – nome da instituição e data

DDD → Discagem Direta à Distância: São Paulo = 11; Rio de Janeiro = 21; Brasília = 61
CEP → Código de Endereçamento Postal. Para detalhes, acesse <http://www.buscacep.correios.com.br/>

2 Escreva o início de seu currículo em português. Use um editor de texto.

VOCABULÁRIO E PRONÚNCIA

1:12 ⊙ **1 Ouça e repita.**

PAÍS	NACIONALIDADE	
	Masculino	Feminino
a África do Sul	sul-africano	sul-africana
a Alemanha	alemão	alemã
a Argentina	argentino	argentina
a Bolívia	boliviano	boliviana
o Brasil	brasileiro	brasileira
o Canadá	canadense	
a China	chinês	chinesa
a Escócia	escocês	escocesa
a Espanha	espanhol	espanhola
os Estados Unidos	americano	americana
a Finlândia	finlandês	finlandesa
a França	francês	francesa
o Haiti	haitiano	haitiana
a Holanda	holandês	holandesa
a Índia	indiano	indiana
a Inglaterra	inglês	inglesa
o Japão	japonês	japonesa
o México	mexicano	mexicana
o Paquistão	paquistanês	paquistanesa
o Paraguai	paraguaio	paraguaia
a Rússia	russo	russa
a Venezuela	venezuelano	venezuelana
Angola	angolano	angolana
Cuba	cubano	cubana
Israel	israelense	
Moçambique	moçambicano	moçambicana
Portugal	português	portuguesa

Os nomes dos países são femininos (*a Argentina, a China, a Rússia*) ou masculinos (*o Brasil, o Canadá, os Estados Unidos*). Há nomes de países que não envolvem o uso do artigo (*Angola, Israel, Portugal*).

VEJA DETALHES SOBRE A PRONÚNCIA DOS SONS EM PORTUGUÊS.

INFORMAÇÕES CULTURAIS

PROFISSIONAIS BRASILEIROS

1 Leia.

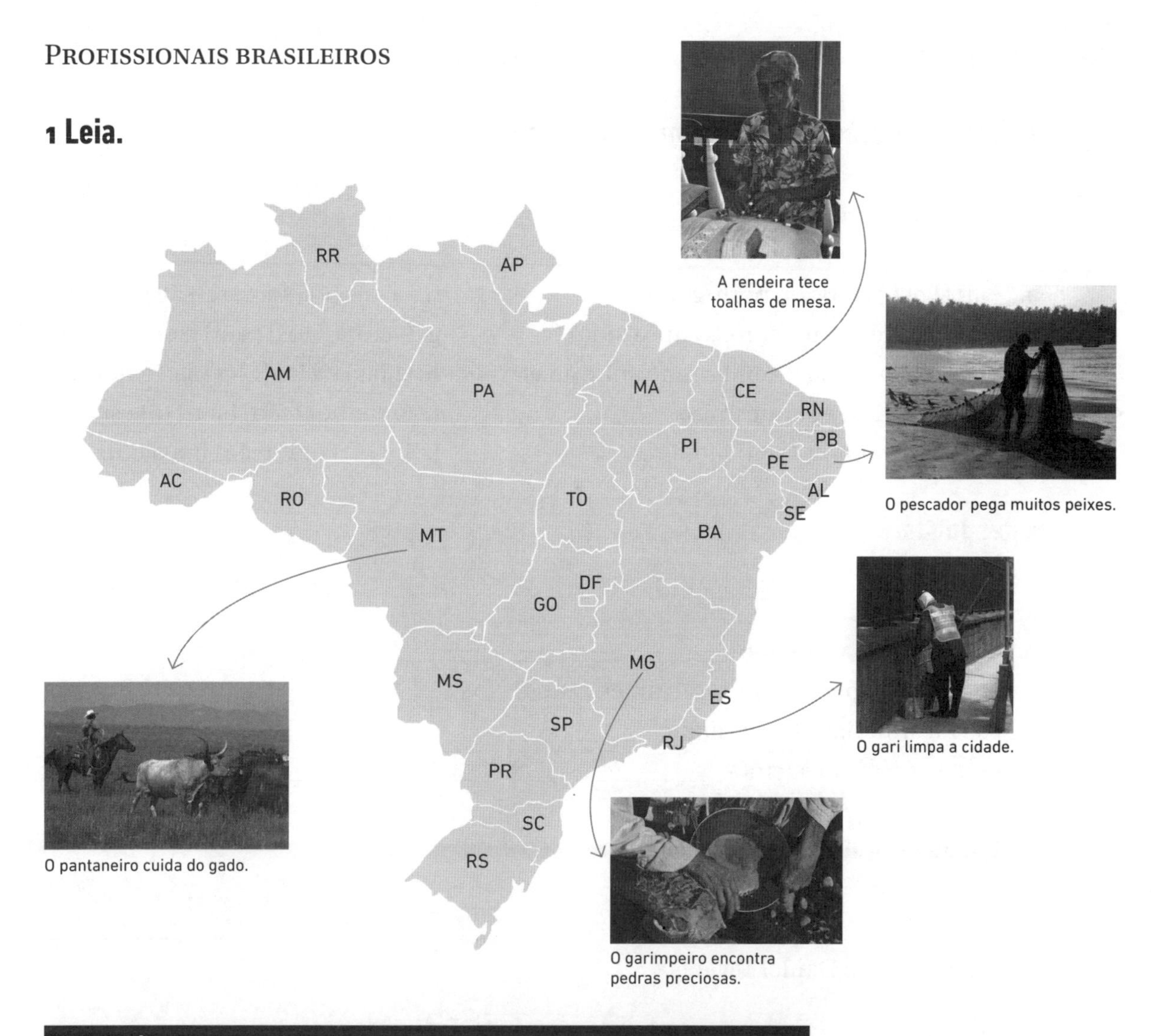

A rendeira tece toalhas de mesa.

O pescador pega muitos peixes.

O gari limpa a cidade.

O pantaneiro cuida do gado.

O garimpeiro encontra pedras preciosas.

GLOSSÁRIO

encontra: finds	**pega:** catches
gado: cattle	**peixe:** fish
limpa: cleans	**tece:** weaves
pedra preciosa: gemstone	**toalha de mesa:** tablecloth

CONEXÕES INTERCULTURAIS

Responda oralmente.

1 Que profissões ou atividades são comuns no seu país?

2 Que produtos são típicos do seu país?

GRAMÁTICA

CONSULTE A *MINIGRAMÁTICA* PARA MAIS INFORMAÇÕES.

1 Marque a opção correta, como no exemplo.

(Ele) (Elas) (Nós) são espanholas.

a. (Ela) (Você) (Eu) sou portuguesa.
b. A senhora (é) (sou) (somos) mexicana?
c. (Vocês) (Nós) (Elas) somos moçambicanas.
d. (Ela) (Ele) (Eu) é sul-africano.
e. Elas (são) (somos) (sou) indianas.
f. Vocês (é) (somos) (são) argentinos?
g. Nós (somos) (são) (sou) venezuelanos.
h. (Elas) (Nós) (Eles) são chineses.
i. O senhor (são) (sou) (é) espanhol?
j. Eu (é) (sou) (são) brasileiro.

2 Responda.

a. Você é brasileiro/a? ____________________
b. Warren Buffet é indiano? ____________________
c. Bill Gates e Oprah Winfrey são americanos? ____________________
d. José Ricardo Garcia é português? ____________________
e. Raquel Jung é brasileira? ____________________

3 Faça as perguntas.

a. ____________________?
O meu nome é Daniel Tavares.

b. ____________________?
O meu telefone é 3802-3541.

c. ____________________?
O meu *e-mail* é danieltavares@email.com.

d. ____________________?
O meu endereço é rua Bela, 30.

UNIDADE 2 FORMAÇÃO PROFISSIONAL

COMEÇANDO O TRABALHO

1:13 ► LEIA E OUÇA.

CENA 1

CENA 2

► REFLEXÕES INICIAIS.

1 Como se diz em português?

a. I live ________________ **b.** I work ________________ **c.** I speak ________________

► SOBRE VOCÊ.

2 Responda.

a. Onde você mora? ________________

b. Onde você trabalha? ________________

c. Que línguas você fala? ________________

☞

Onde = where **Que =** what

em + a = na em + o = no em + as = nas em + os = nos

*Ela mora **em** Angola. / Ele mora **na** China. / Eu moro **no** Brasil.*
*Ela mora **nas** Bahamas. / Ele mora **nos** Estados Unidos.*

Alguns estados brasileiros envolvem o uso do artigo **o** ou **a**, e outros não: *Ela mora **em** São Paulo. Ele mora **na** Bahia. Eu moro **no** Rio Grande do Sul.* Em geral, não se usa o artigo com o nome das cidades: *Eu moro **em** Curitiba. Ela mora **em** Manaus. Ele mora **em** Brasília.* Mas: *Eu moro **no** Rio. Ele mora **no** Recife.*

COMPREENSÃO ORAL

1:14 ▶ **1 Ouça e complete os diálogos com as opções a seguir.**

começo estudo trabalha trabalho

DIÁLOGO 1

Júlio:	Onde você ______________?
Ivan:	Eu ______________ na Avance Sistemas. Sou assistente administrativo.
Júlio:	Eu também sou. Mas eu ______________ Economia pra conseguir uma promoção no futuro.
Ivan:	Que legal! Eu ______________ a estudar Administração de Empresas no próximo semestre.

ganho manda paga pago precisamos procura

DIÁLOGO 2

Ana:	Minha empresa ______________ cursos de formação profissional.
Isa:	Isso é muito bom. Eu ______________ os cursos que eu faço. Às vezes, são caros e eu não ______________ muito bem.
Ana:	Nós ______________ de bons colaboradores. A empresa sempre ______________ pessoal qualificado. Por que você não ______________ o seu currículo?

estuda fala falam falamos gosta gosto

DIÁLOGO 3

Tadeu:	Você ______________ espanhol, né? Você ______________?
Taís:	Eu ______________, sim. No meu setor, nós ______________ muito com empresas em outros países, principalmente na Argentina e no México. Todos os funcionários ______________ inglês também, e o meu chefe ______________ alemão.

☞ né? = não é?

termina terminam termino

DIÁLOGO 4

Mônica:	Quando vocês ______________ o curso de formação profissional?
Eduardo:	Eu ______________ no mês que vem, mas o Beto só ______________ no final do ano.

☞ Em português existem três "famílias" de verbos:
- verbos de 1ª conjugação (terminados em **-ar**);
- verbos de 2ª conjugação (terminados em **-er**);
- verbos de 3ª conjugação (terminados em **-ir**).

Nesta unidade estudamos os verbos de 1ª conjugação. Exemplos:

ajudar: to help	**conversar:** to talk	**ganhar:** to earn	**morar:** to live in	**procurar:** to look for
começar: to begin	**estudar:** to study	**gostar:** to like	**pagar:** to pay	**terminar:** to finish
contratar: to hire	**falar:** to speak	**mandar:** to send	**precisar:** to need	**trabalhar:** to work

VEJA INFORMAÇÕES SOBRE O USO DE "QUE" NA MINIGRAMÁTICA.

1:15 **2 Ouça as perguntas e respostas e faça a correspondência.**

PERGUNTAS	RESPOSTAS
a. Você mora no Brasil?	☐ Estuda, sim.
b. Eles trabalham em Curitiba?	☐ Não, não moramos.
c. Vocês falam espanhol?	☐ Moro, sim.
d. Rita estuda à noite?	☐ Gosta, sim.
e. Vocês moram em Salvador?	☐ Não, não trabalham.
f. Mauro gosta do emprego?	☐ Falamos, sim.

*Eu gosto **de** estudar. = I like to study.*
*Ele gosta **do** emprego. = He likes his job.*
*Você gosta **da** empresa? = Do you like the company?*

1:16 **3 Ouça o áudio e complete as frases.**

a. Os analistas de *marketing* de grandes empresas ganham entre 2.500 e ________________ reais por mês.
b. O salário depende do tempo de ________________ do profissional.
c. Um ________________ de vendas que não tem experiência ganha 5 mil reais por mês.
d. Os diretores comerciais de ________________ ganham até 55 mil reais.
e. O salário máximo do gerente geral de uma média empresa é ________________ reais.

No Brasil, falamos de empresas de acordo com o tamanho:
pequena empresa, **média** empresa e **grande** empresa.

4 Ouça o áudio do Exercício 3 mais uma vez e leia o *script* na p. 279. Sublinhe os verbos de 1ª conjugação usados no presente.

1:17 **5 Ouça o áudio sobre o Censo de 2010 e marque a melhor alternativa para completar cada frase.**

a. Hoje há mais brasileiros (que não completam) (que completam) o curso superior do que em 2000.
b. Os brasileiros hoje (ganham) (não ganham) mais do que em 2000.
c. Os salários aumentam (15%) (5,5%) entre 2000 e 2010.
d. Em 2010, as mulheres brasileiras ganham (982 reais) (1.115 reais).

Note o uso de ponto (.) e vírgula (,) nos números:
5,5 = cinco e meio / cinco vírgula cinco
1.115 = mil cento e quinze
Usa-se ponto (.) para separar milhar; usa-se vírgula (,) para separar casas decimais.

PRODUÇÃO ORAL

1:18 **1 Ouça e marque A (afirmativa); N (negativa) ou I (interrogativa).**

a. ______	b. ______	c. ______	d. ______	e. ______	f. ______	g. ______	h. ______

1:19 **2 Ouça e repita. Em seguida, transforme a frase para a negativa e para a interrogativa oralmente. Siga o exemplo.**

O executivo de vendas ganha 15 mil reais. → *O executivo de vendas não ganha 15 mil reais.*
→ *O executivo de vendas ganha 15 mil reais?*

1:20 **3 Observe o exemplo. Em seguida, ouça o áudio e passe as frases para o plural.**

A funcionári**a** ativ**a** começ**a** o trabalho. → **As** funcionári**as** ativ**as** começ**am** o trabalho.

- Normalmente o substantivo precede o adjetivo em português: O engenheiro (***substantivo***) comunicativo (***adjetivo***)
- Os adjetivos concordam com os substantivos em gênero (masculino/feminino) e número (singular/plural): *O arquitet**o** simpátic**o** / A arquitet**a** simpátic**a** / Os arquitet**os** simpátic**os** / As arquitet**as** simpátic**as**.*
- Alguns adjetivos são iguais no masculino e no feminino: *A diretora capaz/competente/especial/otimista/responsável; O diretor capaz/competente/especial/otimista/responsável.*

4 Complete os diálogos circulando as opções adequadas.

DIÁLOGO 1

Márcia:	Você (trabalho) (trabalha) com a Paula?
João:	(Trabalho) (Trabalha), sim. Nós somos (comprador) (compradores).
Márcia:	O que vocês (compra) (compram)?
João:	Nós (compramos) (compram) materiais e equipamentos. Nós negociamos os melhores (preço) (preços) para a empresa.

No Brasil, pode-se usar o artigo definido (o/a) antes do nome de uma pessoa: **a Paula**, **o João**. Este uso é opcional e varia de acordo com região e nível de familiaridade com a pessoa.

DIÁLOGO 2

Raquel:	Nós (precisa) (precisamos) do orçamento para o ano que vem.
Danilo:	(O) (Os) administradores (planeja) (planejam) o orçamento.
Raquel:	Eles também (analiso) (analisam) as (meta) (metas) da empresa?
Danilo:	(Analisamos) (Analisam), sim.

*Eu preciso planejar o orçamento. = I need to plan the budget. / Eu preciso **de** muitos orçamentos. = I need many budgets. / Eu preciso **do** orçamento. = I need the budget. / Eu preciso **da** pesquisa. = I need the research.*

- Lembre-se: de + a(s) = da(s); de + o(s) = do(s)

5 Leia os diálogos do Exercício 4 em voz alta.

1:21 6 Leia e ouça os exemplos. Em seguida, responda às perguntas em voz alta.

Os arquitetos planejam as casas? *Planejam, sim.* / A gerente limpa o escritório? *Não, não limpa.*

a. O chefe prepara a agenda da reunião?
b. A psicóloga entrevista os candidatos?
c. O contador compra materiais?
d. Os colegas ajudam o novo estagiário?
e. Os economistas importam equipamentos?
f. A engenheira instala o ar-condicionado?

7 Modifique a frase (I) para completar as frases (II) e (III). Leia as frases completas em voz alta.

a. I. A arquiteta criativa planeja um espaço interessante.
II. O arquiteto ____________ planeja um espaço interessante.
III. Os arquitetos ______________ planejam espaços ______________.
b. I. O gerente organizado assessora a diretora inteligente.
II. Os gerentes _____________ assessoram as diretoras ______________.
III. As gerentes _____________ assessoram os diretores ______________.
c. I. O funcionário trabalhador executa a tarefa complicada.
II. A ____________ trabalhadora executa as tarefas ______________.
III. Os ____________ trabalhadores executam as tarefas ______________.

8 Leia o artigo e complete as frases usando o verbo "ganhar". Siga o exemplo.

REMUNERAÇÃO

QUEM GANHA MAIS?

O profissional de planejamento tributário é o mais bem remunerado, em termos relativos, do mercado brasileiro, segundo pesquisa da consultoria Mercer. "No Brasil, as leis e taxas mudam com frequência, exigindo desse profissional habilidade técnica e atualização", diz Andrea Sotnik, consultor da Mercer. Veja ranking:

1º Planejamento tributário
2º Vendas
3º Comercial
4º Remuneração e benefícios
5º Tecnologia da informação

(Você S/A. São Paulo: Abril, out. 2011. p. 20.)

GLOSSÁRIO

tributário: relativo a taxas
é o mais bem remunerado: ganha mais
pesquisa: investigação
mudam: variam

O profissional de planejamento tributário ganha mais do que o profissional de vendas.

a. Os profissionais de vendas ______________________________________ .
b. Os profissionais de tecnologia da informação ______________________________ .
c. Um profissional do setor comercial ______________________________ .

9 Agora leia em voz alta as frases do exercício anterior.

COMPREENSÃO ESCRITA

1 Leia o texto.

6º ciclo de qualificação profissional do Prominp

Mais de 11 mil vagas em cursos gratuitos de nível básico, técnico e superior em 14 estados brasileiros.

Uma grande oportunidade para quem deseja atuar no setor de petróleo e gás, um dos mercados de trabalho mais promissores do país.

Não perca esta chance. Venha crescer com o Brasil.

Bolsas-auxílio de R$ 300 a R$ 900 para alunos desempregados.

Inscrições de 07/03 até 12/04/12 no site **www.prominp.com.br** ou nos postos credenciados (Cesgranrio).

Taxas de inscrição no Processo Seletivo Público:

- Nível Básico: R$ 25,00
- Nível Técnico: R$ 42,00
- Nível Superior: R$ 63,00

Isenção da taxa de inscrição para portadores do Número de Identificação Social – NIS. Veja condições no edital do processo seletivo publicado no site do Prominp.

Mais informações:
www.prominp.com.br / www.cesgranrio.org.br / 0800 7012028

(Folheto produzido por Prominp – Programa de Mobilização da Indústria Nacional de Petróleo e Gás Natural, 2012.)

- Datas em português: DIA / MÊS / ANO
  12/04/12 = 12 de abril de 2012

- Preços e números:
  R$ 25,00 = 25 **reais**
  R$ 25,50 = 25 reais e 50 centavos

2 Leia o texto novamente, sublinhando todo o vocabulário que você compreende.

3 Relacione as colunas.

a. ciclo de qualificação profissional	☐ application fee
b. taxa de inscrição	☐ unemployed students
c. vagas	☐ financial aid
d. cursos gratuitos	☐ level
e. nível	☐ free courses
f. bolsa-auxílio	☐ professional development cycle
g. alunos desempregados	☐ spaces

4 Leia o texto de novo e selecione as opções que completam as frases.

a. O texto apresenta informações sobre:
☐ inscrições para processos de seleção de empregos.
☐ inscrições para professores de cursos profissionais.
☐ inscrições em cursos de diferentes níveis.

b. O texto menciona:
☐ os salários dos empregos oferecidos.
☐ os preços das taxas de inscrição.
☐ os custos envolvidos na formação profissional.

c. O texto não menciona:
☐ o número aproximado de vagas.
☐ onde fazer a inscrição.
☐ quando os cursos começam.

5 Complete de acordo com as informações do texto.

a. Os cursos são uma boa oportunidade para empregos no setor de ____________________ .
b. O auxílio a alunos desempregados é de ____________ até ____________reais.
c. As inscrições são do dia ______________ até o dia ______________.
d. A taxa de inscrição para o ____________________ é 42 reais.
e. A taxa de inscrição para o nível superior é __________________.
f. O número de telefone para mais informações é _________________.
g. O curso oferece ___________________ vagas.

O TEXTO E VOCÊ

Responda oralmente.

- Você considera o curso uma boa ou má ideia?
- Você acha a taxa de inscrição cara ou barata?
- Você acha o número de vagas adequado?

PRODUÇÃO ESCRITA

1 Observe o texto e responda.

▼ Vocabulário Petróleo & Gás	Hoje, 14:17
▶ Equipamentos	Hoje, 14:17
▶ Geologia	Hoje, 14:16
▶ Lugares	Hoje, 14:16
▶ Português = Inglês	Hoje, 14:16
▶ Profissionais	Hoje, 14:16
▶ Siglas importantes	Hoje, 14:16
▶ Verbos	Hoje, 14:16

a. Que informações o texto contém?

____

____

____

b. Qual é o objetivo do texto?

____

____

____

c. Quem é o provável autor do texto?

____

____

____

2 Em que arquivo entra o vocabulário abaixo?

a. [commodities
royalties
upstream
downstream
diesel]

____

b. [Sondador (driller)
Técnico de lama (mud engineer)
Fiscal (company man)
Torrista (derrick man)]

____

c. [Bacia de Campos
Roncador
Marlim
Bacia de Santos]

____

d. [Bloco (block)
Bomba de lama (mud pump)
Coluna de perfuração (drill string)]

____

e. [Rocha (rock)
Falha normal (normal fault)
Folhelho (shale)]

____

f. [Perfurar (to drill)
Cimentar (to cement)
Descer revestimento (to run casing)]

____

g. [ANP (Agência Nacional do Petróleo)
OPEP (Organização dos Países Exportadores de Petróleo)
G&G (Geologia e Geofísica)]

____

3 Prepare um glossário de termos técnicos na sua área de atuação.

a. Selecione as pastas que você vai criar.

- ☐ Português = Inglês
- ☐ Profissionais
- ☐ Verbos
- ☐ Siglas importantes
- ☐ Equipamentos & outros objetos
- ☐ Lugares
- ☐ ____________________
- ☐ ____________________

b. Em um editor de texto, crie arquivos com vocabulário relevante em português e sua tradução na língua de sua preferência.

VOCABULÁRIO E PRONÚNCIA

1:22 **1 Ouça e repita.**

VEJA AS PROFISSÕES MAIS FREQUENTES EM CADA SIGNO

ÁRIES
hotelaria, educação superior, construção, engenharia, governo, TI

TOURO
governo, saúde, arte, *design*, arquitetura, *marketing*, relações públicas

GÊMEOS
serviço social, preparação de alimentos, TI, direito, bombeiro

CÂNCER
governo, educação superior, ciência física, edição, engenharia

LEÃO
TI, enfermagem, logística, educação, mobiliária

VIRGEM
edição, educação, serviço social, militar, vendas

LIBRA
engenharia, operação de máquinas, *design*, arquitetura, educação

ESCORPIÃO
ciências, justiça, hotelaria, operação de máquinas, educação

SAGITÁRIO
TI, edição, técnico em laboratório, serviço social, educação

CAPRICÓRNIO
engenharia, vendas, preparação de alimentos, direito, comércio

AQUÁRIO
vendas, militar, construção, educação, cuidados pessoais

PEIXES
governo, finanças, mecânica, comércio, direito, bombeiro

(*Você S/A*. São Paulo: Abril, out. 2011. p. 18.)

2 Responda.

a. Qual é o seu signo? ______________________

b. Em que área você trabalha? ______________________

c. As suas respostas confirmam as informações no texto? ______________________

3 Escreva pequenos trechos sobre colegas ou membros de sua família conforme os exemplos abaixo.

[Mariana é sagitário e ela trabalha em TI. Esse exemplo confirma as informações no texto.]

[Pedro é peixes e ele trabalha em engenharia. Esse exemplo não confirma as informações no texto.]

- Os signos do zodíaco não variam em gênero e número:
Mariana é sagitário / Pedro é peixes / José é gêmeos / Ana e Ivo são libra.
- **Esse**: demonstrativo masculino; **essa**: demonstrativo feminino. (esse/essa = *this*)

INFORMAÇÕES CULTURAIS

1 Leia o texto sobre a formação profissional no Brasil.

FORMAÇÃO PROFISSIONAL NO BRASIL

- **Cursos técnicos**: Oferecem educação profissional e tecnológica de nível médio. Há cursos em diversas áreas, como saúde, gestão e negócios, recursos naturais, segurança, turismo e outras. Há cursos específicos em todas as áreas. As escolas técnicas podem ser públicas ou privadas.
- **O Sistema "S"**: Formado por organizações criadas pelos setores produtivos. Os nomes das organizações são siglas que começam com a letra S. Algumas das organizações do Sistema "S" oferecem educação profissional. As mais reconhecidas são o SENAI (Serviço Nacional de Aprendizagem Industrial), que forma profissionais no setor industrial, e o SENAC (Serviço Nacional de Aprendizagem Comercial), que forma profissionais no setor comercial. O SENAI e o SENAC oferecem cursos de vários tipos e a vários níveis, do nível técnico à pós-graduação. Em geral, os cursos não são gratuitos.
- **Cursos universitários**: As universidades e faculdades brasileiras oferecem cursos de graduação e pós-graduação em praticamente todas as áreas de conhecimento. As universidades podem ser públicas ou privadas. As universidades realizam e incentivam a pesquisa científica. A USP (Universidade de São Paulo), uma universidade pública, foi considerada a melhor universidade da América Latina em 2011 e 2012 (de acordo com a consultoria britânica QS Quacquarelli Symonds).
- **Cursos para tecnólogos**: Oferecem formação de nível superior, mas têm duração de 2 a 3 anos (menos do que os cursos universitários tradicionais). Portanto, os alunos podem entrar no mercado de trabalho mais rapidamente. A formação se concentra em uma área específica de conhecimento, como profissões dos setores de tecnologia, comércio e turismo, entre outras.

faculdade = instituições com cursos em pequeno número de áreas do conhecimento.
universidade = instituições que oferecem ensino, pesquisa e extensão (serviços para a comunidade).
• As escolas, faculdades e universidades públicas são gratuitas (os alunos não pagam).
• Há = existem

CONEXÕES INTERCULTURAIS

Responda oralmente.

1 O ensino no seu país é público ou privado?
2 Há cursos técnicos no seu país? Em que nível (médio ou superior)?
3 Há serviços como o SENAI e o SENAC?

GRAMÁTICA

CONSULTE A *MINIGRAMÁTICA* PARA MAIS INFORMAÇÕES.

1 Complete as frases com as palavras a seguir.

cuidadoso dedicada preparadas supervisores publicitária contador sistemáticos

a. As alunas __________________ entram no mercado de trabalho.
b. A __________________ atenciosa conversa com as clientes.
c. Os __________________ detalhistas desejam bons resultados.
d. O economista __________________ analisa os problemas.
e. A médica __________________ cuida dos operários na fábrica.
f. Os estatísticos __________________ montam os bancos de dados.
g. O __________________ meticuloso prepara as planilhas de cálculo.

2 Complete cada frase com os verbos a seguir conjugados adequadamente.

chegar conversar estudar ganhar trabalhar usar

a. O chefe __________________ ao escritório às 8 horas.
b. A administradora __________________ com a supervisora sobre as metas da empresa.
c. Os profissionais de limpeza __________________ uniformes.
d. Nós __________________ numa pequena empresa.
e. Eu __________________ um bom salário.
f. Você __________________ Informática na universidade?

num = em um **numa** = em uma

3 Relacione as colunas para completar as frases.

a. José gosta	☐ contratar um advogado experiente.
b. Amélia e Bruna são	☐ o orçamento para o chefe.
c. Os chefes ganham	☐ em uma praia perto de Florianópolis.
d. Nós precisamos	☐ diretoras criativas.
e. Leandro e Rita moram	☐ inglês, espanhol e francês.
f. Eles terminam	☐ de trabalhar com funcionários competentes.
g. Glória e eu falamos	☐ R$ 5.000,00 por mês.

UNIDADE 3 TRABALHO EM EQUIPE

COMEÇANDO O TRABALHO

1:23 ► LEIA E OUÇA.

Para um bom trabalho em equipe, é necessário...

► REFLEXÕES INICIAIS.

GLOSSÁRIO

equipe: time, conjunto de pessoas

1 Responda.

a. Os verbos em português terminam em ___________, ___________ e ___________.

b. Complete o quadro com os verbos a seguir em português, de acordo com sua terminação. Consulte o quadro da imagem acima e verifique suas respostas no glossário.

learn understand share open comprehend assume focus establish listen to

-ar	-er	-ir

► SOBRE VOCÊ.

2 Responda.

a. Você gosta de trabalhar em equipe? ___________________________________

b. Na sua opinião, qual é o requerimento mais importante para um bom trabalho em equipe?

____

COMPREENSÃO ORAL

1:24 ⊙ **1 Ouça e preencha as lacunas com as palavras a seguir.**

abre atendem compreende cumprem decidem
dependem devem discutem dividem entendem

O trabalho em equipe é muito importante. As empresas gostam de trabalhadores que ___________ responsabilidades e que ___________ os diferentes pontos de vista. Muitos projetos ___________ de grupos, não de indivíduos. O bom profissional ___________ a importância de compartilhar ideias e ___________ espaço para as opiniões dos colegas. Os bons funcionários ___________ às necessidades da empresa e ___________ as metas individuais e coletivas. Para isso, os funcionários ___________ colaborar uns com os outros. Dessa maneira, todos ___________ e ___________ como atingir as metas.

GLOSSÁRIO

meta: objetivo

Como visto na Unidade 2, existem três "famílias" de verbos em português:

- 1ª conjugação (verbos terminados em **-ar**, os mais frequentes);
- 2ª conjugação (verbos terminados em **-er**);
- 3ª conjugação (verbos terminados em **-ir**).

Veja alguns exemplos de verbos de 2ª e de 3ª conjugação:

2ª CONJUGAÇÃO	3ª CONJUGAÇÃO
aprender: to learn	**abrir:** to open
atender: to attend to	**assumir:** to assume; to take over
beber: to drink	**cumprir:** to fulfill
comer: to eat	**decidir:** to decide
compreender: to comprehend	**demitir:** to fire; to dismiss
crescer: to grow	**diminuir:** to decrease
depender: to depend	**dirigir:** to direct
dever: must; ought to	**discutir:** to discuss
entender: to understand	**dividir:** to divide; to share
perceber: to notice	**insistir:** to insist
receber: to receive	**possuir:** to possess
vender: to sell	**resumir:** to summarize
viver: to live	**reunir:** to gather; to meet

1:25 ⓒ **2 Ouça e preencha o quadro com as características das seguintes equipes.**

Time de futebol	Os membros do grupo ____________ habilidades diferentes e objetivos ______________________________. As funções dos jogadores não são ____________. Alguns jogadores ________ a coordenação da equipe. Dessa maneira, o time _________ o objetivo.
Orquestra sinfônica	Os componentes ________ habilidades diferentes, mas as funções são ________. O maestro ________ o trabalho da equipe.
Formigas	As formigas são ___________ e não ________ ordens. Elas ________ o trabalho e ________ em sincronia ________. Juntas, elas ________ um trabalho que é _________ para uma formiga.

1:26 ⓒ **3 Preencha o organograma de acordo com as informações do áudio. Use os termos dados a seguir.**

logística | produção | financeiro | administrativo | vendas | humanos

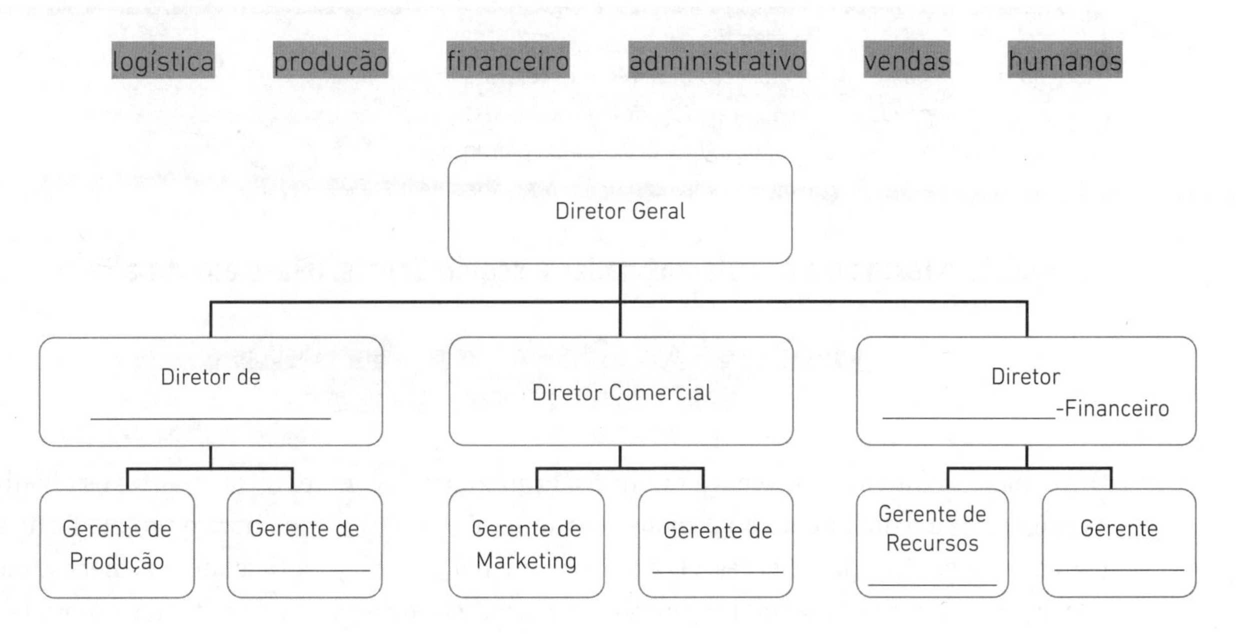

PRODUÇÃO ORAL

1:27 **1 Ouça e repita.**

FREQUÊNCIA DE TEMPO

0%	20%	50%	70%	100%
Nunca	Raramente	Às vezes	Frequentemente	Sempre

2 Adicione nomes de colegas de trabalho na 1ª coluna. Depois, faça frases oralmente usando um elemento de cada coluna.

O/A estagiário/a ______ O/A gerente de *marketing* ______ Minha/Meu chefe ______ Nossa/Nosso assistente ______ O/A supervisor/a ______	• nunca • raramente • às vezes • frequentemente • sempre	• discute com os colegas • abre a correspondência • atende o telefone • recebe os clientes • divide as tarefas • entende os procedimentos • aprende novas funções

Eu trabalho com um diretor. ***Meu*** *diretor é dedicado.*
Eu também trabalho com uma secretária. ***Minha*** *secretária é organizada.*
Meu diretor depende da equipe. A equipe ***dele*** *é excelente.*
Minha secretária é muito eficiente. O trabalho ***dela*** *é sempre perfeito.*
Nós dividimos o trabalho. ***Nosso*** *trabalho é difícil mas* ***nossa*** *equipe é excelente.*

3 Complete o texto com as palavras dadas a seguir. Depois, leia-o em voz alta.

aprendo | clientes | cumpre | dela | dele | discutem
divide | meu | sempre | às vezes

Um projeto arquitetônico começa quando o arquiteto e os clientes __________ os objetivos, as exigências e o orçamento do projeto. O arquiteto __________ elabora o projeto de acordo com as expectativas dos clientes. O objetivo principal __________ é atender às necessidades dos clientes. Depois de discutir a proposta, o arquiteto desenvolve os detalhes do projeto. O arquiteto sempre segue os regulamentos necessários e __________ as exigências da lei.

Luciana é arquiteta. Normalmente, os projetos __________ são muito modernos, mas __________ ela atende __________ conservadores. Ela coordena uma equipe que __________ o trabalho e eu sou parte dessa equipe. Eu sou estagiário e __________ trabalho é pesquisar os materiais para os projetos. Eu gosto de trabalhar com Luciana. Eu __________ muito com ela sobre a vida profissional e o trabalho de um arquiteto.

4 Responda oralmente. Se possível, converse com outra pessoa usando as perguntas.

No seu trabalho, você dirige outras pessoas?

Você aprende com os colegas?

Você cumpre suas metas?

Você conversa com os clientes?

*Você conversa com os clientes. **Seus** clientes são importantes.*
*Você cumpre metas. **Suas** metas são fundamentais.*

1:28 ## 5 Ouça e estude as expressões abaixo. Em seguida, responda oralmente às situações usando uma das expressões.

GLOSSÁRIO	
Que bom! / Que legal! = How nice!	**Que chato!** = That's too bad!
Que ótimo! = How excellent!	**Que sorte!** = How fortunate!
Que pena! = What a pity!	**Que azar!** = How unfortunate!

a. A secretária do meu escritório não gosta de trabalhar em equipe.
b. Minha chefe é muito boa e entende os problemas dos funcionários.
c. Minha empresa paga hotéis cinco estrelas para diretores como eu.
d. Todos os meus assistentes estão em casa doentes.
e. A bolsa de valores de Nova York não abre hoje.

6 Você também? Ou não? Responda oralmente às seguintes afirmativas. Siga os exemplos.

Ana: Eu trabalho numa empresa de informática. E você?
Você: *Eu também.*

José: Eu trabalho em São Paulo. E você?
Você: *Eu não. Eu trabalho em Vitória.*

a. Rosa: Eu sempre atendo o telefone no escritório. E você?
b. Davi: Eu vendo produtos de informática. E você?
c. Olga: Eu só bebo água mineral. E você?
d. João: Eu sempre aprendo coisas novas com os colegas. E você?
e. Iara: Às vezes eu demito funcionários. E você?

COMPREENSÃO ESCRITA

1 Leia o texto.

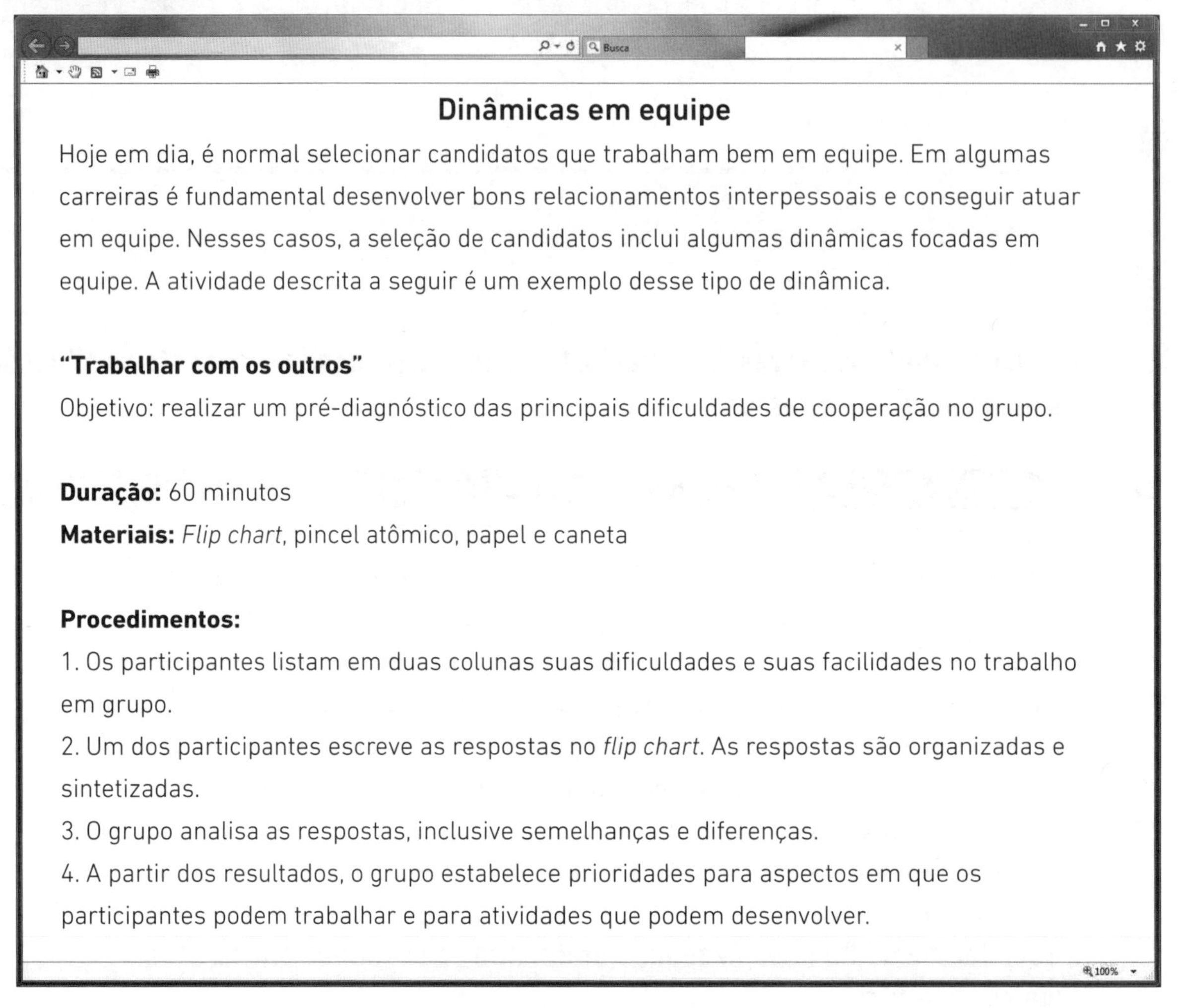

Dinâmicas em equipe

Hoje em dia, é normal selecionar candidatos que trabalham bem em equipe. Em algumas carreiras é fundamental desenvolver bons relacionamentos interpessoais e conseguir atuar em equipe. Nesses casos, a seleção de candidatos inclui algumas dinâmicas focadas em equipe. A atividade descrita a seguir é um exemplo desse tipo de dinâmica.

"Trabalhar com os outros"

Objetivo: realizar um pré-diagnóstico das principais dificuldades de cooperação no grupo.

Duração: 60 minutos

Materiais: *Flip chart*, pincel atômico, papel e caneta

Procedimentos:

1. Os participantes listam em duas colunas suas dificuldades e suas facilidades no trabalho em grupo.
2. Um dos participantes escreve as respostas no *flip chart*. As respostas são organizadas e sintetizadas.
3. O grupo analisa as respostas, inclusive semelhanças e diferenças.
4. A partir dos resultados, o grupo estabelece prioridades para aspectos em que os participantes podem trabalhar e para atividades que podem desenvolver.

(Adaptado de <http://citicarreira.tumblr.com/post/5455930457/dinamicas-que-exigem-trabalho-em-equipe>. Acesso em 9 jul. 2013.)

2 Leia o texto novamente, sublinhando as palavras que você entende.

3 Ache no primeiro parágrafo do texto vocabulário com significado semelhante a:

a. escolha ______________________________

b. básico ______________________________

c. abaixo ______________________________

d. grupo ______________________________

e. escolher ______________________________

f. com ênfase em ______________________________

4 Escolha a melhor opção para completar as frases de acordo com o texto.

a. Os empregadores procuram candidatos que:
- ☐ preferem trabalhar individualmente.
- ☐ são muito dinâmicos.
- ☐ conseguem trabalhar num grupo.

b. Em algumas profissões:
- ☐ é importante se relacionar bem com os colegas.
- ☐ é impossível desenvolver relacionamentos.
- ☐ é fundamental selecionar candidatos.

c. A dinâmica "Trabalhar com os outros":
- ☐ identifica os candidatos mais difíceis.
- ☐ identifica problemas de cooperação.
- ☐ aponta o melhor grupo de candidatos.

d. Com os resultados da atividade, o grupo:
- ☐ identifica os aspectos mais importantes a trabalhar.
- ☐ determina prioridades para participar de atividades.
- ☐ desenvolve atividades para dinâmicas de grupo.

5 Marque os elementos que NÃO são parte da dinâmica "Trabalhar com os outros".

☐ escrever respostas ☐ anotar perguntas ☐ analisar diferenças
☐ fazer pesquisas ☐ determinar prioridades

6 Veja as respostas de um participante para a dinâmica do Exercício 1. Copie as respostas na coluna adequada.

Eu compreendo as motivações de outras pessoas.
Eu sou tímido.
Eu reconheço as qualidades de meus colegas.
Eu respeito a diversidade.
Eu me expresso mal oralmente.
Eu não identifico a hora certa de interromper o colega.

Facilidades	Dificuldades

O TEXTO E VOCÊ

Responda oralmente:
- O que você acha da dinâmica "Trabalhar com os outros"?
- Você conhece outras dinâmicas que favorecem o trabalho em equipe? Fale sobre elas.

PRODUÇÃO ESCRITA

1 Leia o texto abaixo rapidamente e complete. O texto reproduz:

a. ☐ um *blog*.
b. ☐ um artigo de jornal *on-line*.
c. ☐ um *post* em uma rede social.

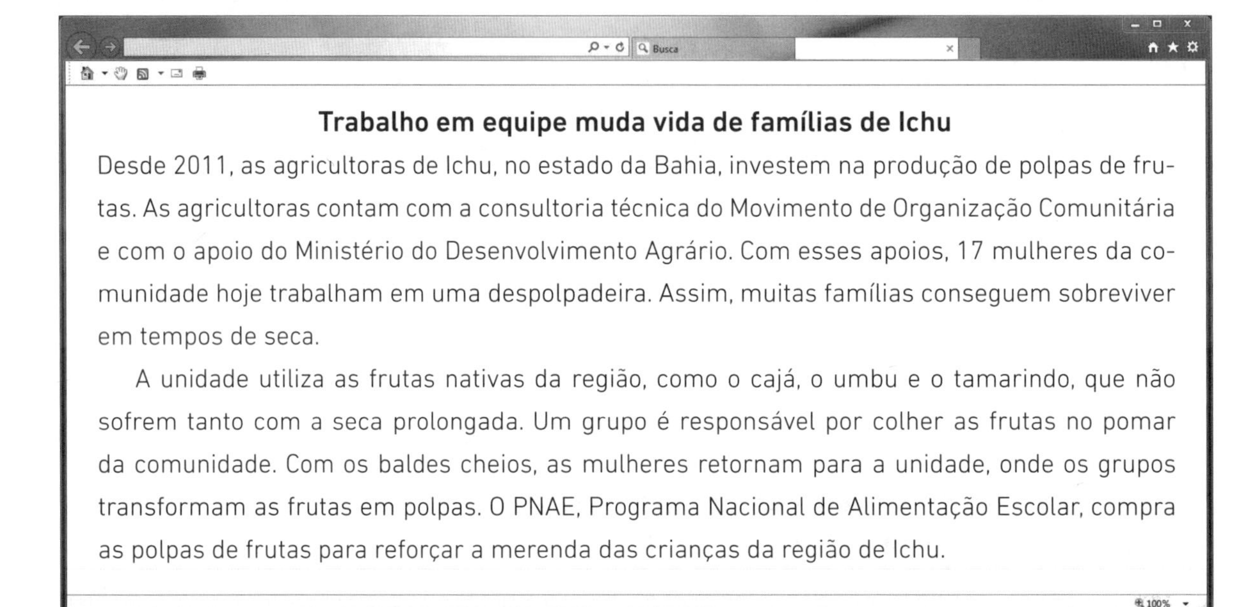

Trabalho em equipe muda vida de famílias de Ichu

Desde 2011, as agricultoras de Ichu, no estado da Bahia, investem na produção de polpas de frutas. As agricultoras contam com a consultoria técnica do Movimento de Organização Comunitária e com o apoio do Ministério do Desenvolvimento Agrário. Com esses apoios, 17 mulheres da comunidade hoje trabalham em uma despolpadeira. Assim, muitas famílias conseguem sobreviver em tempos de seca.

A unidade utiliza as frutas nativas da região, como o cajá, o umbu e o tamarindo, que não sofrem tanto com a seca prolongada. Um grupo é responsável por colher as frutas no pomar da comunidade. Com os baldes cheios, as mulheres retornam para a unidade, onde os grupos transformam as frutas em polpas. O PNAE, Programa Nacional de Alimentação Escolar, compra as polpas de frutas para reforçar a merenda das crianças da região de Ichu.

(Adaptado de <http://g1.globo.com/economia/agronegocios/noticia/2012/06/trabalho-em-equipe-muda-vida-de-familias-de-ichu-sertao-da-bahia.html>. Acesso em 9 jul. 2013.)

GLOSSÁRIO

desde: since
contam [...] com o apoio: have the support
seca: drought
colher: pick (fruits, vegetables)
cheio: full
merenda: snack; meal that children receive at school
polpa: pulp
despolpadeira: machine to extract the pulp; place where the extraction happens

2 Leia o texto mais uma vez e marque 1 para a alternativa que descreve o primeiro parágrafo; marque 2 para a alternativa que descreve o segundo parágrafo.

a. ☐ Apresenta a ideia geral do texto.
b. ☐ Apresenta detalhes sobre o texto.

3 Complete o quadro com vocabulário do texto.

Verbos no presente	
Vocabulário que indica tempo	
Palavra que indica maneira/forma	
Palavra que apresenta exemplos	

4 Escreva uma notícia de jornal sobre um aspecto relacionado ao trabalho em equipe na sua empresa. Inclua um título e use verbos no presente.

____

(Título)

Desde ________, ______________________

____

______________________. Com este trabalho, ______________

______________ hoje ______________

____

______________________. Assim, ______________

______________ como ______________

____

VOCABULÁRIO E PRONÚNCIA

1:29  **1 Ouça e repita.**

Que horas são?

0h00 É meia-noite. 0h30 É meia-noite e meia. 1h00 É uma hora. 1h20 É uma e vinte.	4h00 São quatro horas. 5h15 São cinco e quinze. 6h25 São seis e vinte e cinco. 7h30 São sete e meia.	8h40 São vinte para as nove. 9h45 São quinze para as dez. 10h50 São dez para as onze. 11h55 São cinco para o meio-dia. 12h00 É meio-dia.

☞ No Brasil é comum registrar as horas com base em um relógio de 24 horas:

13h00 = treze horas / uma hora (da tarde)

17h30 = dezessete e trinta / cinco e meia (da tarde)

20h00 = vinte horas / oito horas (da noite)

Contextos formais: treze horas, vinte horas etc.

Contextos informais: uma hora, oito horas etc.

2 Responda: Que horas são?

3h05 → São três e cinco.

a. 13h10 ______________________ **c.** 21h30 ______________________

b. 16h20 ______________________ **d.** 2h45 ______________________

GLOSSÁRIO

A que horas...?: (At) What time...?

3 A que horas é...? Responda seguindo o exemplo.

9h15 reunião de setor	**10h00** reunião com a chefe	**12h30** almoço com clientes	**14h00** videoconferência	**14h45** apresentação para executivos

A que horas é a reunião de setor? *É às nove e quinze.*

a. A que horas é a apresentação? ______________________

b. A que horas é o almoço? ______________________

c. A que horas é a reunião com o chefe? ______________________

d. A que horas é a videoconferência? ______________________

INFORMAÇÕES CULTURAIS

1 Leia.

SINDICATOS

Os sindicatos são associações de trabalhadores que pertencem à mesma categoria profissional (ou seja, que trabalham na mesma área). A constituição brasileira garante o direito de organização sindical. O objetivo principal do sindicato deve ser a defesa dos interesses dos trabalhadores. Por exemplo, quando um trabalhador pede demissão ou quando o empregador demite o trabalhador sem justa causa, o sindicato verifica se o trabalhador recebe os valores corretos. Antes de fundar o Partido dos Trabalhadores, o ex-Presidente da República Luiz Inácio Lula da Silva foi presidente do Sindicato dos Metalúrgicos de São Paulo.

GLOSSÁRIO

justa causa: motivo válido para demitir um trabalhador

metalúrgicos: trabalhadores da metalurgia, inclusive de fábricas de carros

CONSELHOS PROFISSIONAIS

Os Conselhos orientam, controlam e fiscalizam o exercício de profissões. Cada Conselho tem uma representação estadual. Alguns exemplos de Conselhos são o CREA (Conselho Regional de Engenharia e Agronomia), a OAB (Ordem dos Advogados do Brasil) e o CRO (Conselho Regional de Odontologia).

GLOSSÁRIO

estadual: relativo a um estado brasileiro (por exemplo, Bahia, Paraná etc.).

CONEXÕES INTERCULTURAIS

Responda oralmente.

1 Há sindicatos no seu país? Se sim, de que grupos de trabalhadores?

2 Há conselhos profissionais no seu país? Quais são alguns exemplos?

GRAMÁTICA

PÁGINA 264 CONSULTE A *MINIGRAMÁTICA* PARA MAIS INFORMAÇÕES.

1 Escolha a melhor alternativa para completar as frases.

a. Minha chefe divide
- ☐ do trabalho organizado.
- ☐ o trabalho entre todos.
- ☐ para a reunião.

b. Os assistentes compreendem
- ☐ que o trabalho em equipe é importante.
- ☐ na reunião com o gerente geral.
- ☐ cumprir sempre as tarefas a tempo.

c. A arquiteta deve
- ☐ o edifício moderno.
- ☐ muitos estagiários.
- ☐ seguir os regulamentos.

d. Os executivos atendem
- ☐ bem os clientes.
- ☐ dos funcionários.
- ☐ para as reuniões.

e. O gerente recebe
- ☐ a dividir responsabilidades.
- ☐ os clientes às duas horas.
- ☐ a reunião da uma hora.

f. A executiva come
- ☐ uma limonada.
- ☐ o jornal do dia.
- ☐ salmão com batatas.

2 Complete o texto usando os verbos dados na forma apropriada.

cumprir depender discutir dividir entender

O trabalho em equipe é fundamental para uma carreira de sucesso. Meu diretor financeiro é muito inteligente e ______________ bem o trabalho em equipe. Primeiro, todos os membros da equipe ______________ o trabalho e os objetivos numa reunião. Depois, o diretor ______________ as tarefas entre os funcionários. Todos nós ______________ do trabalho dos outros funcionários, como se espera de uma boa equipe. E a equipe sempre ______________ as metas estabelecidas.

3 Forme frases como nos exemplos.

nós / equipe / excelente = *Nossa equipe é excelente.*
ele / colegas / simpáticos = *Os colegas dele são simpáticos.*

a. eu /diretora / competente ______________________________
b. ela / relatório / importante ______________________________
c. você /metas / fundamentais ______________________________
d. nós / estagiários / inteligentes ______________________________
e. elas / superiores / exigentes ______________________________

UNIDADE 4 EMPRESAS

COMEÇANDO O TRABALHO

1:30 ▶ LEIA E OUÇA.

▶ REFLEXÕES INICIAIS.

1 Observe o quadro e responda.

[ter = to have   fazer = to do   ver = to see]

a. Como se diz em português:

We don't have. ____________________
I don't do. ____________________
I don't see. ____________________

b. Os verbos *ter*, *fazer* e *ver* seguem as regras da 2ª conjugação?

____

▶ SOBRE VOCÊ.

2 Responda.

a. Você tem um bom plano de saúde? ____________________
b. No seu trabalho, você faz as mesmas coisas todos os dias? ____________________

____

c. Você vê seu chefe todos os dias? ____________________

COMPREENSÃO ORAL

1:31 **1 Ouça e complete os diálogos com as opções a seguir.**

oferece tem temos tenho

Diálogo 1

Ivo:	A sua empresa __________ benefícios aos funcionários?
Rui:	Sim, nós __________ assistência médica e odontológica, além de seguro de vida.
Ivo:	Que bom, hein! Eu só __________ assistência médica. Será que a sua empresa __________ uma vaga pra mim?

faço faz sou trabalha trabalho

Diálogo 2

Eva:	Em que área você __________?
Lia:	Eu __________ numa empresa de telecomunicações.
Eva:	O que você __________?
Lia:	Eu __________ engenheira de telecomunicações. Eu __________ projetos de redes de fibra ótica.

dá dão diz lê

Diálogo 3

Nara:	Você __________ que a empresa __________treinamento, mas a gente só __________ os folhetos.
Hugo:	Não é verdade. Atualmente dois professores __________ treinamento à noite.

a gente = nós
Com **a gente** o verbo usa a mesma forma que **ele, ela**. Exemplos:
- *A gente trabalha muito = Nós trabalhamos muito;*
- *A gente sempre chega cedo ao trabalho = Nós sempre chegamos cedo ao trabalho.*

distribui posso vê vejo

Diálogo 4

Nuno:	Você __________ os vídeos informativos que a empresa __________?
Rita:	Raramente. Eu só __________ as apresentações relativas ao meu setor. Sem essa informação, eu não __________ viajar.

dizem fazem leem querem vou

Diálogo 5

Sara:	Esta semana eu ________ a Fortaleza para uma reunião com os gerentes de lá.
Raul:	Eles __________os regulamentos normalmente?
Sara:	Normalmente, sim, mas às vezes eles __________ que os regulamentos não __________ sentido. Eles sempre __________ mudar os regulamentos.

este(s)/esta(s) = this/these
Estes demonstrativos são usados em linguagem escrita e/ou formal. No Brasil, é comum usar **esse(s)/essa(s)** em língua falada e/ou informal.

GLOSSÁRIO

Verbos irregulares

dar: to give	**ir:** to go	**querer:** to want	**trazer:** to bring
dizer: to say	**ler:** to read	**ser:** to be	**ver:** to see
fazer: to do, to make	**pôr:** to put	**ter:** to have	**vir:** to come

1:32 **2 Ouça e escreva (1), (2) ou (3) de acordo com o seguinte:**

(1) Empresa individual
(2) Empresa de sociedade anônima (S/A)
(3) Empresa de sociedade limitada (Ltda.)

a. ☐ Só uma pessoa constitui a empresa.
b. ☐ A empresa divide o capital em ações.
c. ☐ A responsabilidade dos sócios corresponde ao valor que cada sócio investiu na empresa.
d. ☐ O nome da empresa tem o nome do empresário.
e. ☐ Podem ser de capital aberto ou capital fechado.
f. ☐ A empresa tem dois ou mais sócios e não tem seu capital dividido em ações.
g. ☐ Os bens pessoais podem pagar as dívidas da empresa.

GLOSSÁRIO

ações: partes do capital de uma sociedade
bens: propriedades

1:33 **3 Ouça e responda: As frases referem-se ao homem (H) ou à mulher (M)?**

a. ☐ Essa pessoa troca ideias com os colegas.
b. ☐ Os colegas não respeitam o chefe.
c. ☐ Essa pessoa trabalha em equipe.
d. ☐ Essa pessoa não faz o que gosta no trabalho.
e. ☐ Essa pessoa admira a chefe.
f. ☐ Essa pessoa faz tarefas individuais.
g. ☐ Essa pessoa é feliz no trabalho.
h. ☐ O chefe não ouve essa pessoa.

*Meus colegas não **o** respeitam = Meus colegas não respeitam **o chefe**.*
*Eu **a** admiro = Eu admiro **a chefe**.*
*Eu **lhe** digo... = Eu digo **ao chefe**...*

as pessoas ≠ a gente   a gente = nós   as pessoas = elas/eles

PRODUÇÃO ORAL

1:34 ⊙ **1 Ouça e leia o texto. Depois, responda oralmente sobre sua empresa.**

ALEGRIA, ALEGRIA

OS PRINCIPAIS MANDAMENTOS PARA TER UM BOM AMBIENTE DE TRABALHO, COM PROFISSIONAIS FELIZES E MOTIVADOS:

- Conhecer os funcionários e suas necessidades
- Incentivar a sugestão de novas ideias e estratégias
- Mostrar o sentido da atuação da empresa para a sociedade
- Fazer dos funcionários parte do sucesso da companhia
- Oferecer perspectivas de crescimento profissional, além de boa remuneração

(*Dinheiro*. São Paulo: Ed. Três, 19 set. 2012. p. 73.)

a. Sua empresa conhece os funcionários e suas necessidades?
b. Ela incentiva a sugestão de novas ideias e estratégias?
c. Ela mostra o sentido da atuação da empresa para a sociedade?
d. Ela faz dos funcionários parte do sucesso da companhia?
e. Ela oferece perspectivas de crescimento profissional?
f. Ela oferece boa remuneração?
g. Você tem um bom ambiente de trabalho?

2 Vamos falar sobre você e seus colegas de trabalho.

a. Responda oralmente.

- Você é ambicioso/a?
- Você gosta de trabalhar em equipe?
- Você sabe delegar trabalho?
- Você traz novas ideias às reuniões?
- Você dá a sua opinião?
- Você expõe os problemas?

b. Pense em um/a colega de trabalho e escreva o nome dele/a aqui: ______________________.

Agora, pense sobre as perguntas do exercício anterior com referência ao seu/à sua colega e responda oralmente: Ele/a é ambicioso/a? Ele/a gosta de trabalhar em equipe? Ele/a sabe delegar trabalho? Ele/a traz novas ideias? Ele/a dá a opinião dele/a? Ele/a expõe os problemas?

c. Se possível, faça as perguntas a seu/sua colega e verifique suas ideias sobre ele/a!

Os verbos terminados em **-por** (**expor**, **propor** etc.) são conjugados como **pôr**.
Veja como conjugar **pôr** no presente na p. 265.

3 Responda às perguntas oralmente. Siga os exemplos.

Por que você admira seu chefe? *Eu **o** admiro porque ele toma decisões difíceis.*

Quando seus colegas procuram as diretoras? *Eles **as** procuram quando têm perguntas.*

a. Quem procura o gerente?
b. Quando o diretor ouve os funcionários?
c. Quem conhece a gerente comercial?
d. Por que seu colega procura a chefe?
e. Onde a chefe entrevista as candidatas?

4 Observe o quadro abaixo, que apresenta algumas características de pequenas e grandes empresas.

a. Faça frases sobre outras características oralmente usando os verbos *ter, tomar, ser, poder, aprender, fazer.*

VEJA A CONJUGAÇÃO DE ALGUNS VERBOS IRREGULARES.

NUMA GRANDE EMPRESA...	NUMA PEQUENA EMPRESA...
O trabalho costuma ser mais segmentado.	O profissional atua em várias áreas e desenvolve habilidades diferentes. As pessoas tomam decisões mais rapidamente.

1:35 **b.** Você concorda ou não? Leia e ouça as expressões dos quadros abaixo. Depois, use as expressões para concordar ou discordar das afirmativas.

Concordar
Acho que sim.
É, sim. / São, sim.
Eu também acho.

Discordar
Acho que não.
Não é, não. / Não são, não.
Não acho, não.

- As pequenas empresas são muito importantes na economia.
- As grandes empresas recebem mais atenção dos governos.
- As empresas devem dar incentivos aos bons funcionários.
- O trabalho individual é sempre mais importante que o trabalho em equipe.
- Hoje em dia os funcionários têm salários muito altos.
- Os chefes sempre fazem a maior parte do trabalho.

COMPREENSÃO ESCRITA

1 Antes de ler o texto, pense:

a. De onde o texto foi retirado? ______________________________

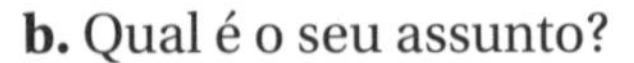

b. Qual é o seu assunto? ______________________________

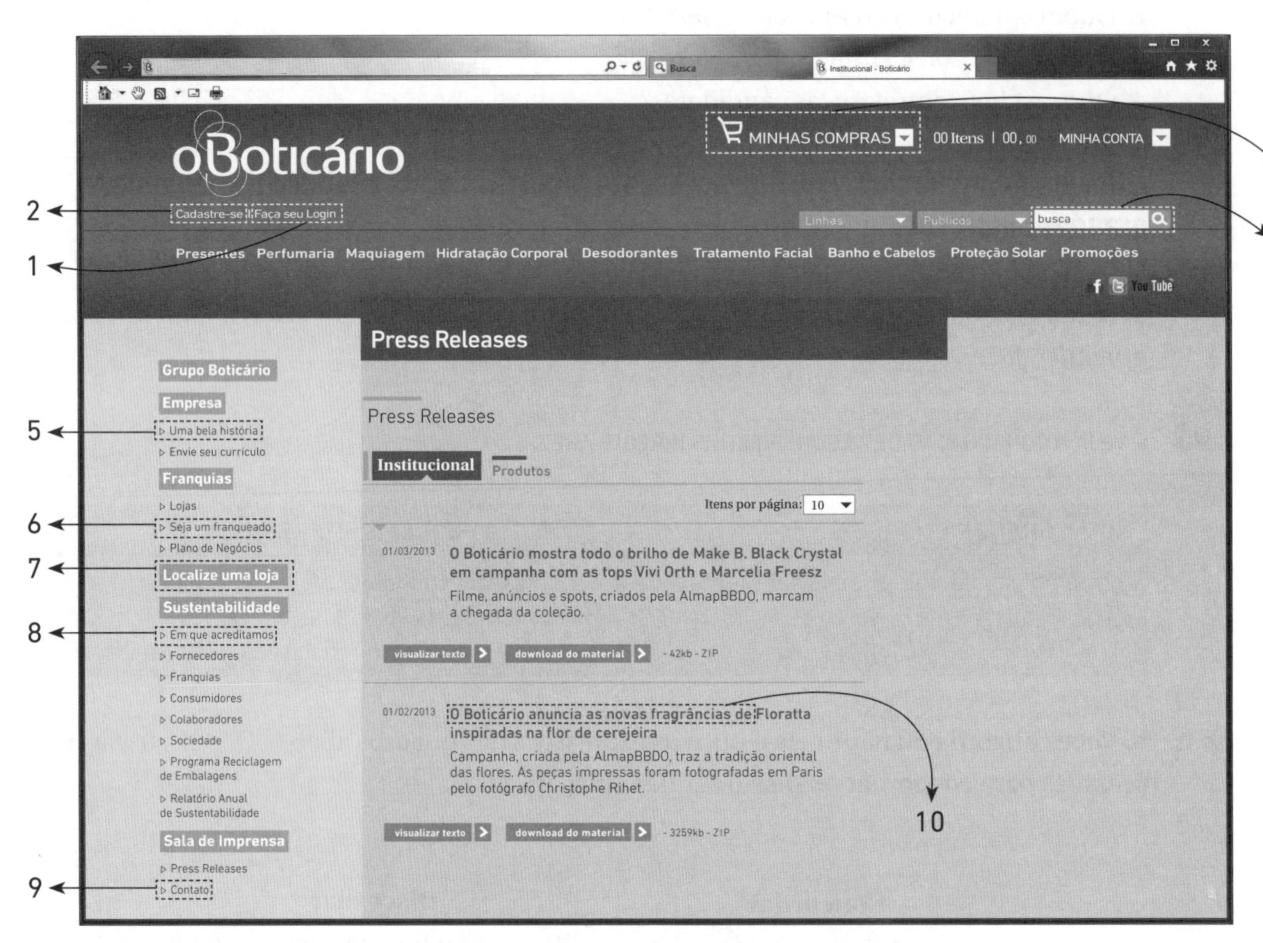

(<http://www.boticario.com.br/institucional/sala-de-imprensa/releases/press-releases>. Acesso em 9 jul. 2013.)

2 Observe os números ligados às setas no *website* da página anterior. Onde você deve clicar para:

a. ler uma notícia sobre novas fragrâncias de Floratta ____________________
b. saber mais sobre a política de sustentabilidade da empresa ____________________
c. procurar o endereço de uma loja da empresa na sua cidade ____________________
d. ver uma lista das suas compras pelo *site* ____________________
e. abrir uma conta no *site*, isto é, cadastrar-se no *site* ____________________
f. entrar no *site* depois de abrir sua conta ____________________
g. saber mais sobre a história da empresa ____________________
h. fazer uma busca dentro do *site* ____________________
i. entrar em contato com a sala de imprensa da empresa ____________________
j. pesquisar sobre como abrir uma franquia da empresa ____________________

3 Marque todas as afirmativas verdadeiras sobre o texto.

a. ☐ É possível ter uma conta no *site*.
b. ☐ Os usuários do *site* têm acesso às finanças da empresa pelo *site*.
c. ☐ É possível ler sobre o começo da empresa.
d. ☐ Os usuários podem vender produtos pelo *site*.
e. ☐ Os usuários podem mandar o currículo para a empresa.
f. ☐ A empresa faz divulgação em redes sociais.

4 Localize no texto.

a. O plural de consumidor____________________
b. O mesmo que "relativo a um ano" ____________________
c. O mesmo que "muito bonita"____________________
d. O mesmo que "ver"____________________
e. O mesmo que "encontre"____________________
f. O mesmo que "o que eu compro" ____________________
g. Onde estão os *press releases* ____________________

O TEXTO E VOCÊ

Responda oralmente.

- Quais são os pontos fortes e os pontos fracos do *website* reproduzido na página anterior?
- Sua empresa tem um *website*? O que ele contém? Qual é a sua opinião sobre ele?

PRODUÇÃO ESCRITA

1 Releia a seguir trechos do texto da p. 64 e observe as palavras sublinhadas. O que elas têm em comum?

> O Boticário mostra todo o brilho de Make B. Black Crystal...
> O Boticário anuncia as novas fragrâncias...

2 Leia os seguintes títulos de *press releases* e sublinhe os verbos no presente.

a. Embraer entrega 106 jatos comerciais e 99 executivos em 2012

(<http://www.embraer.com/pt-BR/ImprensaEventos/Press-releases/Paginas/Comunicados.aspx>. Acesso em 9 jul. 2013.)

b. Odebrecht Ambiental adquire participações da Braskem em empresas ambientais

(<http://www.odebrecht.com.br/sala-imprensa/press-releases>. Acesso em 9 jul. 2013.)

c. CORPORATIVO - Vale propõe remuneração mínima ao acionista para 2013

(<http://saladeimprensa.vale.com/pt/releases/index.asp>. Acesso em 9 jul. 2013.)

d. Minha Oi chega ao celular e cria novo canal de relacionamento com o cliente

(<http://www.oi.com.br/oi/sobre-a-oi/sala-de-imprensa/opcoes/press-releases>. Acesso em 9 jul. 2013.)

e. Comitê Brasileiro do Pacto Global ganha nova diretoria
A nova diretoria do Comitê Brasileiro do Pacto Global (CBPG) tomou posse nesta quarta-feira (16)

(<http://www.braskem.com.br/site.aspx/Sala-de-Imprensa>. Acesso em 9 jul. 2013.)

f. IBM inclui produtos da Apple em seu portfólio de serviços de mobilidade

(<http://www-03.ibm.com/press/br/pt//index.wss>. Acesso em 17 ago. 2013.)

g. Empresas que usam tecnologia em ações de marketing têm renda 40% maior, constata estudo da IBM

(<http://www-03.ibm.com/press/br/pt//index.wss>. Acesso em 17 ago. 2013.)

3 **Nas telas a seguir, escreva fatos recentes para títulos de *press releases* sobre a sua empresa. Use verbos no presente.**

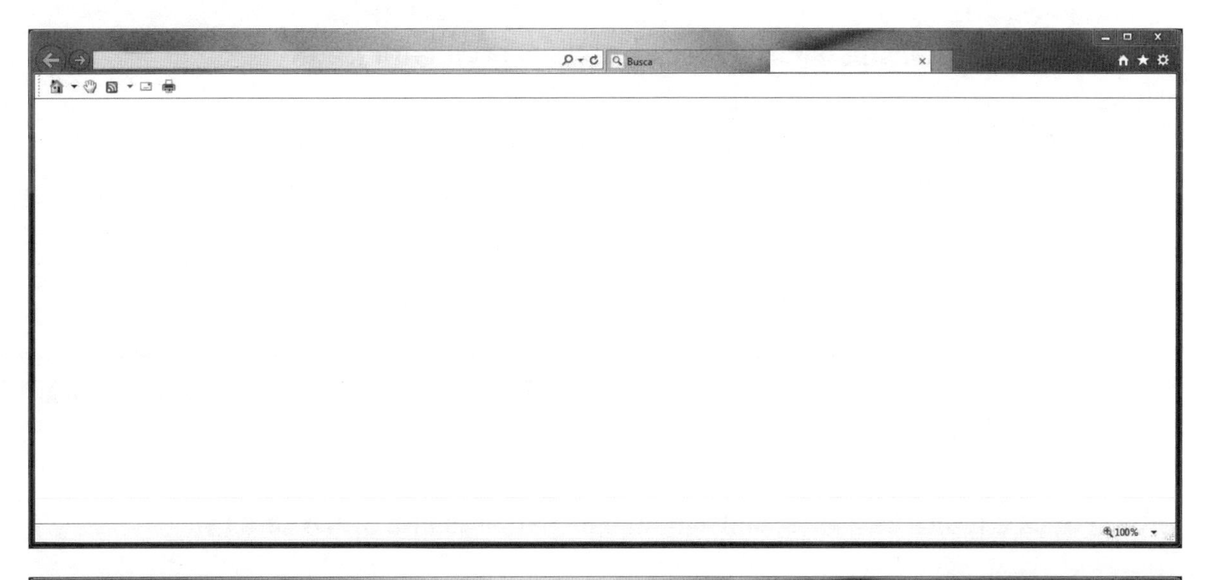

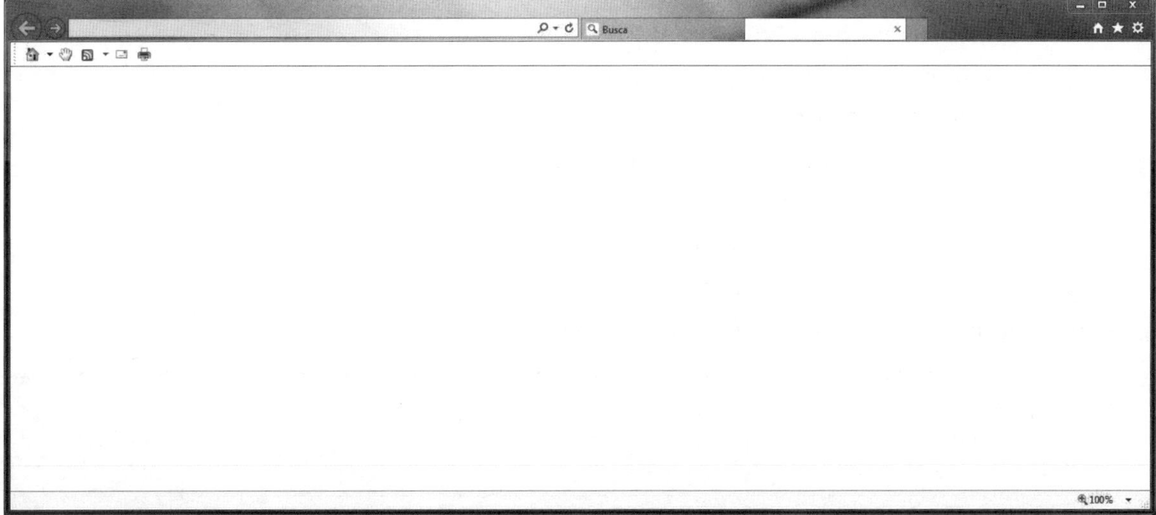

VOCABULÁRIO E PRONÚNCIA

1:36 **1 Ouça e repita, prestando atenção à pronúncia da letra *j*.**

MESES DO ANO											
janeiro	fevereiro	março	abril	maio	junho	julho	agosto	setembro	outubro	novembro	dezembro

DIAS DA SEMANA						
segunda-feira	terça-feira	quarta-feira	quinta-feira	sexta-feira	sábado	domingo

O som da letra **j** é representado pelo símbolo [ʒ]. Este som também é associado à letra **g** quando esta letra aparece antes de **e** ou **i**.

1:37 **2 Ouça e repita as frases, sublinhando as palavras que têm o som [ʒ].**

a. A empresa atinge as metas em agosto.
b. Nós temos uma boa margem de lucro em junho.
c. Os gerentes descansam no domingo.
d. Eles jogam futebol contra o time dos engenheiros.
e. A agenda de Geraldo está cheia hoje.
f. Eu vejo os relatórios na segunda-feira.
g. Os projetos ficam prontos em julho.
h. A empresa de energia procura estagiários.

em (mês) → em janeiro, em junho, em dezembro etc.
no mês de... → no mês de janeiro, no mês de dezembro etc.
no/na (dia) → na segunda, na quarta, no sábado, no domingo etc.

3 Responda.

a. Em que mês você faz aniversário?
b. De que mês (meses) você não gosta? Por quê?
c. Qual é o seu dia da semana favorito? Por quê?
d. Em que dias você trabalha?
e. Em que mês você tira férias?
f. O que você faz no fim de semana?
g. Qual é a sua rotina nos dias úteis?

aniversário = birthday
fim de semana = sábado e domingo
• Para os outros dias da semana, podemos não incluir a palavra **feira** e dizer somente **segunda, terça** etc.
• **Dia útil =** segunda, terça, quarta, quinta e sexta.
• Em linguagem escrita informal (por exemplo, *e-mail* entre colegas), podem-se usar os números ordinais (2ª, 3ª, 4ª, 5ª, 6ª) com referência aos dias úteis.

INFORMAÇÕES CULTURAIS

1 Leia o texto sobre a internacionalização das empresas brasileiras.

MULTINACIONAIS BRASILEIRAS

Hoje em dia, várias empresas brasileiras atuam em mercados estrangeiros, onde algumas têm filiais. Segundo uma matéria publicada no *site* da revista *Exame* em 15 de junho de 2010, a internacionalização das empresas brasileiras enfrenta alguns obstáculos, como a falta de tradição em sair do Brasil. Mesmo assim, hoje encontramos multinacionais brasileiras em diversas áreas, como TI, construção civil, energia e siderurgia, para citar apenas alguns exemplos. O mercado internacional é extremamente importante, pois, para algumas empresas, mais da metade da receita é gerada fora do Brasil. Atualmente, a internacionalização das empresas conta com o apoio do Banco Nacional de Desenvolvimento Econômico e Social (BNDES), que mantém grupos para incentivar a expansão de empresas brasileiras para mercados estrangeiros. Junto com outros países emergentes como a China e a Índia, o Brasil hoje atua com destaque no mercado internacional.

2 Liste as duas informações mais importantes no texto na sua opinião.

a. ______________________________

b. ______________________________

3 Você conhece as seguintes empresas brasileiras? Em que áreas elas atuam? Relacione as colunas.

a. Havaianas	☐ processamento de carnes
b. Metalfrio	☐ cosméticos
c. Gerdau	☐ TI
d. Embraer	☐ calçados
e. Natura	☐ refrigeradores
f. JBS	☐ aviação
g. Stefanini Solutions	☐ siderúrgica

CONEXÕES INTERCULTURAIS

Responda oralmente.

1 O seu país de origem tem empresas multinacionais? Quais são as mais famosas?

2 Algumas dessas empresas têm filiais no Brasil? Quais?

3 Alguma multinacional brasileira atua no seu país de origem? Qual (quais)?

GRAMÁTICA

PÁGINA 265 CONSULTE A *MINIGRAMÁTICA* PARA MAIS INFORMAÇÕES.

1 Relacione as colunas para completar as frases.

a. O supervisor lê	☐ expandir as atividades.
b. As ações trazem	☐ que a produtividade é boa.
c. A gerente diz	☐ meu dinheiro no banco.
d. O empresário individual quer	☐ as notícias financeiras.
e. Eu ponho	☐ capital para as empresas de sociedade anônima.

Lembre-se: a palavra **que** pode ser usada para ligar duas partes da frase:
O diretor sabe ***que*** *os gerentes trabalham muito.*

2 Complete o parágrafo usando no presente um dos verbos dados a seguir.

dar dizer ir querer ter

Eu trabalho numa empresa muito boa. Os funcionários ____________ benefícios excelentes e ______________ contribuir para o crescimento da empresa. Nós trabalhamos em equipe e todos _______________ sugestões e ideias para ajudar na produtividade. Os supervisores incentivam a participação e nós _________________ o que pensamos. Pela primeira vez, eu gosto de reuniões: eu _________________ às reuniões contente porque sempre aprendo uma coisa nova.

3 Escolha os pronomes oblíquos apropriados para completar o diálogo.

Elza:	O Ivo da TI diz que precisa de novos computadores. Nós podemos (nos) (lhe) (o) dar computadores?
Hugo:	Acho que sim. Mas eu ainda não conheço o Ivo. Quando posso conhecê- (o) (lhe) (lo)?
Elza:	Qualquer dia! Ele é muito trabalhador. Quando eu tenho problemas, ele sempre (me) (o) (nos) ajuda.
Hugo:	É bom ter funcionários assim. Ah, o diretor quer o relatório hoje.
Elza:	Eu sei. Eu sempre (o) (a) (lhe) digo que precisamos de mais tempo e ele concorda. Ele é muito compreensivo.
Hugo:	Os gerentes aqui na empresa também são muito bons. Eu (os) (lhes) (me) admiro por todo o trabalho que eles fazem.
Elza:	De fato, sem os gerentes nós não produzimos tanto. Eles (as) (nos) (me) incentivam bastante.

UNIDADE 5 VIAGENS

COMEÇANDO O TRABALHO

1:38 ► LEIA E OUÇA.

► REFLEXÕES INICIAIS.

1 Responda oralmente.

a. Como você diz os verbos sublinhados no exercício anterior na sua língua materna?
b. A sua língua materna usa o mesmo verbo nas situações acima ou usa verbos diferentes?
c. Observe os exemplos acima e preencha o quadro com SER ou ESTAR.

Usamos _______ para falar sobre:	Usamos _______ para falar sobre:
Profissões, relações familiares, estado civil (casado/a, solteiro/a, divorciado/a etc.), lugar de origem, qualidades permanentes	Lugar na hora da fala, qualidades temporárias

► SOBRE VOCÊ.

2 Complete as frases.

a. Eu sou ______________________________

b. Eu não sou ____________________________

c. Eu estou ______________________________

d. Eu não estou ____________________________

COMPREENSÃO ORAL

1:39 **1 Ouça e complete as lacunas usando uma das formas a seguir. Lembre que uma mesma forma pode ser usada mais de uma vez.**

sou é somos são estou está estamos estão

a. A: Alô. Setor de compras, aqui ______ a Teresa. Em que posso ajudar?
B: Oi, Teresa. Aqui quem fala ______ o Guilherme, do financeiro. O Cláudio ______, por favor?
A: Não, ele não ______. Esta semana ele ______ num congresso em Brasília.

b. A: As viagens de negócios ______sempre estressantes, não? Eu ______ muito cansado.
B: Eu também acho. Eu ______ de Curitiba, mas ______ em Manaus toda semana. A viagem ______ muito longa!

c. A: Bom dia. Nós ______ representantes da Perfeição Cosméticos e temos hora marcada com a D. Luciana.
B: Sinto muito, mas a D. Luciana não ______ aqui. Ela ______ em casa hoje porque ______ doente.
A: Que pena! Nós ______ em Porto Alegre só hoje. Podemos falar com outra pessoa?
B: Vocês podem falar com os assistentes da D. Luciana. Eles ______ disponíveis às duas horas.

d. A: Você ______ casada?
B: Não, eu ______ solteira. Eu viajo muito pela empresa e raramente ______ em casa.
A: A vida de executiva não ______ fácil.
B: Não mesmo!

1:40 **2 Ouça o diálogo e complete o quadro sobre os eventos listados à esquerda.**

	ONDE É	QUANDO É
Seminário sobre liderança e trabalho em equipe		
Congresso internacional		
Convenção anual		

Onde → usado para saber o local.

Quando → usado para saber o ano/mês/dia/hora.

Cadê = Onde está/estão

1:41 **3 Ouça os dois diálogos uma vez e responda às perguntas. Depois, ouça mais uma vez e complete o quadro com as informações dadas.**

a. Onde os diálogos acontecem? ____________________

b. Como você sabe? ____________________

	Destino	Número do voo	Número do portão de embarque	Voo está no horário?
DIÁLOGO 1				
DIÁLOGO 2				

1:42 **4 Ouça o diálogo entre Júlia e Marcos e determine se as afirmativas são verdadeiras (V) ou falsas (F).**

a. ☐ Normalmente, o tempo em Salvador é bom.
b. ☐ Amanhã faz sol em Salvador.
c. ☐ Amanhã venta muito em Salvador.
d. ☐ A convenção é num *resort*.
e. ☐ Júlia acha que muitas pessoas vão à convenção este ano.
f. ☐ Marcos discorda de Júlia.

1:43 **5 Ouça e numere as características de acordo com o tipo de hospedagem.**

a. ☐ É localizado em área rural.
b. ☐ É o tipo de hospedagem mais comum.
c. ☐ Oferece entretenimento e contato com a natureza.
d. ☐ Tem no máximo três quartos para hospedagem.
e. ☐ Ocupa um local historicamente importante.
f. ☐ Tem apartamentos completos com serviço de limpeza.
g. ☐ Tem até 30 quartos e oferece alimentação.

1 Hotel
2 *Resort*
3 Hotel-fazenda
4 Cama e café
5 Hotel histórico
6 Pousada
7 *Flat/Apart*

1:44 **6 Ouça e preencha as lacunas.**

a. ________ tempo você fica no hotel fazenda?
b. ________ meses por ano ele passa no apart-hotel?
c. ________ custa a diária no *resort*?
d. ________ atividades o *resort* oferece?
e. ________ dias elas ficam no hotel histórico?
f. ________ viagens vocês fazem por ano?

Quanto: quantidade incontável; quantia de dinheiro: *De quanto tempo ele precisa?/Quanto custa a diária?*
Quantos/as: quantidade contável: *Quantos quartos o hotel tem?/Quantas pessoas ficam no hotel?*

PRODUÇÃO ORAL

1:45 **1 Ouça e repita. Em seguida, coloque cada qualidade em uma das duas colunas.**

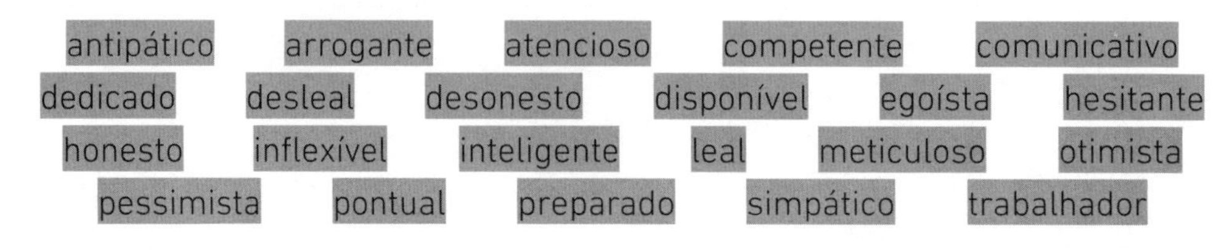

QUALIDADES POSITIVAS	QUALIDADES NEGATIVAS

2 Faça frases usando o vocabulário do exercício anterior oralmente: Como você é? Como seus colegas de trabalho são? Veja os exemplos.

Eu sou otimista e acho que sou comunicativo, também. Não sei se eu sou muito meticuloso, acho que não. Mas eu sou pontual.

A Renata, minha gerente, é muito dedicada. Ela geralmente não sai do escritório na hora do almoço e está sempre disponível para uma troca de ideias.

e → adição: *Renata não sai do escritório **e** está disponível.*
também → adição: *Júlia é simpática. Ela **também** é muito inteligente.*
se → incerteza: *Você sabe **se** Marcos é pontual?*
mas → oposição, contraste: *Marcos é dedicado, **mas** não é pontual.*

3 Responda oralmente. Observe os exemplos.

Seu chefe é competente? *É, sim. / Não, não é.*

Você está cansado? *Estou, sim. / Não, não estou.*

a. Você é otimista?
b. Seus colegas são comunicativos?
c. Você está disponível para uma reunião?
d. Seu chefe está doente?
e. A secretária é simpática?
f. Você tem colegas antipáticos?
g. Você trabalha num bom ambiente?
h. Os seus colegas vão às reuniões?
i. Os funcionários na sua empresa fazem um bom trabalho?
j. A equipe de *marketing* da sua empresa faz um bom trabalho?

4 Dois colegas de trabalho, Ronaldo e Marisa, selecionam o hotel para a convenção anual da empresa. Use as informações a seguir e improvise um diálogo entre eles. Se preferir, faça um rascunho em seu bloco de notas e leia seu diálogo em voz alta. Use também o vocabulário em negrito a seguir.

Quanto é a diária do hotel? (Cento e vinte reais por pessoa.)
Quanto é o aluguel da sala de reuniões? (Trezentos reais por dia.)
Como é o hotel? (Moderno, rústico, confortável.)
Por que você prefere esse hotel? (Porque ele é perto da empresa.)

RONALDO	MARISA
• Prefere hotéis em área rural.	• Prefere hotéis na cidade, perto da empresa.
• Acha que o contato com a natureza favorece as interações entre a equipe.	• Acha que a sala de reuniões precisa ter recursos tecnológicos (*data show*, computadores, internet).
• Não quer pagar mais do que R$ 200 pela sala de reunião.	• Acha que a empresa pode pagar até R$ 400 pela sala de reunião.
• Procura um hotel com mais de duas salas de reunião.	• Procura um hotel com um bom restaurante para as refeições.

HOTEL MODERNO	HOTEL NATUREZA	HOTEL URBANO
• Internet grátis	• Tranquilidade e ar puro	• Localização central
• Quatro salas de reunião	• Duas salas de reunião	• Três salas de reunião equipadas
• Restaurante Modernoso (4 estrelas)	• Varanda em todos os quartos	• Vários restaurantes próximos
	• Restaurante Verde (4 estrelas)	

5 Um dos participantes da convenção, Osvaldo, chega ao hotel e faz o *check-in*. Numere as falas a seguir de acordo com sua ordem no diálogo.

a. ☐ **Recepcionista:**	O senhor tem reserva?
b. ☐ **Osvaldo:**	Claro. Pronto, aqui está a ficha.
c. ☐ **Recepcionista:**	Boa tarde.
d. ☐ **Osvaldo:**	Tenho, sim. Osvaldo Siqueira.
e. ☐ **Recepcionista:**	Muito obrigada. Essa é a sua chave, o seu quarto é o 304. O senhor pode pegar o elevador à direita. O café da manhã é servido no 2º andar, de 6h30 às 10h00.
f. ☐ **Osvaldo:**	Boa tarde.
g. ☐ **Recepcionista:**	Pois não, Sr. Siqueira. Três noites em quarto simples?
h. ☐ **Osvaldo:**	Obrigado.
i. ☐ **Recepcionista:**	O senhor pode preencher esta ficha, por favor?
j. ☐ **Osvaldo:**	É isso mesmo.
k. ☐ **Recepcionista:**	De nada.

COMPREENSÃO ESCRITA

1 Leia os textos.

TEXTO 1

COPACABANA PALACE, RIO DE JANEIRO

Localizado na famosa Praia de Copacabana, o Copacabana Palace é reconhecidamente o mais renomado hotel do Brasil, hospedando ao longo de décadas membros da realeza, estrelas de cinema, teatro e música, assim como políticos e grandes empresários.

Um símbolo de sofisticação e requinte, pertencente ao grupo Orient-Express, o Copacabana Palace oferece um serviço impecável, excelente gastronomia e luxuosas acomodações, confirmando a sua tradição de local ideal para se hospedar no Rio de Janeiro.

(<http://www.copacabanapalace.com.br/web/orio_pt/copacabana_palace_introduction.jsp>. Acesso em 9 jul. 2013.)

TEXTO 2

HOTEL DAS CATARATAS, FOZ DO IGUAÇU, BRASIL

O Hotel das Cataratas, pertencente ao grupo Orient-Express, é o único hotel localizado dentro do Parque Nacional do Iguaçu, e apenas a dois minutos de caminhada para as Cataratas do Iguaçu, famosas no mundo todo.

Como é o único hotel dentro do parque nacional, os hóspedes podem desfrutar de acesso exclusivo às Cataratas, a cada manhã, antes da abertura do parque.

As Cataratas do Iguaçu são um conjunto de 275 cachoeiras de tirar o fôlego, estendendo-se ao longo de quase 3 km em um enorme cânion no Rio Iguaçu.

O hotel tem o prazer em providenciar aos nossos hóspedes variadas opções de passeios na região, como voos de helicóptero, *rafting*, caminhadas pelas trilhas, safáris de jipe, visita ao parque das aves, entre outros.

(<http://www.hoteldascataratas.com.br/web/ogua_pt/hotel_das_cataratas_introduction.jsp>. Acesso em 9 jul. 2013.)

2 Qual foto ilustra o Texto 1? Qual ilustra o Texto 2?

a. ______________________ b. ______________________

3 **Sublinhe nos textos todas as palavras transparentes, isto é, as palavras que são similares em português e em outra língua que você conhece.**

4 **Marque na tabela os textos que contêm as informações.**

	TEXTO 1	TEXTO 2
Nome dos proprietários do hotel		
Opções de lazer oferecidas no hotel		
Descrição de atração geográfica		
Qualificação do serviço e das acomodações		

5 **Leia o texto novamente e faça a correspondência entre as palavras ou expressões da esquerda (que aparecem nos textos) e os significados à direita.**

a. requinte	☐ perfeito/a, sem defeitos
b. de tirar o fôlego	☐ usufruir, aproveitar
c. impecável	☐ impressionante
d. hospedar	☐ excursão
e. renomado	☐ momento de abrir
f. desfrutar	☐ acomodar
g. abertura	☐ refinamento, luxo
h. passeio	☐ famoso

6 **Escolha a melhor opção para completar as frases.**

a. Eu ___________ os meus amigos que moram em outra cidade.
☐ tiro o fôlego ☐ hospedo ☐ providencio

b. Eu quero ver a cidade. Vamos dar um ___________?
☐ passeio ☐ requinte ☐ parque

c. As praias do Nordeste são lindas! São praias ___________!
☐ interessantes ☐ luxuosas ☐ de tirar o fôlego

d. A convenção é neste hotel porque as salas de reunião são ___________.
☐ impecáveis ☐ pequenas ☐ aproveitadas

e. Os nossos hóspedes ___________ de um excelente café da manhã.
☐ abrem ☐ oferecem ☐ desfrutam

f. Um hotel cinco estrelas tem ___________ e sofisticação.
☐ recepcionista ☐ requinte ☐ abertura

g. O restaurante deste hotel é ___________. Todo mundo conhece.
☐ renomado ☐ gastronômico ☐ brasileiro

O TEXTO E VOCÊ

Responda oralmente.

• Imagine: Você escolhe um dos hotéis da página anterior para passar suas férias. Qual você escolhe? Por quê?

PRODUÇÃO ESCRITA

1 Observe os textos e responda: Que informações eles contêm? A que eles se referem?

O que preciso levar

- Celular
- Passaporte
- Lista de contatos no destino
- Tablet
- Pen drive
- Endereço do hotel

O que preciso fazer antes da viagem

- Alugar um carro
- Reservar o hotel
- Confirmar as reuniões
- Comprar um terno novo

2 Pense na sua próxima viagem de trabalho e escreva duas listas semelhantes.

O que preciso levar

-
-
-
-
-
-

O que preciso fazer antes da viagem

-
-
-
-
-

3 **Preencha o formulário de reserva para o Hotel Boa Estada.**

HOTEL
BOA ESTADA

Nome: ______________________________

Endereço: ______________________________

Cidade: ______________ Estado: ______________ País: ______________

Telefone: ______________ Fax: ______________

E-mail: ______________________________

Data de *check-in*: ______________________________

Data de *check-out*: ______________________________

Acomodações Quarto simples ☐ Quantos? ____
Quarto duplo ☐ Quantos? ____
Quarto triplo ☐ Quantos? ____

4 **Pense em um hotel que você conhece. Preencha uma ficha de avaliação *on-line* sobre esse hotel.**

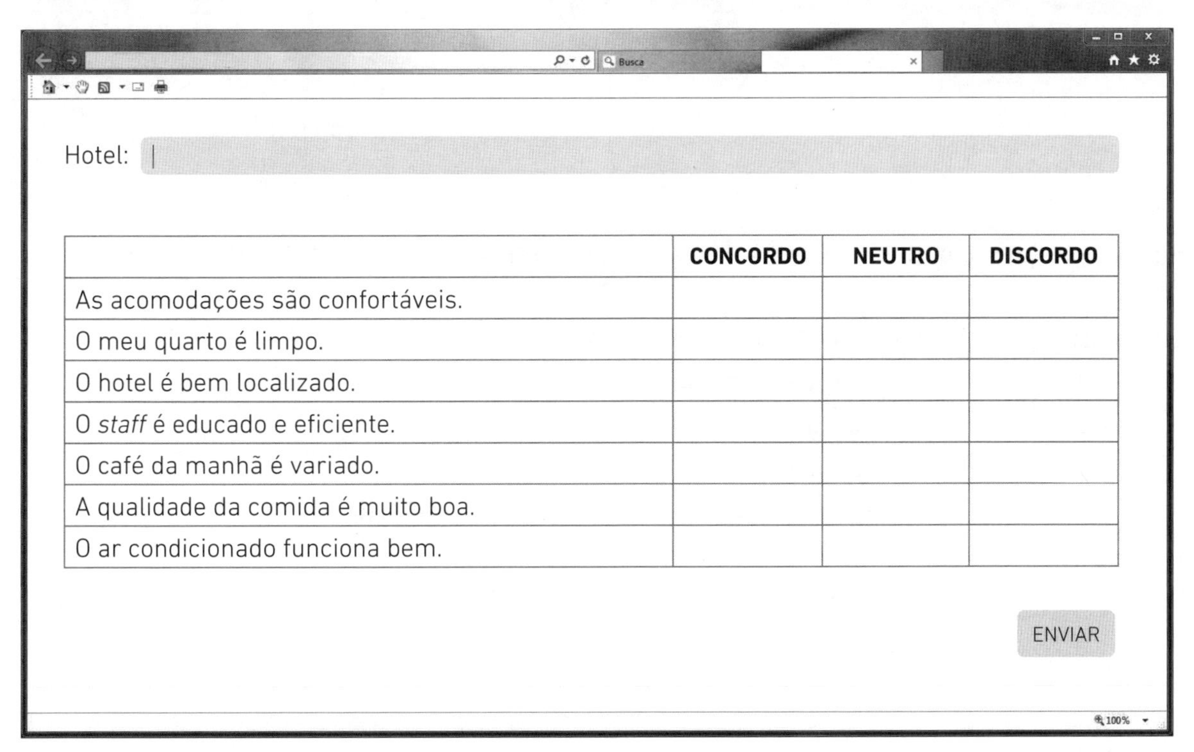

Hotel:

	CONCORDO	NEUTRO	DISCORDO
As acomodações são confortáveis.			
O meu quarto é limpo.			
O hotel é bem localizado.			
O *staff* é educado e eficiente.			
O café da manhã é variado.			
A qualidade da comida é muito boa.			
O ar condicionado funciona bem.			

ENVIAR

VOCABULÁRIO E PRONÚNCIA

1:46 **1 Ouça e repita a previsão do tempo para algumas cidades brasileiras, com atenção para as partes destacadas. Pause o áudio após cada bipe.**

PREVISÃO DO TEMPO PARA HOJE:
Hoje **faz sol** em Recife, mas **chove** em Fortaleza.
Uma **frente fria chega** a Porto Alegre. Em Curitiba também **faz frio**.
Em São Paulo, **chove de manhã**, mas **faz sol à tarde**. No Rio, **venta muito**, mas **faz sol e calor**.
Em Belém, **faz calor**, mas **chove à tarde**.

2 Responda.

a. Você gosta de frio ou de calor? Por quê? ____________________
b. Qual é a previsão do tempo para a sua cidade hoje? ____________________
c. Qual é a previsão do tempo para amanhã? ____________________

1:47 **3 Ouça e repita os adjetivos abaixo. Depois, descreva a sua cidade usando alguns desses adjetivos.**

pequena grande histórica moderna
interessante barulhenta tranquila bonita
feia perigosa movimentada

Minha cidade é ____________ e ____________. Ela também é ____________ mas não é ____________.

1:48 **4 Ouça e complete as perguntas. Depois, responda às perguntas oralmente.**

a. __________ você vai viajar?
b. __________ é a previsão do tempo para a semana que vem?
c. __________ você faz quando chove?
d. __________ dias por ano você viaja?
e. __________ você viaja normalmente? De carro, de avião, de trem ou de ônibus?
f. __________ está seu passaporte?
g. __________ é a sua cidade favorita? __________?
h. __________ a sua cidade é mais movimentada?

INFORMAÇÕES CULTURAIS

1 Leia.

FÉRIAS

O trabalhador brasileiro tem direito, por lei, a férias anuais pagas. O trabalhador pode tirar férias depois que o contrato de trabalho completa um ano. Depois disso, o empregador tem um ano para dar férias ao trabalhador. Após esse prazo, o empregador é obrigado a pagar a remuneração das férias em dobro. O trabalhador tem a opção de tirar 2/3 das férias como período de descanso e receber o pagamento equivalente a 1/3 das férias. O período de férias pode durar até 30 dias corridos. Entretanto, se um trabalhador tem mais de 32 faltas não justificadas em um ano, ele não tem direito a férias. Para ler mais sobre o assunto, visite o *site* <http://www.brasil.gov.br/para/servicos/direitos-do-trabalhador/ferias-anuais>.

FERIADOS NACIONAIS

Os feriados são datas comemorativas em que se suspendem o trabalho e as aulas. Essas datas são relacionadas a fatos históricos, culturais e/ou sociais (inclusive religiosos). No Brasil, há feriados nacionais, estaduais e municipais. Os feriados nacionais são:

1º de janeiro: Confraternização Universal	12 de outubro: Nossa Senhora Aparecida
21 de abril: Dia de Tiradentes	2 de novembro: Finados
1º de maio: Dia do Trabalho	15 de novembro: Proclamação da República
7 de setembro: Independência do Brasil	25 de dezembro: Natal

Outros eventos comemorados no Brasil são o Carnaval, a Sexta-Feira Santa e o Corpus Christi. No entanto, esses dias não são feriados. Mesmo assim, muitos trabalhadores têm ponto facultativo (ou seja, podem ou não ir trabalhar). Para ler mais sobre o assunto, visite o *site* <http://www.brasil.gov.br/sobre/o-brasil/estado-brasileiro/feriados-nacionais>.

Observe.

Eu sempre tiro férias em janeiro.
Eu sempre passo minhas férias no nordeste do Brasil.
Este ano, saio de férias dia 14 de janeiro.
Eu estou de férias entre 14 e 30 de janeiro.

CONEXÕES INTERCULTURAIS

Responda oralmente.

1 Quantos dias de férias por ano você tem?
2 Onde você costuma passar suas férias?
3 Em que época do ano você gosta de tirar férias? Por quê?
4 Qual é o próximo feriado no Brasil?

GRAMÁTICA

PÁGINA 266

CONSULTE A *MINIGRAMÁTICA* PARA MAIS INFORMAÇÕES.

1 Complete com SER ou ESTAR no presente. Use a forma adequada dos verbos.

a. João __________ um funcionário dedicado. Ele sempre __________ no escritório às 7h30 da manhã, antes de todos os outros funcionários. Quando o chefe chega, João já __________ ocupado com o serviço do dia. Esta semana, os gerentes __________ muito impressionados com o trabalho de João: ele __________ em Maceió, num congresso, mas mesmo assim o trabalho __________ completamente pronto.

b. Heloísa __________ casada e tem dois filhos. Ela __________ engenheira de produção e viaja frequentemente. O marido dela, Danilo, __________ advogado e muitas vezes trabalha em casa. Quando Heloísa viaja, Danilo fica em casa com os filhos. Os filhos deles __________ bons alunos e eles ficam na escola a maior parte do dia.

2 Relacione as perguntas e respostas.

a. Quando é a convenção anual?	☐ Até agora, muito bem.
b. Onde é a matriz da empresa?	☐ As vendas não estão satisfatórias.
c. Por que o chefe não está contente?	☐ De Maceió.
d. Como vai o trabalho na fábrica?	☐ Às dez e meia.
e. A que horas você viaja?	☐ Cento e cinquenta, mais ou menos.
f. De onde você é?	☐ Em agosto.
g. Quantas pessoas vão à convenção?	☐ Em São Paulo.

3 Faça perguntas usando *como, onde, quando, quem, quanto(s)/quanta(s)* ou *por que*.

a. ____?

Os funcionários não terminam o trabalho porque eles estão ocupados.

b. ____?

Nós estamos bem, obrigado.

c. ____?

Diadema é no estado de São Paulo.

d. ____?

A reunião é dia 25.

e. ____?

Minha empresa tem 35 funcionários.

f. ____?

Júlia e Marcos (vão à convenção anual).

UNIDADE 6 CONTRATAÇÕES

COMEÇANDO O TRABALHO

1:49 ► LEIA E OUÇA.

Eles estão estabelecendo os detalhes do processo de recrutamento.

Bárbara está entrevistando uma das candidatas ao emprego.

João e seus colaboradores estão discutindo o perfil do profissional desejado.

Fernando está fazendo a análise dos currículos.

► REFLEXÕES INICIAIS.

1 Responda.

a. Os verbos sublinhados referem-se ao passado, presente ou futuro?____________________

b. Como você diz as mesmas ideias na sua língua? ______________________________

____

c. O que você pode concluir sobre a "fórmula" desse tempo verbal em português?

VERBO __________ + VERBO PRINCIPAL COM TERMINAÇÃO EM __________

► SOBRE VOCÊ.

2 Responda.

a. O que você está fazendo agora? ____________________________________

b. O que seu/sua chefe está fazendo agora? ____________________________

c. O que seus colegas estão fazendo neste momento? ________________________

agora = neste momento

COMPREENSÃO ORAL

1:50 ⊙ **1 Ouça e preencha as lacunas.**

a. Nossa empresa ______________________ sempre ______________________.
Este mês ______________________ pessoal com experiência em sistemas de ponta.
b. A firma ______________________ vários serviços.
A terceirização ______________________ o atendimento ao cliente.
c. A fábrica ______________________ uma nova jornada de
trabalho: alguns setores ______________________ no sistema 10 por 4.
d. A empresa ______________________ muito rápido. Atualmente nós
______________________ engenheiros químicos do mundo todo.
e. O perfil dos candidatos a cargos de direção ______________________. Hoje em dia,
os candidatos são mais jovens, mas ______________________ com mais determinação.
f. Os candidatos também são altamente qualificados. Nós ______________________
vários candidatos que têm pós-graduação de universidades europeias.
g. Eu ______________ do processo de seleção na TV Bandeirantes. Você também está?

1:51 ⊙ **2 Ouça e complete as frases.**

a. ______________________ hoje.
b. Cadê o meu guarda-chuva? ______________________ muito.
c. Como está o tempo em Cuiabá hoje? ______________________?
d. Nossa! ______________________ lá fora!

3 Faça a correspondência entre as imagens a seguir e as frases do exercício acima.

I. ☐ II. ☐ III. ☐ IV. ☐

• **MUITO**: é usado antes de adjetivos e de advérbios; depois de verbos.
*Eu gosto **muito** de trabalhar aqui porque esta empresa é muito inovadora. Todos os funcionários trabalham **muito**./Atualmente os funcionários do RH estão **muito** ocupados e as secretárias estão **muito** ansiosas com as novas contratações.*
• **MUITO(S)/MUITA(S)**: são usados antes de substantivos.
*Nós temos **muito** serviço para fazer./A empresa tem **muitos** funcionários novos e nós temos que preparar **muita** coisa. **Muitas** pessoas não entendem o trabalho relacionado a novas contratações.*

1:52 ⊙ **4 Complete as frases com MUITO(S) ou MUITA(S). Em seguida, ouça o áudio para verificar as suas respostas.**

a. Estes funcionários são __________ dedicados.
b. O diretor está entrevistando __________ candidatos à vaga de gerente financeiro.
c. Aquelas advogadas estão __________ ocupadas porque elas estão avaliando __________ contratos.
d. __________ lojas contratam funcionários no final do ano.

1:53 ⊙ **5 Ouça o texto e complete o parágrafo.**

De acordo com um artigo publicado no *site* G1 do Globo.com em 25 de junho de 2009, o __________ deve checar todos os seus direitos na rescisão do contrato. A rescisão, __________ chamada homologação, é o fim do __________ e é feita quando um empregado trabalha por um ano ou mais numa empresa e é demitido ou pede demissão. O empregado assina a homologação na presença de um representante do __________ ou do Ministério do Trabalho, mas ele deve prestar atenção aos direitos que tem e também ao que a empresa __________. De acordo com um advogado trabalhista, muitas vezes o empregado __________ que alguns direitos não estão incluídos, como __________ extra e décimo-terceiro __________. Nesse caso, o advogado __________ um adendo no documento para mencionar esses __________.

(Texto baseado em <http://g1.globo.com/Noticias/Concursos_Empregos/0,,MUL1206779-9654,00-EMPREGADO+DEVE+CHECAR+TODOS+OS+DIREITOS+NA+HOMOLOGACAO.html>. Acesso em 9 jul. 2013.)

☞ **Décimo-terceiro (13º) salário:** um mês de salário que os empregadores pagam aos empregados normalmente em dezembro além do salário normal.

1:54 ⊙ **6 Mário e Elza estão conversando sobre os *trainees* recentemente contratados. Complete o quadro com as características mencionadas.**

NOME	PERFIL	CARACTERÍSTICAS
Ricardo	dominador	__________
__________	__________	boazinha, hesitante
Sílvio	__________	negativo, __________
__________	impositivo	autoritário, __________
Antônio	dissimulado	__________, desleal

PRODUÇÃO ORAL

1 Leia os seguintes perfis. Depois, escolha o cargo mais adequado para cada pessoa. Explique as suas escolhas oralmente, usando alguns dos termos a seguir.

assim | então | nesse caso | por exemplo | por isso | porque | portanto

PERFIS
Sérgio: inteligente, detalhista, não desiste até atingir seu objetivo
Danilo: meticuloso, passivo, prefere passar a maior parte de seu tempo trabalhando no computador
Lídia: otimista, eloquente, gosta de trabalhar com pessoas
Vilma: honesta, dedicada, gosta de ensinar e aprender coisas novas

CARGOS
Analista de Sistemas
Supervisor/a de Vendas
Coordenador/a de treinamento
Gerente Financeiro

2 Observe os critérios a seguir.

a. Numere-os de 1 a 7, de acordo com sua ordem de importância na hora de contratar uma pessoa.

Nada importante — Relativamente importante — Muito importante
1 — 4 — 7

_____ **I.** Definir claramente o perfil do funcionário desejado antes da contratação.
_____ **II.** Verificar se o candidato tem potencial para se encaixar no perfil desejado.
_____ **III.** Preparar-se para a entrevista com o candidato.
_____ **IV.** Avaliar como o candidato se comporta numa dinâmica.
_____ **V.** Avaliar o desempenho do candidato em testes escritos.
_____ **VI.** Buscar referências sobre o candidato.
_____ **VII.** Considerar não apenas atributos técnicos, mas também comprometimento, ética e cooperação em trabalho em equipe.

(<http://www.jornalnanet.com.br/publicacao/blog/1269/contratar-funcionarios-adequados-e-desafio-para-empresas>. Acesso em 9 jul. 2013.)

b. Justifique oralmente suas escolhas no item anterior. Observe os exemplos.

Eu acho que (IV) é muito importante porque é na prática que a gente percebe como as pessoas são de fato.
Uma boa contratação se faz no planejamento, por isso acho que (I) é o critério mais importante.

c. Se possível, converse com outra pessoa sobre a importância dos critérios do item ***a*** anterior.

• **Preparar-se =** preparar a si mesmo. *Eu sempre me preparo bem para as entrevistas que faço com candidatos a emprego.*
Mais sobre verbos similares na p. 268.

3 Observe o perfil dos candidatos a seguir e responda oralmente: Eles devem se candidatar para alguma vaga? Se sim, qual e por quê? Na sua resposta, use o vocabulário a seguir.

também mas e porque

Patrícia:	Tem curso superior completo. Tem experiência de sete meses na área administrativa, inclusive conciliação bancária e lançamento de NF.
Rosângela:	Não tem ensino médio completo. Tem disponibilidade de horário e três anos de experiência em vendas. Possui algum conhecimento do pacote Office.
Lúcio:	Está fazendo curso superior. Tem experiência de dois anos na área de pagamentos e recebimentos. Também tem um ano de experiência em conciliação bancária.
Fábio:	Tem o ensino médio completo e experiência de dois meses como operador de caixa. Não conhece o pacote Office. Tem disponibilidade de horário.

VAGA	CATEGORIA	SETOR	PERFIL
Analista Administrativo Financeiro 01 vaga	Especialista	Administrativo	Superior completo ou cursando. Experiência mínima de 1 ano na função com vivência na área administrativa financeira com contas a pagar e receber, conciliação bancária e lançamento de NF.
Consultora de Vendas 03 vagas	Operacional	Comercial	Possuir Ensino Médio completo, disponibilidade de horário. Experiência mínima de 6 meses com prática em vendas. Conhecimento básico do pacote Office.
Operador de Caixa 01 vaga	Operacional	Comercial	Possuir Ensino Médio completo. Experiência mínima de 6 meses na função. Disponibilidade de horário e conhecimento básico do pacote Office.

(Adaptado de <http://www.farmaciaroval.com.br/blog/?p=767>. Acesso em 9 jul. 2013.)

4 Descreva oralmente as informações apresentadas no gráfico, conforme exemplo.

"Setenta e três por cento dos *trainees* entrevistados acham que a experiência profissional prévia **pesa** na hora da seleção."

(*Você S/A*. São Paulo: Abril, ago. 2012. p. 104.)

5 Responda oralmente: Você acha que a experiência profissional é um critério importante na hora da seleção? Justifique sua resposta.

COMPREENSÃO ESCRITA

1 Leia o texto.

MAIS LIBERDADE PARA PATRÕES E EMPREGADOS

O governo está avaliando alternativas para modernizar a legislação trabalhista nos setores de comércio e serviço. Estão em análise:

CONTRATAÇÃO POR HORA	As empresas ficam livres para selecionar os dias e a carga horária de cada funcionário para adequar o atendimento ao movimento do negócio.
CONTRATO PARA TRABALHO EVENTUAL	As partes definem o salário e os benefícios por um período determinado. O empregador solicita o serviço a qualquer momento, mas o empregado só atende se puder.

Os especialistas, no entanto, acreditam que o Brasil está maduro para adotar também mais algumas formas de contratação consagradas em outros países.

AMPLIAÇÃO DA TERCEIRIZAÇÃO

Empresas de países desenvolvidos terceirizam serviços complementares. A TV por assinatura não emprega funcionários para oferecer assistência técnica e a distribuidora de energia não tem equipes para ler gasto de luz nas residências. Mas no Brasil a terceirização dessas atividades alimenta brigas judiciais.

LIVRE NEGOCIAÇÃO PARA EXECUTIVOS

Por representarem os sócios, os executivos têm condições de negociar individualmente a carga de trabalho e alternativas de remuneração e benefícios. O modelo é americano, mas já foi adotado em países como a Espanha.

TRABALHO POR PROJETO

Um contrato define a remuneração, o prazo e a natureza do trabalho, mas o contratado não tem obrigação de cumprir uma carga horária fixa ou de frequentar a empresa. Foi adotado na Itália.

Fontes: Siqueira Castro Advogados, Machado Meyer, IDV, Abrasel

(*Exame*. São Paulo: Abril, n. 5, 21 mar. 2012. p. 56.)

2 Correlacione o tipo de contratação com as características dadas.

a. Contrato para trabalho eventual	☐	Modelo original dos Estados Unidos, usado em alguns países europeus também.
b. Trabalho por projeto	☐	As empresas determinam que dias e quantas horas cada empregado trabalha.
c. Contratação por hora	☐	Para certos tipos de companhia isto pode causar problemas na Justiça.
d. Livre negociação para executivos	☐	O contratado não precisa ir à empresa.
e. Ampliação da terceirização	☐	O trabalhador pode não estar disponível para realizar o trabalho.

3 Correlacione o vocabulário à esquerda e suas definições à direita.

a. Livre negociação	☐	Quanto se paga a um funcionário.
b. Carga horária	☐	Contratação de outras empresas para prestar serviços em nome da empresa contratadora.
c. Remuneração	☐	Número de horas em que se trabalha (por dia, por semana ou por mês).
d. Terceirização	☐	Disputa relacionada com as leis.
e. Briga judicial	☐	Acordos individuais que ajustam tipo de compensação e benefícios para cada caso.

4 Verdadeiro (V) ou falso (F)?

a. ☐ O governo brasileiro considera possibilidades de alterar as leis do trabalho para certos setores.
b. ☐ O funcionário contratado por hora sempre escolhe o dia em que quer trabalhar.
c. ☐ Os executivos representam os sócios de uma empresa.
d. ☐ No Brasil é muito fácil terceirizar qualquer atividade.
e. ☐ O empregado participa da definição do contrato para trabalho eventual.
f. ☐ O contrato de trabalho por projeto não define carga horária.
g. ☐ Todos os executivos precisam ter os mesmos benefícios.
h. ☐ Em muitos países é comum terceirizar a assistência técnica.
i. ☐ O contrato de trabalho por projeto é comum no Brasil.

O TEXTO E VOCÊ

Responda oralmente.

- Que forma de contratação você tem com a sua empresa?
- Quais as vantagens e as desvantagens deste tipo de contratação?

PRODUÇÃO ESCRITA

1 Observe os textos e responda: O que seus conteúdos têm em comum?

____

____

TEXTO 1

Estamos contratando! Vaga para assistente de comunicação na Boitempo Editorial
Publicado em 13/06/2012 | 7 Comentários

A Boitempo Editorial está contratando um assistente para a área de comunicação (cursando ou formado em comunicação social, jornalismo, marketing ou publicidade), com conhecimento em design gráfico e artes visuais, habilidade para utilização de redes sociais e domínio de programas de edição de texto, imagem e som (Adobe Photoshop, InDesign, Premiere, Dreamweaver etc.). Os interessados devem enviar currículo para comunicacao@boitempoeditorial.com.br até sexta-feira, dia 15 de junho.

Repassem essa notícia para conhecidos e eventuais interessados!

(<http://boitempoeditorial.wordpress.com/2012/06/13/estamos-contratando-vaga-para-assistente-de-comunicacao-na-boitempo-editorial/>. Acesso em 9 jul. 2013.)

TEXTO 2

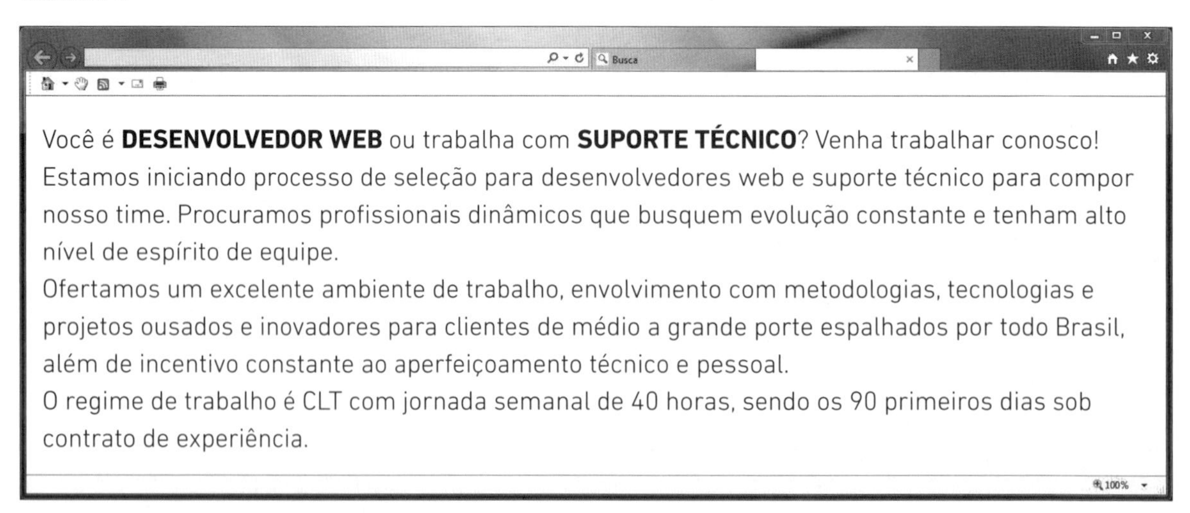

Você é **DESENVOLVEDOR WEB** ou trabalha com **SUPORTE TÉCNICO**? Venha trabalhar conosco!
Estamos iniciando processo de seleção para desenvolvedores web e suporte técnico para compor nosso time. Procuramos profissionais dinâmicos que busquem evolução constante e tenham alto nível de espírito de equipe.
Ofertamos um excelente ambiente de trabalho, envolvimento com metodologias, tecnologias e projetos ousados e inovadores para clientes de médio a grande porte espalhados por todo Brasil, além de incentivo constante ao aperfeiçoamento técnico e pessoal.
O regime de trabalho é CLT com jornada semanal de 40 horas, sendo os 90 primeiros dias sob contrato de experiência.

(<http://www.id5.com.br/2012/09/estamos-contratando/>. Acesso em 9 jul. 2013.)

2 Marque as alternativas verdadeiras sobre os textos.

a. ☐ Os dois textos ilustram anúncios de emprego.
b. ☐ Os dois textos ilustram *press releases* de empresas.
c. ☐ Os dois textos usam verbos no presente contínuo.
d. ☐ Os dois textos descrevem o profissional procurado.
e. ☐ Os dois textos mencionam contratação do mesmo tipo de profissional.

3 Complete o quadro com exemplos dos textos.

	TEXTO 1	TEXTO 2
Verbos no presente contínuo		
Verbos no presente		

4 Use os textos da página anterior como inspiração e escreva um anúncio *on-line* procurando um profissional para a sua empresa. Seu anúncio deve incluir:

- um título;
- detalhes sobre o profissional que você está procurando;
- informações sobre o que a empresa oferece;
- detalhes sobre o contrato.

VOCABULÁRIO E PRONÚNCIA

FORMAÇÃO DE PALAVRAS

Muitos substantivos e adjetivos em português são derivados de verbos. Desses substantivos, vários terminam em *-ção* (**realização, formação**); dos adjetivos, vários terminam em *-ado/a* (derivados de verbos de 1ª conjugação: **realizado, formado**) ou *-ido/a* (derivados de verbos de 2ª e 3ª conjugação: **mantido, demitida**).

Essas não são as únicas terminações possíveis para substantivos e adjetivos derivados de verbos. Os substantivos também podem terminar em *-dade* (**especialidade**), *-mento* (**recrutamento**), *-ncia* (**assistência**) etc. Outras terminações possíveis para adjetivos incluem *-nte* (**hesitante**: "que hesita"), *-dor/a* (**dominador**: "que domina") e *-vel* (**definível**: "algo que é possível definir").

1:55 **1 Complete o quadro. Depois, ouça o áudio para conferir as suas respostas.**

VERBOS	SUBSTANTIVOS	ADJETIVOS
terceirizar	terceirização	terceirizado/a
___________	___________	contratado/a
___________	recrutamento	___________
dominar	___________	dominador/a
hesitar	hesitação	___________
___________	organização	___________
___________	especialização, especialidade	___________
definir	___________	definido/a
___________	assistência, assistente	assistido/a
inovar	___________	inovador/a
___________	programação, programador	programado/a
___________	___________	compensado/a
___________	ampliação	ampliado/a
expandir	expansão	___________

2 Complete as frases usando substantivos da lista acima. Use o plural quando necessário.

a. A ______________ frequente de novos empregados permite ampliar as operações da empresa.
b. Sempre contratamos os melhores funcionários porque nosso processo de ______________ é longo e cuidadoso.
c. O pessoal que trabalha com ______________ de computadores está sempre muito ocupado.
d. Os contratos ainda não estão definidos. Precisamos dessa ______________ imediatamente.
e. É importante ter ideias novas. A ______________ mantém a empresa competitiva.
f. Estamos expandindo os nossos negócios para a Ásia. Essa ______________ nos coloca à frente de outros competidores.
g. Nós contratamos outras empresas para prestar os nossos serviços complementares. Com a ______________, mantemos os nossos custos mais baixos.

INFORMAÇÕES CULTURAIS

1 Leia.

REGIMES DE TRABALHO

A CLT (Consolidação das Leis do Trabalho) é uma norma legislativa referente aos direitos do trabalho. A CLT foi criada em 1943 e hoje rege uma grande parte dos trabalhadores brasileiros. De acordo com a CLT, a carteira de trabalho deve ser assinada e conter informações como data de admissão, cargo e valor do salário. O regime CLT também garante jornada de trabalho de oito horas por dia. Se o funcionário trabalha mais de oito horas, deve ser remunerado por cada hora a mais de trabalho (ou seja, o trabalhador recebe "hora extra"). A CLT também garante o descanso semanal, o 13º salário, o FGTS (Fundo de Garantia do Tempo de Serviço) e férias anuais.

Nem todos os trabalhadores são regidos pela CLT. Os profissionais autônomos, por exemplo, prestam serviços por conta própria e não têm férias remuneradas nem 13º salário (mas têm direitos de previdência social). Além disso, os servidores públicos podem ser regidos pela CLT ou pelo regime estatutário.

CARTEIRA DE TRABALHO

Para obter uma carteira de trabalho, é preciso apresentar os seguintes documentos:

- carteira de identidade OU certidão de nascimento OU certidão de casamento;
- uma foto 3x4 cm.

Os estrangeiros também podem ter carteira de trabalho no Brasil, mas o processo envolve mais documentos, já que o estrangeiro precisa estar autorizado a trabalhar no país.

GLOSSÁRIO

FGTS (Fundo de Garantia do Tempo de Serviço): indenização por tempo de serviço. O trabalhador pode receber essa quantia (que varia de acordo com salário e tempo de serviço) em vários casos, inclusive demissão sem justa causa. O FGTS é operado pela Caixa Econômica Federal.

CONEXÕES INTERCULTURAIS

Responda oralmente.

1 Você tem carteira de trabalho?

2 Que benefícios você tem no seu trabalho?

3 No seu país, existe algo como a carteira de trabalho? Se existe, em que se parece com a carteira de trabalho brasileira? Em que é diferente?

4 Que documentos são necessários para ter um contrato de trabalho no seu país?

GRAMÁTICA

CONSULTE A *MINIGRAMÁTICA* PARA MAIS INFORMAÇÕES.

1 Complete os diálogos com os verbos entre parênteses no presente contínuo.

DIÁLOGO 1

Ely:	Você ________________ (estudar) para o concurso?
Ênio:	Estou, sim. Eu também ________________ (trabalhar) em tempo integral.
Ely:	Nossa! Você está muito ocupado!

DIÁLOGO 2

Dilma:	Nosso gerente diz que nós não ________________ (esforçar-se) ultimamente, mas não é verdade.
Oscar:	Eu sei. Infelizmente, as vendas não ________________ (refletir) o trabalho da equipe.

DIÁLOGO 3

Renato:	Você sabe se o RH já ________________ (verificar) os benefícios nos contratos novos?
Dalila:	Acho que não. Os diretores ainda ________________ (discutir) os termos dos contratos.

2 Complete os textos usando os verbos a seguir no presente.

candidatar-se divertir-se esforçar-se especializar-se

a. Os nossos gerentes são excelentes. Como diretora, eu ______________ para atender às necessidades de todos os setores, mas os gerentes sempre me ajudam. Cada gerente ______________ na sua área e é fundamental uma boa interação entre todos eles. Além disso, todos têm bom humor e nós ______________ muito no trabalho! Eu não quero perder nenhum dos gerentes. Por isso, quando um deles ______________ a outro emprego, eu faço o possível para retê-lo na empresa.

dedicar-se preocupar-se preparar-se recuperar-se recusar-se

b. Amélia é a melhor funcionária que temos. Ela ______________ a aprender todos os novos procedimentos do setor e sempre ______________ muito bem para as reuniões. Infelizmente, a saúde dela não está muito boa. Eu ______________ com ela porque ela ______________ a ficar em casa. Dessa maneira, ela não ______________ e continua doente.

3 Escolha o melhor demonstrativo para completar as frases.

a. (Esta) (Essas) (Aquela) diretora lá é muito organizada.
b. (Este) (Esses) (Aquele) contratos são anuais.
c. Nós preferimos usar (este) (esses) (aqueles) programa aqui.
d. Lúcia, você pode enviar (estas) (essa) (aquelas) carta, por favor?

UNIDADE 7 PLANEJAMENTO

COMEÇANDO O TRABALHO

1:56 ► LEIA E OUÇA.

DIVERSIDADE NO TOPO

A Elavon, companhia americana de processamento de transações de cartões, está aterrissando no Brasil para competir com Cielo e Redecard. Para comandar as operações no país foi escolhido Antonio Castilho, ex-Cielo e ex-Banco Votorantim. Chama a atenção a composição do board: dos 11 diretores, seis são mulheres. "Foi uma opção pela competência técnica, visão estratégica e conhecimentos diversificados", diz Antonio. "Não levamos a questão do gênero em consideração." No entanto, o executivo reconhece a importância da diversidade de pensamento. "Nosso principal desafio é aprender uns com os outros e a diversidade vai ajudar", diz Antonio. A Elavon deve contratar 300 profissionais em dois anos.

(*Você S/A*. São Paulo: Abril, out. 2011. p. 28, grifo nosso.)

► REFLEXÕES INICIAIS.

1 Responda.

a. No texto, a locução verbal "vai ajudar" refere-se ao passado, presente ou futuro?

____

b. O que você pode concluir sobre a "fórmula" desse tempo verbal em português?

VERBO __________ no presente + VERBO PRINCIPAL COM TERMINAÇÃO EM __________

► SOBRE VOCÊ.

2 Responda.

a. O que você vai fazer amanhã antes de ir ao trabalho? ______________________________

b. O que seu/sua chefe vai fazer depois de amanhã à tarde? ______________________________

c. Em que seus colegas vão trabalhar daqui a dois meses? ______________________________

*Hoje é dia 5 de novembro./**Amanhã** é dia 6 de novembro./**Depois de amanhã** é dia 7 de novembro./ Estamos em outubro. **No mês que vem** (novembro) eu vou tirar férias. **Daqui a dois meses** (dezembro) eu vou trocar de emprego.*

COMPREENSÃO ORAL

1:57 **1 Ouça e escreva H para as ideias expressas pelo homem e M para as ideias expressas pela mulher.**

a. ☐ A empresa vai se antecipar aos concorrentes.
b. ☐ O planejamento empresarial é imprescindível para atingir as metas de uma empresa.
c. ☐ Vai avaliar o potencial de venda dos representantes comerciais.
d. ☐ Com a equipe, vai analisar a possibilidade de a empresa atuar em novos mercados.
e. ☐ Vai contratar novos colaboradores para o desenvolvimento comercial.
f. ☐ Vai treinar os funcionários e integrá-los da melhor maneira possível à equipe.
g. ☐ Vai entender melhor como a empresa pode atuar em mercados ainda não explorados.
h. ☐ Vai desenvolver estratégias mais eficientes de atendimento e vendas.

1:58 **2 Cristina e Patricia estão conversando sobre seus planos de carreira. Ouça e marque V (verdadeiro) ou F (falso).**

a. ☐ Cristina está planejando a carreira a longo prazo.
b. ☐ Patricia pensa em seguir a carreira corporativa.
c. ☐ Cristina acha que Patricia deve seguir a carreira corporativa.
d. ☐ Patricia vai sair da empresa imediatamente.
e. ☐ Não há muitas possibilidades na área de Patricia.
f. ☐ Na opinião de Cristina, Patricia deve pensar de outra maneira.
g. ☐ Cristina vai planejar a carreira para os próximos vinte anos.
h. ☐ Cristina vai procurar oportunidades de fazer o que sabe.
i. ☐ Patricia vai avaliar a flexibilidade no planejamento da carreira.

3 Ouça mais uma vez e complete as expressões usadas pelas falantes para expressar suas opiniões.

a. Isso ______________________________ ideia.
b. Não ________ se você _________ fazer _________.
c. Eu acho que você _________________ pensar de maneira convencional.
d. Eu ________________ se ___________ é a melhor opção para você. Sinceramente, eu ____________ você ______________ experiências variadas.
e. _________________ vale a pena ficar lá por enquanto, você ___________?
f. _______________, não.

A palavra **isso** é indefinida e nunca é seguida de substantivo.

A: *O que é* ***isso****?*
B: ***Isso*** *é uma lapiseira.*

A: *Eu vou contratar o Jorge.*
B: *Por que você vai fazer* ***isso****?*

1:59 ⊙ **4 Ouça o diálogo e preencha as lacunas.**

Vânia:	TV Diário, bom dia, aqui é Vânia.
Beto:	Oi, Vânia, é o Beto.
Vânia:	Oi, Beto, tudo bem?
Beto:	___________. Vânia, eu tô ___________ pra avisar que não vou participar da reunião de pauta. Eu tenho ___________ levar meu filho ao médico.
Vânia:	Tudo bem.
Beto:	Obrigado, Vânia, até mais tarde, então.
Vânia:	Até mais tarde, tchau.
[pausa]	
Vânia:	TV Diário, ___________, aqui é Vânia.
Beto:	Oi, Vânia, é o Beto.
Vânia:	Oi, Beto.
Beto:	Você tem um minutinho pra me falar das decisões sobre o programa da semana que vem?
Vânia:	Tenho. No primeiro segmento, nós ___________ uma matéria sobre os planos de reforma do metrô. Depois, a Luciana ___________ o novo prefeito.
Beto:	A Luciana? Você não ___________ que o Henrique é melhor pra entrevistar o prefeito?
Vânia:	Não acho, não. A Luciana tem experiência e ___________ uma boa entrevista. Nós ___________ uma lista inicial de perguntas e ela vai acrescentar outras.
Beto:	Tá bem, então. E o último segmento?
Vânia:	O José Carlos ___________ uma matéria sobre o jardim zoológico.
Beto:	Tudo bem. Mais alguma coisa?
Vânia:	Não, é só ___________. Eu vou te mandar a pauta por *e-mail*.
Beto:	OK, obrigado. A gente conversa amanhã então.
Vânia:	Então tá bem. Até amanhã, melhoras pro seu filho.
Beto:	Obrigado. Um abraço, tchau.
Vânia:	Outro, tchau.

tudo → palavra invariável (que não muda); nunca é seguida de substantivo.

todo(s)/toda(s) → concorda com o substantivo.

Nós vamos mostrar ***todos*** *os planos de reforma. O público vai ver* ***tudo****.*

1:60 ⊙ **5 Ouça e marque com um "x" as descrições verdadeiras sobre cada diálogo.**

	Diálogo 1	Diálogo 2	Diálogo 3	Diálogo 4
A pessoa que liga consegue falar com quem procura.				
A pessoa que liga não consegue falar com quem procura.				
A pessoa que atende o telefone chama seu colega para falar.				
A pessoa que atende o telefone vai dar o recado ao seu colega.				

6 Ouça e leia os diálogos do Exercício 5 (para ler, vá à p. 283). Observe como os falantes iniciam e terminam as conversas ao telefone.

PRODUÇÃO ORAL

1 Reaja oralmente a cada um dos comentários, expressando sua opinião sobre eles. Use as expressões a seguir como apoio.

Sinceramente, acho que você não deve fazer isso.
Isso é uma boa ideia.
Eu não sei se isso é a melhor opção para você.
Acho que (não) vale a pena fazer isso.
Não sei se você deve fazer isso.

Não vou mais estudar no futuro. Não preciso. Eu sei lidar com as pessoas e consigo delas tudo o que quero.

Eu ainda não sei bem qual oferta de emprego vou aceitar. Hoje à noite vou conversar com minha família e ver o que eles pensam sobre as opções.

Eu vou mudar de área daqui a uns três anos, para ter experiência em áreas diferentes.

Eu vou planejar minha carreira para os próximos dez anos e vou cumprir meu planejamento sem alterações.

2 Quais são os seus planos profissionais para o próximo ano? Rascunhe algumas notas na agenda abaixo e depois produza frases oralmente. Use os verbos a seguir como referência.

desenvolver avaliar apresentar planejar contratar fazer ler
dar ver começar terminar receber vender abrir cumprir

JANEIRO	FEVEREIRO	MARÇO	ABRIL
MAIO	**JUNHO**	**JULHO**	**AGOSTO**
SETEMBRO	**OUTUBRO**	**NOVEMBRO**	**DEZEMBRO**

3 Crie um diálogo ao telefone entre os colegas de trabalho Mário e Francisco. Siga os passos a seguir.

- Francisco atende o telefone e diz seu nome e departamento.
- Mário e Francisco trocam cumprimentos.
- Mário explica a razão do telefonema: está preso no trânsito e vai chegar atrasado ao trabalho.
- Francisco pergunta se pode ajudar.
- Mário diz que sim. Explica que tem uma reunião (dá detalhes da hora e local) e pergunta se Francisco pode ir à sala de reuniões avisar que ele vai se atrasar.
- Francisco diz que sim.
- Mário agradece.
- Francisco e Mário finalizam o telefonema.

4 Joelma e Rodrigo conversam sobre seus planos profissionais. Use as informações a seguir e improvise um diálogo entre eles. Se preferir, faça um rascunho em seu bloco de notas e leia seu diálogo em voz alta.

É isso mesmo. Isso é muito bom. Dessa maneira
Na verdade Infelizmente Não vale a pena

Joelma
- Forma-se em engenharia de sistemas no final do ano.
- Atualmente ela faz estágio numa empresa de telecomunicações e quer fazer carreira dentro da empresa.
- Pretende permanecer na empresa por pelo menos dez anos.
- Quer fazer um mestrado dentro de cinco anos.

Rodrigo
- Está formado há três anos e trabalha na mesma empresa desde sua formatura.
- Vai procurar um novo emprego em futuro breve, pois acha que o trabalho está estagnado.
- Precisa de desafios e coisas novas no trabalho.
- Pretende trocar de emprego no futuro a cada cinco anos e não quer estudar mais.

COMPREENSÃO ESCRITA

1 Leia o texto rapidamente, sublinhando os verbos no presente e circulando os verbos no futuro.

MERCADO

notícias

07/11/2012

20h29	Senadores da base vão deixar MP do Refis da Crise perder validade
20h28	Bolsas despencam nos EUA após eleição pressionadas por questão fiscal
20h26	BC vai regular antecipações de valores a receber por lojistas
20h23	Desembolsos do BNDES crescem em outubro 5% acima do previsto
20h22	Petróleo fecha em baixa de 4,27% nos EUA com estoque elevado
20h14	Ex-funcionários da Vasp vão recorrer de reversão de falência
20h07	Odebrecht assinará contrato para gerir usina de açúcar em Cuba, diz agência
20h05	Governo avalia que bancos já têm crédito para emprestar
20h02	Procon-SP anuncia concurso para contratação de mais de 300 funcionários
20h01	Câmara aprova criação de 39º ministério do governo, o de Micro e Pequena Empresa
19h40	Impasse na Câmara adia votação do marco civil da internet
19h14	Twitter contrata ex-executivo do Yahoo! para comandar operações no Brasil
19h05	Conta de luz cairá menos sem renovação de três usinas da Cemig, diz agência
18h39	Receita com publicidade on-line deve superar impressa nos EUA em 2012
18h28	Mantega propõe a governadores alíquota única de 4% para o ICMS
18h05	Em greve, jornalistas do 'El País' protestam em Madri
18h04	Bovespa cai 1,6% por riscos fiscais nos EUA e na Europa
17h45	Caixa capta US$ 1,5 bi no mercado internacional de capitais
17h31	Campanha tenta pressionar TCU no caso do erro na conta de luz

(<http://www1.folha.uol.com.br/mercado/noticias-2.shtml>. Acesso em 8 nov. 2012.)

GLOSSÁRIO

assinará: vai assinar
cairá: vai cair
Câmara: Câmara dos Deputados (parte do Poder Legislativo)
Caixa: Caixa Econômica Federal (um banco público)

2 Ache no texto o vocabulário que significa:

a. alto ____________________

b. comerciantes que têm lojas ____________________

c. empregados ____________________

d. caem ____________________

e. gastos ____________________

f. aumentam ______

g. administrar ______

h. apelar ______

i. exceder, ultrapassar ______

j. paralisação de trabalhadores ______

3 Escolha a melhor alternativa para completar as frases.

a. Com um bom planejamento, a possibilidade de sucesso ______ bastante.
☐ recorre ☐ cresce ☐ supera

b. Nós não podemos pagar tudo isso. Esse preço é ______ demais.
☐ baixo ☐ superior ☐ elevado

c. Ela não vai conseguir o certificado porque os funcionários estão em ______.
☐ greve ☐ conta ☐ questão

d. Um ex-executivo do Yahoo! vai ______ as operações do Twitter no Brasil.
☐ superar ☐ apelar ☐ gerir

e. O período de fim de ano é bom para os ______ porque as pessoas compram mais.
☐ senadores ☐ lojistas ☐ jornalistas

f. Os resultados deste bimestre são muito bons. Eles ______ as expectativas!
☐ superam ☐ crescem ☐ administram

4 Procure no texto as siglas para o vocabulário a seguir. Observe o exemplo.

Banco Central BC

a. Medida Provisória ______

b. Banco Nacional de Desenvolvimento Econômico e Social ______

c. Estados Unidos da América ______

d. Programa de Proteção e Defesa do Consumidor ______

e. São Paulo ______

f. Imposto sobre Circulação de Mercadorias e Serviços ______

g. Tribunal de Contas da União ______

O TEXTO E VOCÊ

- Qual é a notícia mais importante na página anterior? Justifique sua opinião.
- Visite um *site* de notícias (por exemplo, <http://www1.folha.uol.com.br/mercado/>) e escolha uma notícia recente para ler.

PRODUÇÃO ESCRITA

1 Observe o texto e responda: O que ele reproduz?

___

___

___

Jorge:	Oi Barbara vc esta por ai?	14:31
Barbara:	Oi Jorge estou sim. Voce quer falar ou escrever?	14:31
Jorge:	Meu microfone esta ruim, vamos ter de escrever, pode ser?	14:31
Barbara:	OK	14:32
Jorge:	Uma pergunta rápida.	14:32
Jorge:	eu estou trabalhando no relatório pra DPC...	14:32
Jorge:	estou correndo aqui para terminar hoje mas sinceramente acho que não vou conseguir fazer a conclusão.	14:32
Jorge:	vc acha uma boa eu enviar o relatório incompleto pra vocês? Assim vocês já podem ir revendo o inicio enqto eu trabalho na conclusão amanha de manha.	14:33
Barbara:	vc vai mandar ainda hoje? Pergunto porque amanha de manha vou viajar pra Berlim e nao vou estar conectada a internet por algumas horas.	14:33
Jorge:	sim a ideia é mandar ainda hoje ao final do dia	14:34
Barbara:	OK pode mandar e eu leio o que está pronto no avião.	14:34
Jorge:	Perfeito então. Obrigado ☺	14:34
Barbara:	Ate mais tarde então	14:35
Jorge	Até!!	14:35

Envie uma mensagem ☺

Enviar

2 Abaixo há uma lista sobre algumas características de comunicação por *chat*. Marque todas as características ilustradas no *chat* da página anterior.

a. ☐ Uso de abreviações.
b. ☐ Despreocupação com o uso de sinais como vírgulas e/ou pontos finais.
c. ☐ Despreocupação com o uso de ortografia correta (incluindo acentos e uso de letras maiúsculas).
d. ☐ Uso de *emoticons* e pontos de exclamação para expressar sentimentos.
e. ☐ Textos grandes divididos em partes pequenas e enviados em mensagens diferentes.

3 Relacione o vocabulário à esquerda com suas abreviações à direita.

a. por favor	☐ bjs
b. você	☐ mt(o)
c. qualquer	☐ pf
d. quando	☐ hj
e. quanto	☐ vc
f. abraços	☐ msg
g. beijos	☐ qq
h. também	☐ abs
i. hoje	☐ qd(o)
j. mensagem	☐ qt(o)
k. muito	☐ tb
l. para sua informação	☐ psi

GLOSSÁRIO

Em *e-mail/chat*:

eh = é (≠ e)

rs (rsrs) = hehe = haha → risos

4 Na tela abaixo, continue a conversa no *chat*.

__ [seu nome] ___	______________________, vc pode falar?	__:__

VOCABULÁRIO E PRONÚNCIA

1:61 **1 Ouça e repita. Em seguida, associe os verbos da esquerda com os meios de transporte da direita, de acordo com o áudio.**

MEIOS DE TRANSPORTE

Verbos	Meios de transporte
Ir de	carro
Pegar / Tomar (o/a/um/uma)	táxi
Saltar (do/da)	ônibus
Embarcar (no/na)	trem
Desembarcar (do/da)	avião
	barca
	metrô

1:62 **2 Ouça e repita.**

ALGUNS LUGARES NA CIDADE

o aeroporto	o jardim zoológico	o parque	a rodoviária
o cinema	a livraria	o ponto de ônibus	o supermercado
a estação (de trem, de metrô, das barcas)	o museu	o restaurante	o teatro

3 Associe os lugares ao que encontramos neles.

a. jardim zoológico	☐ objetos de arte ou históricos
b. teatro	☐ livros e CDs
c. rodoviária	☐ animais
d. museu	☐ comidas e bebidas
e. supermercado	☐ ônibus
f. livraria	☐ atores

4 Responda oralmente.

a. Quando você quer se divertir, a que lugares você vai normalmente?
b. Quando você vai ao parque?
c. A sua cidade tem uma rodoviária? Onde fica?
d. Onde fica o aeroporto mais perto da sua casa?

INFORMAÇÕES CULTURAIS

1 Leia.

MINISTÉRIOS BRASILEIROS

À época da composição deste livro, o Brasil tem 24 ministérios. Os ministérios fazem parte do Poder Executivo e os ministros são nomeados pelo/a Presidente da República. A Presidência da República também conta com dez secretarias que funcionam em caráter ministerial. Além dos ministérios e secretarias, têm caráter ministerial a Advocacia-Geral da União, o Banco Central, a Casa Civil, a Controladoria-Geral da União e o Gabinete de Segurança Institucional da Presidência da República. Os ministérios elaboram normas e formulam políticas para os seus respectivos setores.

Para mais informações sobre os ministérios brasileiros, veja <http://www2.planalto.gov.br/presidencia/ministros/ministerios>.

MINISTÉRIO DO PLANEJAMENTO, ORÇAMENTO E GESTÃO

O Ministério do Planejamento, como é conhecido, foi criado em 1967. Sua função é planejar a administração do governo federal. O Ministério é responsável pelo controle de orçamentos e planejamento de custos, além da distribuição de fundos para os estados e para projetos do governo. O Ministério do Planejamento também avalia os impactos socioeconômicos das políticas e programas do governo federal, coordena a gestão de parcerias público-privadas e elabora políticas e diretrizes para modernização da administração pública federal, entre várias outras atividades.

Para mais informações sobre o Ministério do Planejamento, Orçamento e Gestão, visite <http://www.planejamento.gov.br/>.

GLOSSÁRIO

orçamento: cálculo de contas (mensais, semestrais, anuais etc.)
gestão: administração
avaliar: estimar, calcular
diretriz: norma, caminho

CONEXÕES INTERCULTURAIS

Responda oralmente.

1 No seu país, como se chamam alguns dos órgãos do governo?

2 O seu país tem um órgão semelhante ao Ministério do Planejamento? Como se chama?

GRAMÁTICA

CONSULTE A *MINIGRAMÁTICA* PARA MAIS INFORMAÇÕES.

1 Forme frases usando os elementos dados, como no exemplo.

Eu / apresentar / planos financeiros /amanhã. = Eu vou apresentar os planos financeiros amanhã.

a. Glória / fazer / uma entrevista / semana que vem.

______________________________.

b. Os diretores / demitir / funcionários / mês que vem.

______________________________.

c. Vocês / decidir / planos de carreira / agora?

______________________________?

d. Nós / vender / mais / nos próximos meses.

______________________________.

e. Eu / revisar / meus planos / ano que vem.

______________________________.

2 Complete usando os verbos dados no presente ou no futuro.

a. Todos os meses eu ______________ (fazer) um orçamento para a família.
b. No mês que vem eu ______________ (fazer) o orçamento para outubro.
c. Eles sempre ______________ (ter) bons planos para o futuro.
d. Vocês ______________ (preparar) a planilha de custos amanhã?
e. Nós ______________ (avaliar) estes planos na próxima reunião.

3 Quais são os seus planos para o ano que vem? No seu bloco de notas, escreva um pequeno parágrafo (cinco ou seis frases) sobre o que você vai fazer no ano que vem.

4 Complete as frases usando *isto*, *isso* ou *aquilo*.

a. Por que é que ______________ está aqui na minha mesa?
b. Você precisa olhar ______________ ali. É o orçamento do ano que vem.
c. ______________ que está perto de você é a planilha de custos.
d. A filial de Manaus está com problemas. ______________ lá não é bem administrado.

UNIDADE 8 TECNOLOGIA

COMEÇANDO O TRABALHO

1:63 ▶ LEIA E OUÇA.

CONSUMO

Comprou um iPhone, recebeu uma pedra

O amazonense Gilvandro Silva mora no município de Parintins. Comprou pela internet um iPhone 4S no valor de R$ 2.599 para dar de presente à sua mulher. Quando a encomenda chegou, entregou-a imediatamente à esposa. Ela feliz pela lembrança e ele orgulhoso de si. Embrulho aberto, em vez de iPhone, o que havia era uma pedra. "Acho que o problema aconteceu com a transportadora. Me ofereceram a devolução do dinheiro ou um novo aparelho. Optei pelo telefone porque ainda quero presentear minha mulher", diz ele.

(*Isto é 2211*. São Paulo: Ed. Três, 28 mar. 2012. p. 34, grifo nosso.)

▶ REFLEXÕES INICIAIS.

1 Responda.

a. Dos verbos sublinhados, quais estão no presente? ______

b. Quais você acha que estão no passado? ______

c. Que conclusão você pode tirar sobre as terminações dos verbos no passado? ______

______

▶ SOBRE VOCÊ.

2 Responda.

a. Você já comprou alguma coisa pela internet? (Já comprei, sim.) (Não, nunca comprei.)

b. O que você comprou recentemente pela internet? Comprei ______ .

c. Aconteceu algum problema na entrega? (Aconteceu, sim.) (Não aconteceu.)

• No texto, Gilvandro diz: "Me ofereceram...". Em português brasileiro, podemos usar o verbo na terceira pessoa do plural (**eles**), sem o sujeito, para expressar indefinição (ou seja, para não especificar quem realiza a ação).

• Em linguagem formal não é recomendável o uso de pronomes oblíquos começando uma frase (como, por exemplo, "Me ofereceram"). Mas note que, no caso acima, a frase "Me ofereceram a devolução do dinheiro ou um novo aparelho" reproduz uma fala: em linguagem oral, informal, esse uso é comum.

COMPREENSÃO ORAL

1:64 1 Ouça e complete o diálogo.

Ana:	DGS Computadores, bom dia.
Valdemar:	Bom dia. Eu __________ uma impressora pelo *site* de vocês há __________ semanas, mas ainda não recebi.
Ana:	Você __________ a referência?
Valdemar:	Tenho, sim. É WY63__________.
Ana:	Vamos ver... Ah, encontrei. Realmente, você __________ uma impressora modelo XQ1200. Mas não __________ ainda?
Valdemar:	Não.
Ana:	Que estranho. Deixa eu __________ o que aconteceu. Ah, já sei, __________ problema com o estoque. Nós vendemos __________ impressoras nas últimas semanas. Mas já __________ o novo carregamento e enviamos a __________ impressora ontem. Não se preocupe, __________ vai receber a impressora __________ mesmo.
Valdemar:	Obrigado! Que bom que você __________ o problema tão rápido!
Ana:	Ah, com tecnologia a gente resolve tudo hoje em dia!

6 = "meia" (em números de telefone e outros). É a forma reduzida de "meia dúzia".

já = already
ainda = still, yet
*Eu **já** comprei um smartphone, mas meu marido **ainda** não comprou.*
*Eu **já** terminei de escrever minha parte do relatório, mas Amanda **ainda** está escrevendo a parte dela.*
*A: Você **já** mandou o e-mail? B: **Já**, sim. / **Ainda** não.*

1:65 2 A tecnologia tem papel importante no mundo dos negócios? Desembaralhe as frases. Depois, ouça e confira suas respostas. Veja o exemplo.

diminuiu / pessoas / a / entre / tecnologia / distância / as = A tecnologia diminuiu a distância entre as pessoas.

a. tornou / negócios / a / mais / os / tecnologia / rápidos

____.

b. internet / as / reduziu / para / os / custos / empresas / a

____.

c. as / facilitaram / entre / a / os / comunicação / intranets / funcionários

____.

d. reduziu / treinamento / o / custos / *e-learning* / os / de

____.

e. o / mudou / a / atividades / celular / maneira / realizar / de / telefone

____.

f. instantâneo / as / permitiram / videoconferências / contato

____.

1:66 3 O que aconteceu? Ouça e complete as frases usando um dos verbos dados no passado.

quebrar | cair | comprar | desaparecer | ficar | funcionar

a. A tela do computador ___________ preta.
b. O celular ___________.
c. O *tablet* ___________.
d. O projetor não ___________ na hora da apresentação.
e. Ele ___________ um *smartphone.*
f. A internet ___________.

GLOSSÁRIO
novinho: muito novo
correr bem: dar certo, dar bom resultado

• **Diminutivo** = forma terminada em **-inho** / **-inha** (*novinho, telinha, hotelzinho*). Além de indicar tamanho pequeno (*telinha*) e pouca quantidade (*dinheirinho*), o diminutivo também enfatiza uma característica (*novinho*) e demonstra uma avaliação positiva ou negativa (*hotelzinho*), entre outras funções.

Alguns significados do verbo **ficar**:
1 Estar (em), permanecer: *É importante ficar calmo. / Nós ficamos num hotel excelente em São Paulo.*
2 Tornar-se: *Ela ficou chateada porque perdeu o tablet.*

Observe:
(a) *Eu trabalho todo dia. = Eu trabalho todos os dias.*
todo dia = todos os dias (segunda, terça, quarta etc.)
(b) *Nós trabalhamos o dia **todo*** (= todo o dia; o dia inteiro).
(c) *Ela praticou a apresentação **toda*** (= toda a apresentação).
todo/a = inteiro/a, completo/a.

1:67 4 Ouça e complete a tabela.

INTENÇÃO DE COMPRA	BRASILEIROS	___________	NORTE-AMERICANOS
tablet	_____%	_____%	22%
___________	22%	_____%	10%
smartphone	_____%	43%	_____%

1:68 5 Complete as frases usando os verbos dados no tempo adequado. Em seguida, ouça o CD e verifique as suas respostas.

a. No momento, os técnicos ___________ um novo sistema na empresa. (instalar)
b. O novo sistema é intuitivo e todos ___________ a usá-lo em pouco tempo. (aprender)
c. Na semana que vem, as operações ___________ muito mais eficientes. (ficar)
d. Semana passada, os diretores ___________ o sistema. (explicar)
e. Depois da apresentação, os funcionários ___________ que esse tipo de mudança é fundamental para manter a competitividade da empresa. (perceber)
f. Os funcionários são muito dedicados e sempre ___________ que o sucesso da empresa depende de atualizações tecnológicas. (entender)
g. Eles também sabem que os colegas da TI ___________ tudo para ajudá-los. (fazer)

PRODUÇÃO ORAL

1 Observe os dados a seguir e faça frases oralmente, mencionando esses dados. Use os elementos abaixo como apoio.

- De acordo com...
- Entre 2010 e 2011 a porcentagem de domicílios com... aumentou...
- Em 2011 ... dos pesquisados declararam...
- Entre os pesquisados, ... mencionaram ter...

DOMICÍLIOS BRASILEIROS (%) COM RÁDIO, TV, TELEFONE, MICROCOMPUTADOR E MICRO COM ACESSO À INTERNET

	2005	2008	2011
Rádio	88,0%	88,9%	83,4%
Televisão	91,4%	95,1%	96,9%
Telefone (fixo ou celular)	71,6%	82,1%	89,9%
Microcomputador	18,6%	31,2%	42,9%
Microcomputador com acesso à internet	13,7%	23,8%	36,5%
Total de domicílios (milhares)	53.053	57.557	61.292

Resultados da Pesquisa Nacional de Amostra de Domicílios (Pnad) (<http://www.teleco.com.br/pnad.asp>. Acesso em 9 jul. 2013.)

2 Desembaralhe o diálogo. Numere as falas de acordo com sua ordem no diálogo. Depois, leia-o em voz alta.

a. ☐ **Zoé:**	Porque ele vai instalar o programa de estatística novo no meu computador.
b. ☐ **Bia:**	Não, é muito fácil. Você vai aprender rápido.
c. ☐ **Zoé:**	Espero que sim. Bem, eu vou responder uns *e-mails* enquanto espero Olavo. Tchau.
d. ☐ **Bia:**	Ah, esse programa vai ajudar muito nas análises. É muito melhor que o programa antigo.
e. ☐ **Zoé:**	Oi, o Olavo da TI já chegou?
f. ☐ **Bia:**	Uso, sim. O meu trabalho ficou mais fácil com ele.
g. ☐ **Zoé:**	Ah, que bom que você gosta. Você usa muito o programa novo?
h. ☐ **Bia:**	Até mais.
i. ☐ **Zoé:**	E o programa não é difícil?
j. ☐ **Bia:**	Não, ainda não. Por quê?

3 Complete o diálogo com as falas a seguir. Depois, leia-o em voz alta.

Eu ainda não entendi
A minha produtividade aumentou muito.
Tudo bem, posso ajudar, sim.
o sistema automaticamente atualizou a folha de pagamento.
Você não precisou fazer isso manualmente então?
Não, não acho, não.

Guto:	Esse sistema novo é um pouco complicado, você não acha?
Nair:	________________
Guto:	Você pode me ajudar? ________________ como funciona.
Nair:	________________
Guto:	Obrigado. Eu estou tentando aprender sozinho, mas não estou conseguindo.
Nair:	Você vai gostar. Por exemplo, eu processei os benefícios dos funcionários novos e ________________
Guto:	________________
Nair:	Não, não precisei.
Guto:	Então você gastou menos tempo.
Nair:	Pois é, agora eu posso usar o tempo para atualizar os dados de outros setores que estavam atrasados. ________________

4 Depois de uma semana, Guto e Nair conversam sobre o novo sistema. Complete o diálogo entre eles usando algumas das expressões abaixo.

Estou gostando muito porque...
Eu acho que...
Você não acha que...?
É verdade!
É importante...

Nair:	E então, Guto, o que você acha do sistema?
Guto:	
Nair:	
Guto:	
Nair:	
Guto:	
Nair:	
Guto:	
Nair:	Eu concordo com você!

COMPREENSÃO ESCRITA

1 Leia o texto rapidamente e encontre os verbos a seguir no passado, sublinhando-os.

aderir adotar amargar aplicar avançar chegar
crescer determinar dobrar entrar entregar evitar
evoluir ficar ganhar gastar passar receber vender

VENDEU, MAS NÃO ENTREGOU

Empresa de comércio pela internet é punida por não cumprir os prazos prometidos

Um em cada seis brasileiros aderiu à praticidade das compras pela internet. No ano passado, esses consumidores gastaram 18,7 bilhões de reais, 26% acima do registrado em 2010. Mas o conforto de fazer compras sem sair de casa começa a se tornar motivo para preocupação, sobretudo por causa dos atrasos na entrega de produtos. Em 2011, pela primeira vez, uma empresa de comércio eletrônico ficou entre as líderes em reclamações de consumidores no estado de São Paulo. A B2W, criada em 2006 com a união dos *sites* Americanas.com, Submarino e Shoptime, recebeu mais de 6 000 queixas, quase o triplo do ano anterior. Já as vendas cresceram apenas 4% de um ano para o outro. O Procon-SP determinou a suspensão das vendas dos três *sites* por 72 horas e aplicou uma multa de 1,744 milhão de reais. O total de autuações já feitas contra a B2W chega a 7 milhões de reais. Mas a empresa entrou com recurso na Justiça, não chegou a desembolsar nenhum centavo, e uma liminar evitou o bloqueio dos *sites*. Para especialistas e ex-executivos da B2W, a empresa não soube ajustar as suas operações de logística (como o preparo e a embalagem de produtos recebidos dos fornecedores e a entrega ao consumidor) ao avanço da demanda e da concorrência. Criada como líder do mercado em 2006, ela dobrou as vendas desde então, mas viu sua participação diminuir pela metade, para 25%. Nesse período, as grandes redes varejistas tradicionais, como Grupo Pão de Açúcar (dona de marcas como Extra e Casas Bahia) e Walmart, avançaram no comércio na internet. Lojas menores também ganharam espaço. Trata-se de um dos atrativos do comércio virtual amadurecido: se o consumidor não encontra o produto ou não fica satisfeito com o atendimento, pesquisa rapidamente e compra em outro *site*. Os reflexos para a B2W são evidentes. A empresa amargou prejuízo no ano passado e a cotação de suas ações caiu 90% desde 2007.

Segundo a B2W, a empresa adotou um plano de investimentos destinado a melhorar o serviço. A distribuição, antes feita totalmente a partir de São Paulo, passou a contar com uma unidade no Recife. Deverão ser abertas centrais no Rio de Janeiro e em Uberlândia. Mais funcionários e novas transportadoras entraram na operação. "Tivemos problemas no início de 2011, mas é página virada. Evoluímos e o objetivo é reduzir o número de queixas", diz Timotheo Barros, diretor de operações da B2W.

MARCELO SAKATE E ÉRICO OYAMA

(*Veja*. São Paulo: Abril, 21 nov. 2012. p. 96.)

2 Leia o texto novamente e marque cada afirmativa como verdadeira (V) ou falsa (F).

a. ☐ Muitos brasileiros compram pela internet.
b. ☐ Em 2010 os brasileiros gastaram 18,7 bilhões de reais em compras pela internet.
c. ☐ Em 2011 a B2W recebeu mais de seis mil reclamações.
d. ☐ O Procon-SP multou a B2W em mais de um milhão de reais.
e. ☐ Até agora, a B2W já pagou mais de sete milhões de reais em multas.
f. ☐ O consumidor faz compras sempre no mesmo *site*.
g. ☐ A B2W contratou mais funcionários em 2011.

3 Com base no texto, complete as frases.

a. O Procon-SP multou a B2W porque ________________________.
b. Segundo especialistas, a B2W não ajustou ________________________.
c. Nos últimos anos, lojas como Grupo Pão de Açúcar e Walmart ________________________.
d. A cotação das ações da B2W ________________________ desde 2007.
e. Recentemente, a B2W adotou ________________________.
f. Atualmente, a B2W tem uma distribuidora em ____________ e outra no ____________.

4 Responda oralmente expressando sua opinião sobre o texto.

a. Qual informação você achou mais interessante? Por quê?
b. Qual informação lhe causou maior surpresa? Por quê?

O TEXTO E VOCÊ

1 Escreva um pequeno parágrafo relatando uma compra que você fez pela internet. Use o vocabulário abaixo como inspiração.

- Comprar pela internet
- Cumprir o prazo prometido
- Fazer compras sem sair de casa
- Entrega do produto
- Ficar satisfeito com o atendimento

____
____
____
____
____
____
____
____

PRODUÇÃO ESCRITA

1 Leia o texto e responda oralmente.

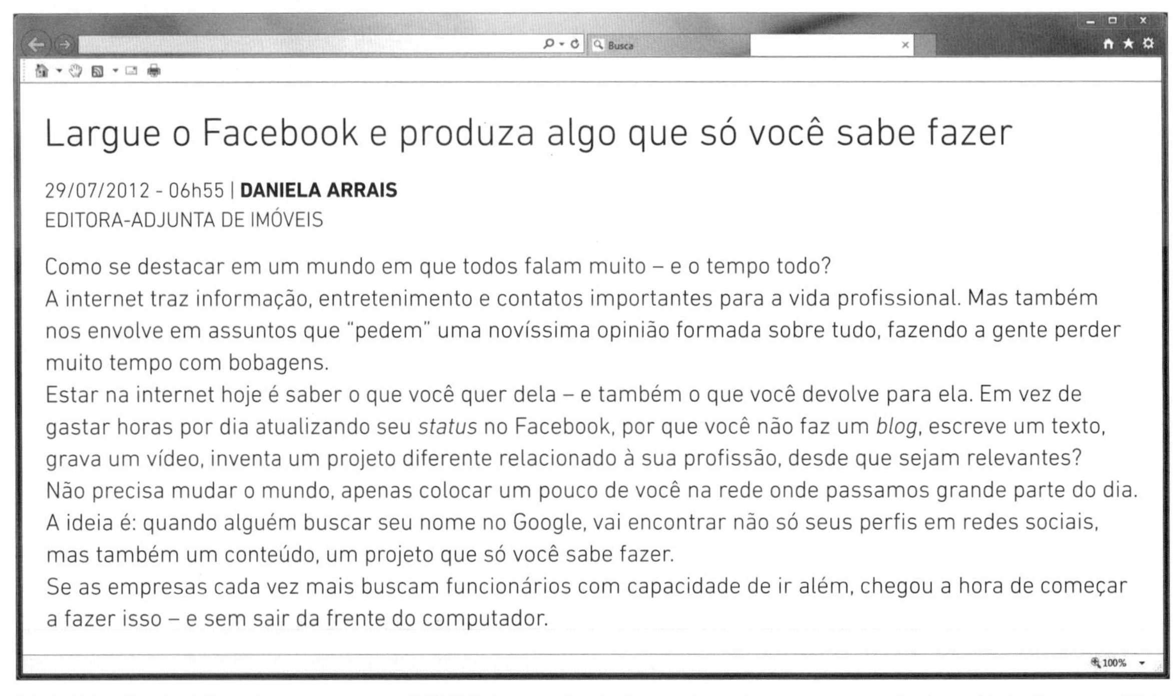

Largue o Facebook e produza algo que só você sabe fazer

29/07/2012 - 06h55 | **DANIELA ARRAIS**
EDITORA-ADJUNTA DE IMÓVEIS

Como se destacar em um mundo em que todos falam muito – e o tempo todo?
A internet traz informação, entretenimento e contatos importantes para a vida profissional. Mas também nos envolve em assuntos que "pedem" uma novíssima opinião formada sobre tudo, fazendo a gente perder muito tempo com bobagens.
Estar na internet hoje é saber o que você quer dela – e também o que você devolve para ela. Em vez de gastar horas por dia atualizando seu *status* no Facebook, por que você não faz um *blog*, escreve um texto, grava um vídeo, inventa um projeto diferente relacionado à sua profissão, desde que sejam relevantes?
Não precisa mudar o mundo, apenas colocar um pouco de você na rede onde passamos grande parte do dia.
A ideia é: quando alguém buscar seu nome no Google, vai encontrar não só seus perfis em redes sociais, mas também um conteúdo, um projeto que só você sabe fazer.
Se as empresas cada vez mais buscam funcionários com capacidade de ir além, chegou a hora de começar a fazer isso – e sem sair da frente do computador.

(<http://classificados.folha.uol.com.br/empregos/1127458-largue-o-facebook-e-produza-algo-que-so-voce-sabe-fazer.shtml>. Acesso em 9 jul. 2013.)

a. Você concorda que a internet às vezes nos faz "perder muito tempo com bobagens?"

b. Você gasta muito tempo na rede atualizando seu *status* em redes sociais (Facebook, LinkedIn etc.)?

2 Como você poderia usar a internet para criar um projeto pessoal, "que só você sabe fazer"? Use o espaço abaixo para registrar algumas ideias.

3 **Na tela de computador abaixo, escreva um texto sobre uma experiência no passado em que você usou a tecnologia de forma criativa. As palavras e expressões a seguir podem ser usadas como apoio à sua escrita.**

uma vez eu
eu achei que
por isso
eu fiquei contente
o programa/o sistema
para concluir

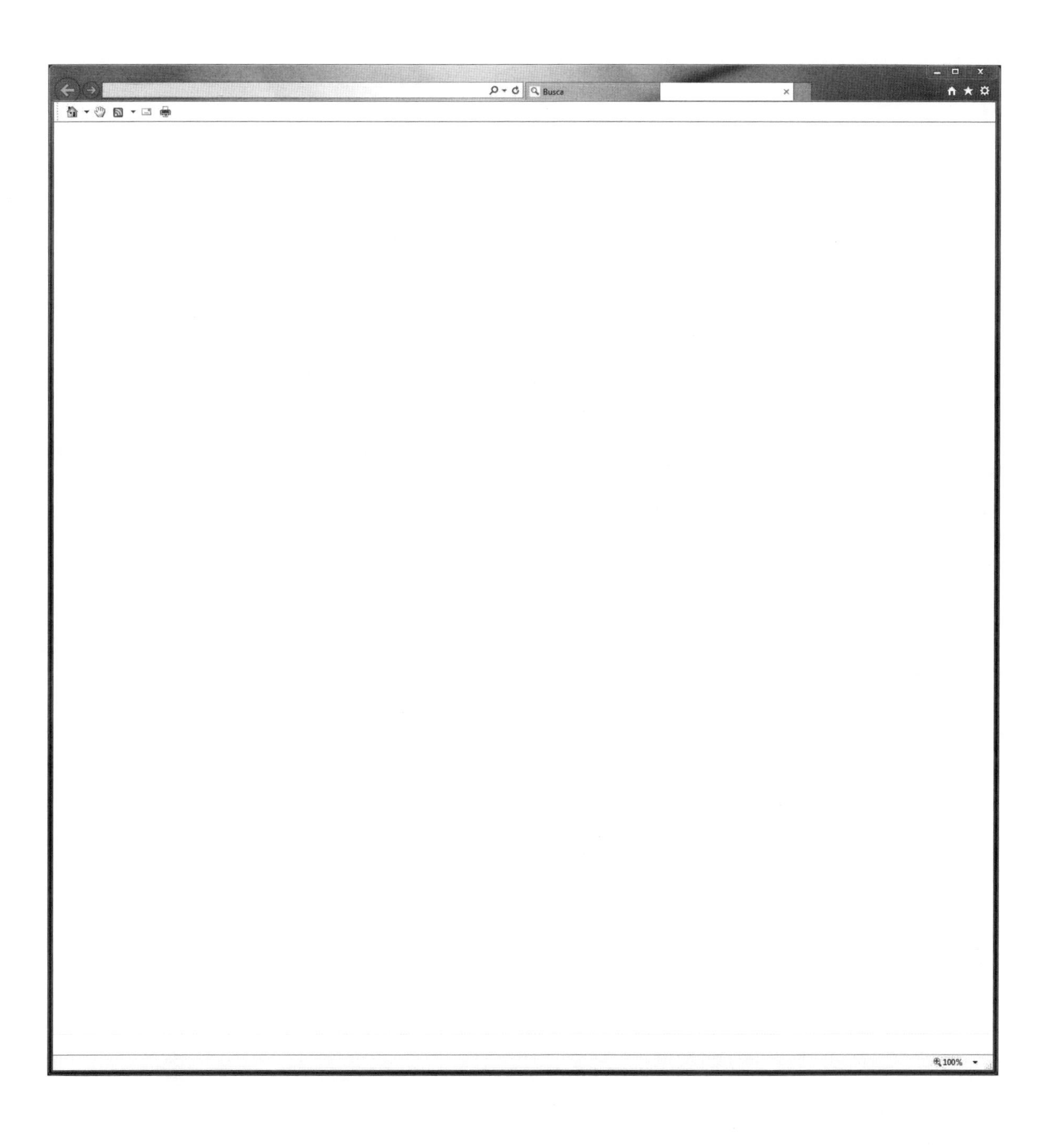

VOCABULÁRIO E PRONÚNCIA

1:69 **1 Ouça e repita, prestando atenção à pronúncia.**

O computador
O *mouse*
O microfone
O *headphone*
O *laptop*
O *netbook*

A internet
O servidor
O *e-mail*
O *(web)site*
O (telefone) celular
O *smartphone*

O aplicativo
O *pen drive*
A televisão HD
A TV a cabo
O DVD (*player*)

O teclado

A tela

A capa do celular

O carregador

O adaptador

2 Leia as perguntas em voz alta, observando as partes sublinhadas. Depois, responda--as oralmente.

a. Você desliga o seu computador quando sai do trabalho?
b. Você deixa o celular em modo vibratório quando está em uma reunião de trabalho?
c. Quando foi a última vez que você instalou um antivírus no seu computador?
d. Você recebeu muitos *e-mails* ontem?
e. Você já postou algum comentário em uma rede social?

INFORMAÇÕES CULTURAIS

1 Leia.

INVENÇÕES BRASILEIRAS

Em 1906, o brasileiro Santos Dumont voou com o avião 14-Bis em Paris. O 14-Bis foi o primeiro aparelho mais pesado que o ar a levantar voo sem assistência. Em 1903, o avião dos norte-americanos Orville e Wilbur Wright levantou voo com a ajuda de um aparelho de lançamento.

Em 1977, o mineiro Nélio Nicolai inventou o aparelho que identifica chamadas telefônicas, conhecido no Brasil como BINA (**B** **i**dentifica o **n**úmero de **A**). Anos depois, o *caller id* foi lançado nos Estados Unidos sem reconhecer a patente registrada por Nicolai no Brasil.

Também em 1977, Andreas Pavel, alemão residente no Brasil, patenteou em vários países o *stereobelt*, o primeiro reprodutor estéreo de áudio portátil. Mais tarde, a Sony lançou o *walkman*, ignorando os registros de patente do *stereobelt*. Em 2004, Pavel recebeu finalmente 10 milhões de dólares da Sony.

CONEXÕES INTERCULTURAIS

Responda oralmente.

1 Com base nas informações acima, quem inventou o avião: Santos Dumont ou os Irmãos Wright?

2 Na sua opinião, o inventor Nélio Nicolai tem ou não direitos sobre o *caller id*? Por quê?

3 A Sony só pagou os direitos de Andreas Pavel em 2004, quase 30 anos depois da patente do *stereobelt*. Você acha que 10 milhões de dólares é uma quantia satisfatória? Por quê (não)?

4 Fale sobre uma invenção do seu país de origem.

GRAMÁTICA

CONSULTE A *MINIGRAMÁTICA* PARA MAIS INFORMAÇÕES.

1 Complete o texto com o pretérito perfeito dos verbos dados.

comprar ficar instalar perceber

Os donos da empresa ____________ um novo servidor para aumentar a velocidade do sistema operacional. Os técnicos ____________ o servidor ontem e nós já ____________ a diferença nas atividades da empresa: as operações ____________ muito mais rápidas.

2 Em seu bloco de notas, faça frases no pretérito perfeito ligando os elementos das colunas, como no exemplo.

Os brasileiros	demitir	a produtividade da empresa	nos últimos dias
O sistema novo	aprender	vários funcionários	no ano passado
Valdemar	comprar	para a DGS computadores	na semana passada
Guto	gastar	a trabalhar com o novo sistema	nos últimos meses
Eu	aumentar	muitas coisas pela internet	ontem
O diretor geral	telefonar	muito tempo em redes sociais	no mês passado

Os brasileiros compraram muitas coisas pela internet no ano passado.

3 Complete com o diminutivo das palavras dadas.

a. Esse __________ (celular) é tão __________ (bonito)!
b. A reunião é naquela __________ (sala) ali.
c. Vocês aceitam um __________ (café) enquanto esperam?
d. Eu vou fazer umas __________ (compras) pela internet.

4 Escolha a melhor opção para completar as frases.

a. Nós vendemos __________ os computadores.
☐ todo ☐ tudo ☐ todos
b. O diretor decidiu __________ sem consultar ninguém.
☐ todo ☐ toda ☐ tudo
c. Eles atualizam o *site* da empresa __________ dia.
☐ todo ☐ toda ☐ tudo
d. Ela avaliou a informação __________.
☐ todo ☐ toda ☐ tudo

UNIDADE 9 DINHEIRO

COMEÇANDO O TRABALHO

1:70 ▶ LEIA E OUÇA.

1 Leia os textos à esquerda. Qual dos dois corresponde à imagem à direita?

I
No dia 2 de novembro Felipe almoçou com um cliente no Restaurante Amarelinho. Os dois comeram o prato do dia e o total da conta foi R$ 48,80. Felipe pagou a conta e pegou uma nota fiscal. No final do mês, ele pediu reembolso da despesa.

II
Miriam fez os cálculos do imposto de renda para um cliente e recebeu o pagamento pelo trabalho em cheque. No mesmo dia, não teve dúvida: foi ao banco, descontou o dinheiro e gastou tudo num *tablet*.

RESTAURANTE AMARELINHO

Avenida Europa, 2114. Barra da Tijuca,
Rio de Janeiro, RJ, CEP 29965-000

Insc. Estadual 56.568.912 CNPJ 06.586.082/0101-31

Nota Fiscal de Venda a Consumidor

Data de Emissão: 06/11/2013
015152
Sr.(a): ____
Endereço: ____

Quant.	Discriminação das mercadorias	Valor Unit.
02	Refeições	24,40
		TOTAL R$ 48,80

▶ REFLEXÕES INICIAIS.

2 Responda.

a. Os verbos sublinhados descrevem ações no presente, no passado ou no futuro?
b. Todos os verbos seguem a conjugação de verbos regulares?
c. Complete o quadro escrevendo os verbos sublinhados nas colunas corretas:

VERBOS REGULARES	almoçou, ...
VERBOS IRREGULARES	foi, ...

d. Os verbos irregulares indicam o passado de que verbos?

▶ SOBRE VOCÊ.

3 Responda.

a. Você almoçou recentemente com um cliente? Onde vocês comeram? Você pegou uma nota fiscal? Você pediu reembolso da despesa?

COMPREENSÃO ORAL

1:71 **1 Complete as lacunas com o vocabulário a seguir (em caso de dúvida, consulte o glossário). Depois, ouça e confirme suas respostas.**

10% | inflação | privilegiou | rendimento | tiveram

RENDA SOBE 8,3% E QUEDA NA DESIGUALDADE É MAIS INTENSA

O mercado de trabalho brasileiro ficou menos desigual, conforme mostrou a Pnad de 2011. O __________ médio real (descontada a __________) foi de R$ 1.345, alta de 8,3% ante 2009, numa valorização que __________ os trabalhadores mais pobres. Na base da pirâmide de renda, os __________ mais pobres viram seu rendimento crescer 29,2%, já os trabalhadores na faixa 1% mais rica __________ alta do salário de 4,43%. (*O Globo*, Rio de Janeiro, 22 set. 2012. p. 33.)

renda = rendimento **8,3%** = oito vírgula três por cento **29,2%** = vinte e nove vírgula dois por cento

1:72 **2 Ouça e complete as frases com os verbos e números mencionados.**

a. Eu __________ o bônus de __________, então __________ comprar um celular novo.
b. Nós ainda não __________ aumento, mas eu entendo a situação difícil da empresa.
c. O desconto do INSS __________de 11%.
d. Hélio __________ mais porque __________ hora extra. Por isso, os nossos contracheques __________ diferentes. O desconto do imposto de renda também __________ diferente.
e. No dia 15 de dezembro nós __________ o 13º salário. Só depois disso é que __________ comprar os presentes de Natal.
f. No ano passado, vários empregados __________ salário-família. Assim, eles __________ ajuda para sustentar os filhos com menos de 15 anos de idade.
g. Leo __________ adiantamento este mês e o chefe __________ o adiantamento.
h. Ronaldo __________ salário mínimo durante três meses, mas logo depois __________ promovido e __________ um aumento de salário.

GLOSSÁRIO

INSS: Instituto Nacional do Seguro Social. Empregados e empregadores contribuem mensalmente para o INSS (previdência social).

contracheque: documento que mostra o rendimento e os descontos do empregado.

Imposto de Renda: quantia sobre rendimentos paga ao governo federal.

salário-família: benefício que a Previdência Social paga aos trabalhadores de baixa renda (até um salário mínimo e meio aproximadamente) por mês para ajudar no sustento de filhos com menos de 15 anos ou inválidos de qualquer idade.

salário mínimo: quantia mínima que um trabalhador deve receber por mês.

1:73 **3 Ouça e complete o quadro com as formas de pagamento mencionadas: cheque, dinheiro ou cartão de crédito.**

DIÁLOGO 1	DIÁLOGO 2	DIÁLOGO 3

GLOSSÁRIO

caixa eletrônico: máquina para retirada de dinheiro de conta em banco, pagamento de contas, entre outros.

pagamento parcelado: pagamento dividido em vários meses por meio de cartão de crédito ou cheque.

pagamento à vista: pagamento total imediato por meio de dinheiro, cartão de débito ou cheque à vista.

Algumas expressões usadas para ganhar tempo, apresentar alguma ideia e/ou criar envolvimento com a outra pessoa são:

Ah! (Ah, é? / Ah, não?) **Bom... / Bem...**

1:74 **4 Ouça e numere as alternativas de acordo com a situação (1, 2 ou 3) em que as ações são mencionadas.**

a. ☐ A pessoa abriu uma conta em um banco.
b. ☐ A pessoa recebeu o troco em moedas.
c. ☐ A pessoa recebeu três notas de cinquenta reais.
d. ☐ A pessoa não pegou o recibo.
e. ☐ A pessoa fez uma retirada no caixa eletrônico.
f. ☐ A pessoa fez um depósito de R$ 100,00.

GLOSSÁRIO

recibo: pequeno documento que comprova a quantia do pagamento de um produto ou serviço.

troco: o dinheiro que resta quando se faz um pagamento. Por exemplo, o serviço custou R$ 12 e o cliente deu R$ 20. O cliente recebeu um troco de R$ 8.

1:75 **5 Ouça e preencha o quadro.**

	RENATO	CRISTINA
Prefere investir em...		
Valor que investe por mês		
Por que prefere esse investimento		

PRODUÇÃO ORAL

1 Observe a agenda de Maurício de ontem e faça frases oralmente usando os verbos a seguir.

teve (uma reunião) | visitou (uma empresa, clientes) | jantou/almoçou/tomou café da manhã | viajou para/foi a | fez (uma apresentação)

9h00	Reunião com diretor geral
10h00	
	Apresentação do orçamento aos gerentes
11h00	
12h00	
	Almoço com executivos
13h00	
14h00	
	Visita à fábrica
15h00	
16h00	
17h00	Viagem para Belo Horizonte
18h00	
19h00	
20h00	Jantar com clientes

2 Descreva oralmente seu dia de trabalho ontem e anteontem. Use os verbos a seguir.

terminei | preparei | passei (a manhã, a tarde) | visitei | falei | escrevi | li | pedi | recebi | fiz | fui | tive | dei | vi | trouxe

3 Responda às seguintes perguntas. Depois leia as respostas em voz alta.

a. Quando foi a última vez que você teve uma reunião com o seu chefe?
Ah, ______________________________.

b. O nosso setor não gastou quase nada no mês passado. E o seu?
Ah, não? O meu setor ______________________________.

c. Qual é o orçamento anual do seu setor?
Bem, ______________________________.

d. Vocês gastaram mais do que o previsto no ano passado? Ou ficaram dentro do orçamento?
Bom, ______________________________.

e. Os nossos diretores são muito exigentes em relação a custos. E o/a seu/sua diretor/a?
Ah, é? ______________________________.

4 Leia os depoimentos, prestando atenção aos trechos sublinhados. Depois, descreva oralmente o que você recebe de sua empresa.

DEPOIMENTO 1

Eu sou *trainee* numa grande empresa. O meu salário bruto é R$ 3.500, mas eu só recebo cerca de R$ 2.500 líquidos por mês. Eu tenho desconto de 11% de INSS, ou seja, R$ 385. Também são descontados R$ 210 de vale-transporte e R$ 300 de plano de saúde, além de R$ 70 por mês de imposto de renda.

DEPOIMENTO 2

Eu sou funcionário do governo federal e recebo R$ 8.637,20 por mês. O meu salário bruto é R$ 10.250,20, mas eu tenho desconto de R$ 675 de Plano de Seguridade e R$ 1.068 de imposto de renda. Também são descontados R$ 120 para o plano de saúde do ministério. Mas eu tenho muitos benefícios como bolsas de estudos, alimentação, plano de saúde para a minha família e tenho outras vantagens como estabilidade e boa aposentadoria.

5 Responda oralmente.

a. Em que país você pagou impostos no ano passado?
b. Você já esteve em licença remunerada? E em licença não remunerada? Quando isso aconteceu?
c. Que benefícios você tem em seu trabalho?
d. O seu salário bruto está dentro dos preços de mercado?
e. Que descontos você tem no seu salário por mês?
f. Na sua opinião, que investimentos são mais apropriados para quem quer se aposentar antes dos 65 anos de idade? Por quê?
g. Você acompanha o movimento da Bolsa de Valores?

GLOSSÁRIO

Bolsa de Valores: mercado onde se negociam ações e outros instrumentos financeiros. No Brasil, a maior bolsa de valores é a Bovespa, em São Paulo (nome oficial: BM&FBovespa).

6 A equipe financeira de uma empresa está analisando os dados de receitas e despesas do ano anterior e discutindo o orçamento para o próximo ano. Observe as informações e crie um diálogo em que você defende suas ideias com base nos elementos apresentados no quadro.

RECEITA	VALOR EM R$
Vendas	1.280.000
Investimentos	320.000
Aluguéis	250.000
Prestação de serviço	610.000

DESPESA	VALOR EM R$
Compras	420.000
Contas (de luz, gás etc.)	175.000
Impostos	80.000
Salários	365.000
Encargos sociais (PIS, FGTS)	110.000

COMPREENSÃO ESCRITA

1 Leia o texto rapidamente e marque a alternativa que, na sua opinião, melhor define "bolha imobiliária".

a. ☐ acesso a crédito imobiliário
b. ☐ rápido aumento de preços de imóveis
c. ☐ financiamentos com juros baixos

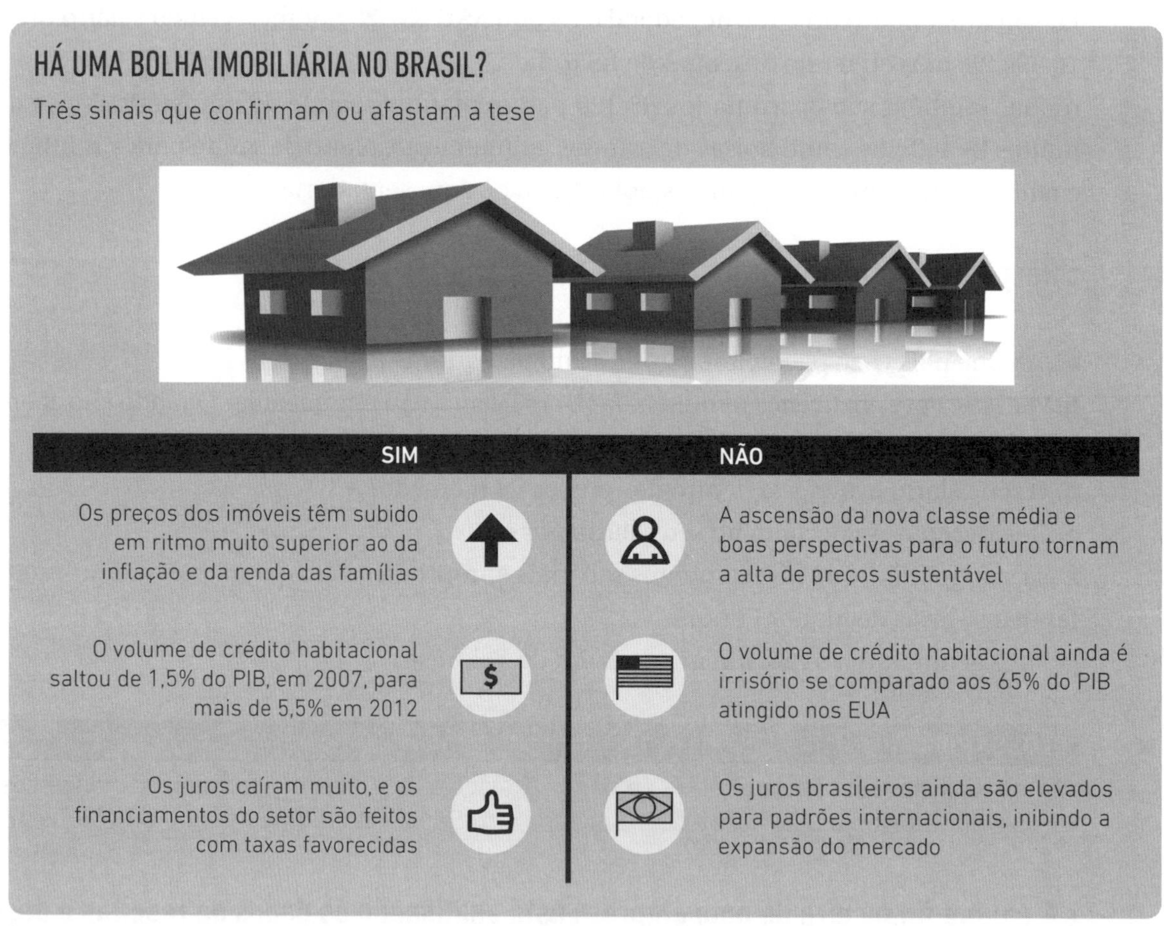

HÁ UMA BOLHA IMOBILIÁRIA NO BRASIL?

Três sinais que confirmam ou afastam a tese

SIM	NÃO
Os preços dos imóveis têm subido em ritmo muito superior ao da inflação e da renda das famílias	A ascensão da nova classe média e boas perspectivas para o futuro tornam a alta de preços sustentável
O volume de crédito habitacional saltou de 1,5% do PIB, em 2007, para mais de 5,5% em 2012	O volume de crédito habitacional ainda é irrisório se comparado aos 65% do PIB atingido nos EUA
Os juros caíram muito, e os financiamentos do setor são feitos com taxas favorecidas	Os juros brasileiros ainda são elevados para padrões internacionais, inibindo a expansão do mercado

(Adaptado de <http://www1.folha.uol.com.br/mercado/1154126-preco-de-imovel-e-irreal-e-insustentavel-diz-estudo.shtml>. Acesso em 9 jul. 2013.)

2 Ache no texto o oposto de:

a. queda ____________________
b. subiram ____________________
c. passado ____________________
d. menos ____________________
e. inferior ____________________
f. más ____________________

3 Leia o texto novamente e marque cada afirmativa como verdadeira (V) ou falsa (F).

a. ☐ Os preços das casas e apartamentos subiram mais do que a renda familiar.
b. ☐ A pouca renda da nova classe média não sustenta os preços altos.
c. ☐ O volume de crédito habitacional diminuiu nos últimos anos.
d. ☐ A taxa de juros diminuiu, mas ainda é alta se comparada a outros países.

4 As frases a seguir contêm outras informações que podem apoiar ou não a ideia da bolha imobiliária. Complete o quadro colocando os números das frases nas colunas adequadas.

I. Os preços de aluguel podem se elevar e compensar o investimento no imóvel.
II. Programas, incentivos e obras do governo sobreaqueceram o mercado.
III. Os preços de compra subiram muito mais do que os de aluguel.
IV. O déficit habitacional no país ainda é estimado em mais de 5 milhões de moradias.

HÁ UMA BOLHA IMOBILIÁRIA NO BRASIL?	
Sim	Não

O TEXTO E VOCÊ

1 Escreva frases a respeito do que você sabe sobre o mercado imobiliário e/ou sobre o mercado financeiro brasileiro. Use o vocabulário a seguir.

- volume de crédito
- inflação
- renda familiar
- taxas de financiamento
- juros
- expansão/retração do mercado

PRODUÇÃO ESCRITA

1 Veja o gráfico sobre a inflação no Brasil entre 1999 e 2013. Em seguida, leia o texto que descreve o gráfico. Preste atenção às palavras sublinhadas.

HISTÓRICO DA INFLAÇÃO NO BRASIL

A inflação medida pelo Índice Nacional de Preços ao Consumidor Amplo (IPCA) chegou a 6,5% em 2011, no limite estabelecido pelo governo. O Brasil adotou o sistema de metas de inflação em 1999. O teto foi superado em 2001, 2002 e 2003

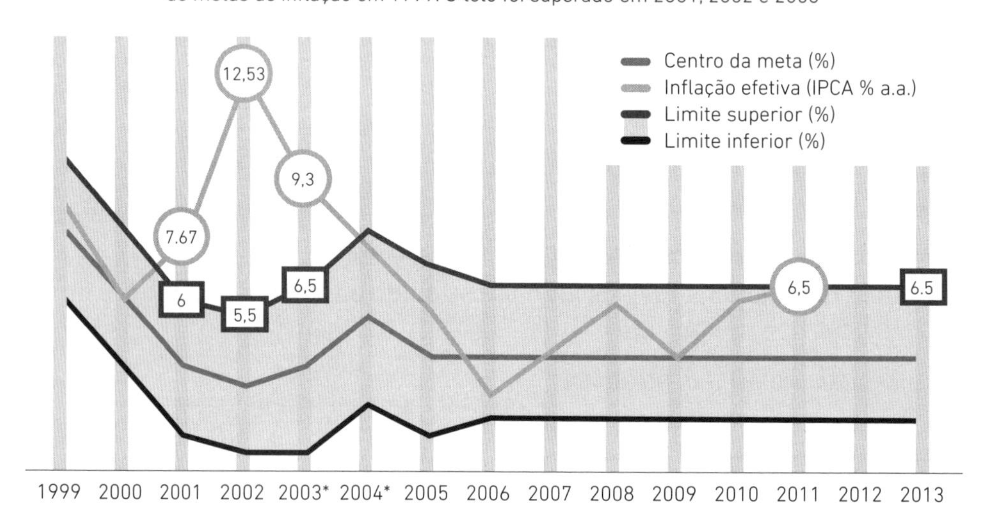

*Em janeiro de 2003, o BC estabeleceu metas ajustadas de 8,5% para 2003 e de 5,5% para 2004
Fonte: Banco Central e IBGE

(<http://agenciabrasil.ebc.com.br/noticia/2012-01-06/inflacao-oficial-registra-em-2011-maior-taxa-desde-2004>. Acesso em 9 jul. 2013.)

O gráfico mostra os índices de inflação anuais no Brasil entre 1999 e 2011, além das metas de inflação até 2013. O gráfico mostra que a inflação foi mais alta do que as metas em 2001, 2002 e 2003.

Entre 2000 e 2001, a inflação subiu de cerca de 6% para 7,67%. Em 2002, a inflação aumentou quase cinco pontos percentuais e chegou a 12,53%. Houve queda em 2003, para 9,3%, mas o índice de inflação continuou acima da meta. Entre 2004 e 2011, a inflação ficou dentro dos limites das metas do governo e atingiu o seu ponto mais baixo em 2006, quando ficou em cerca de 3,2%. Depois disso, a inflação voltou a subir em 2007 e 2008, mas caiu em 2009. Em 2010 houve aumento novamente e em 2011 o índice atingiu o limite superior da meta (6,5%).

Como vimos, o índice oficial de inflação no Brasil variou entre 1999 e 2011. No entanto, nos últimos anos, este índice vem se mantendo perto das metas estabelecidas.

GLOSSÁRIO

cerca de: mais ou menos
no entanto: mas, porém
houve: aconteceu, ocorreu

2 **O gráfico abaixo mostra a variação do INPC (Índice Nacional de Preços ao Consumidor) entre agosto de 2012 e janeiro de 2013. Descreva o gráfico usando o texto do Exercício 1 como referência. Use as palavras a seguir.**

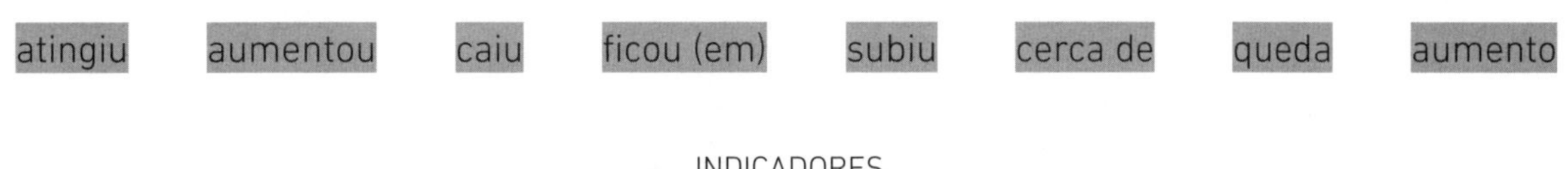

INDICADORES

IPCA INPC PME PMC PIB SINAPI PIM-PF IPP

INPC

Variação (%) mensal do Índice Nacional de Preços ao Consumidor

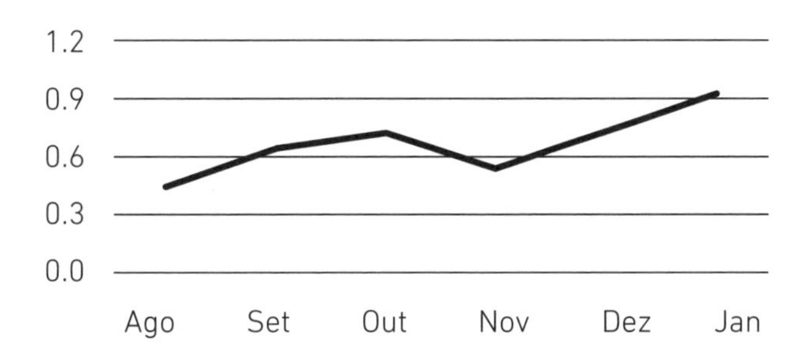

(<http://www.ibge.com.br>. Acesso em 9 jul. 2013.)

3 **O gráfico a seguir mostra a cotação do dólar comercial (preços em reais) entre outubro de 2012 e agosto de 2013. Descreva o gráfico usando o texto do Exercício 1 como referência.**

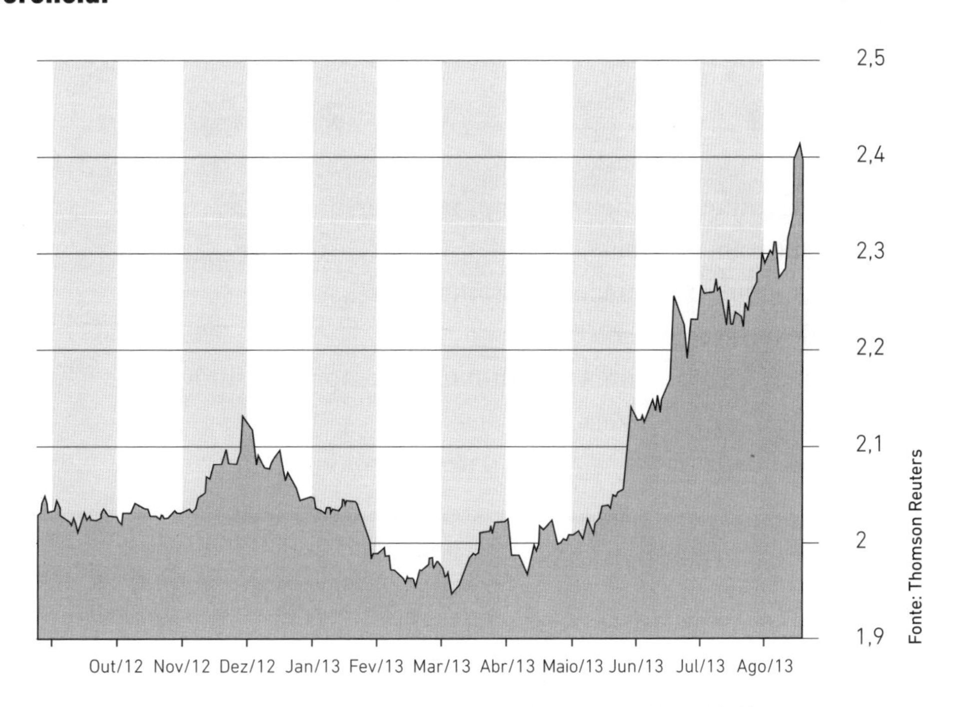

(<http://economia.uol.com.br/cotacoes/cambio/dolar-comercial-estados-unidos/>. Acesso em 22 ago. 2013.)

VOCABULÁRIO E PRONÚNCIA

1:76 ## 1 Ouça e repita.

ações bolsa cheque conta corrente contracheque empréstimo
fundo garantia juros poupança patrimônio rendimento

1:77 ## 2 Agora, complete o texto usando as palavras acima. Depois, ouça o CD e verifique as suas respostas.

a. Ontem eu fiz um ___________ no banco. Eu quero abrir um pequeno negócio e preciso de dinheiro. Eu quis usar o ___________ dos meus investimentos em ___________ na ___________ de valores, mas o dinheiro não foi suficiente. Infelizmente, vou ter que pagar ___________ de 5,5% por mês ao banco. Por sorte, consegui levantar o dinheiro necessário porque tenho um bom emprego e o meu ___________ mostra a minha renda mensal.

b. João aplicou algum dinheiro num ___________ de investimentos. Infelizmente, esse tipo de investimento não tem ___________ e João perdeu o dinheiro. Agora, ele tem uma ___________ que não rende muito, mas é garantida. Assim, ele não coloca o seu pequeno ___________ em risco. Quando é necessário, ele transfere dinheiro para a ___________ e faz um ___________ para efetuar algum pagamento.

1:78 ## 3 Complete as frases com as palavras dadas abaixo. Depois, ouça o CD e verifique suas respostas.

a de dos durante em pela de em

a. Hoje em dia muitos brasileiros compram diversos artigos ___________ internet.
b. Os preços ficaram estáveis ___________ o mês de outubro.
c. ___________ janeiro, os preços subiram 0,35%.
d. O índice de inflação passou ___________ 5% ___________ 3%.
e. A redução ___________ juros permitiu mais compras de imóveis.
f. Eu invisto ___________ ações.
g. Houve uma queda ___________ 0,5% nos preços em maio.

pela = por + a
pelo = por + o

INFORMAÇÕES CULTURAIS

1 Leia os textos a seguir e responda: Qual é o assunto dos textos?

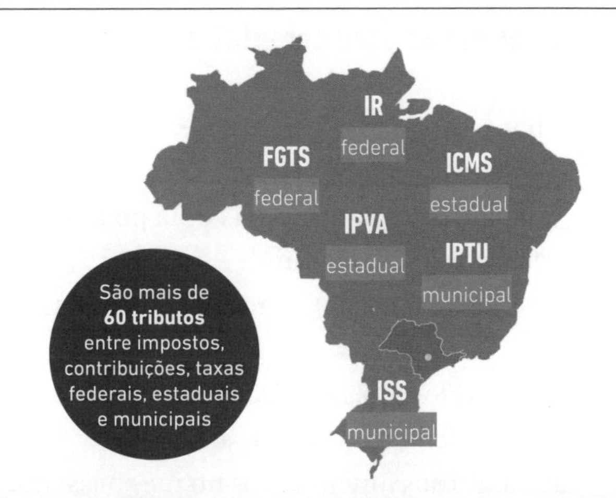

(<http://economia.uol.com.br/infograficos/2012/05/28/confira-o-peso-dos-impostos-no-brasil.jhtm>. Acesso em 9 jul. 2013.)

GLOSSÁRIO

FGTS: Fundo de Garantia do Tempo de Serviço
ICMS: Imposto sobre Circulação de Mercadorias e Serviços
IPTU: Imposto Predial e Territorial Urbano
IPVA: Imposto sobre a Propriedade de Veículos Automotores
IR: Imposto de Renda
ISS: Imposto sobre Serviços

TRIBUTAÇÃO

Mordida no holerite

Depois dos suecos, os brasileiros e os franceses são os contribuintes que mais precisam trabalhar para pagar impostos no mundo, de acordo com um estudo do Instituto Brasileiro de Planejamento Tributário (IBPT). São necessários 149 dias, ou seja, de 1º de janeiro a 29 de maio, contra 185 dias mordidos pelo Leão da Suécia. A seguir vêm os espanhóis, que trabalham 137 dias para pagar seus impostos.

(*Dinheiro*. São Paulo: Ed. Três, 1 jun. 2011. p. 11.)

GLOSSÁRIO

contribuinte: pessoa que paga impostos
Leão: Imposto de Renda

CONEXÕES INTERCULTURAIS

Responda oralmente.

1 Há muitos impostos no seu país de origem?
2 Lá há impostos federais, estaduais e municipais?
3 Você sabe quantos dias por ano um trabalhador precisa trabalhar no seu país de origem para pagar os impostos?
4 Os impostos no Brasil são semelhantes aos impostos no seu país de origem?

GRAMÁTICA

CONSULTE A *MINIGRAMÁTICA* PARA MAIS INFORMAÇÕES.

1 Escolha a melhor opção para completar as frases.

a. Você _____no banco hoje?

☐ estive ☐ esteve ☐ estivemos

b. Elas ________ao banco para abrir uma conta poupança.

☐ viram ☐ fizeram ☐ foram

c. Eu estou no INSS agora. Eu _______aqui para regularizar meus benefícios.

☐ vim ☐ vi ☐ veio

d. Os jornais ________que a Bolsa está em alta.

☐ disseram ☐ dissemos ☐ disse

e. Nós _______aumento aos funcionários no mês passado.

☐ dissemos ☐ demos ☐ damos

2 Complete os parágrafos usando o pretérito perfeito dos verbos dados.

a. Na semana passada, os donos da empresa __________ (estar) em Brasília. Eles __________ (ir) lá para participar de uma reunião com representantes do governo sobre investimentos em programas sociais. Um dos donos __________ (fazer) uma pergunta sobre o retorno desses investimentos e um representante do governo __________ (dar) uma explicação sobre investimentos socialmente responsáveis. Outros participantes __________ (querer) saber a respeito das isenções de impostos. Aliás, esse __________ (ser) o tópico mais debatido na reunião.

b. Ontem meu cliente Márcio e eu __________ (ir) a um restaurante excelente. Infelizmente, só na hora de pagar a conta é que eu __________ (saber) que eles não aceitam cartão nem cheque. Eu __________ (ficar) chateado porque __________ (ter) que pedir 50 reais ao meu cliente. Mas, como sempre, ele __________ (ser) muito bacana e não __________ (dizer) nada. Ele só __________ (pôr) o dinheiro na mesa.

3 Complete o texto usando o pretérito perfeito de um dos verbos dados.

dizer fazer poder ter vir

A Bolsa de Valores __________ uma queda repentina ontem. O governo __________ o que __________ para evitar pânico entre os investidores. Até agora, as medidas do governo estão funcionando. Alguns especialistas __________ que a Bolsa vai se recuperar nos próximos dias, mas outros estão pessimistas. O economista Júlio Vieira __________ ao estúdio para conversar com a gente sobre o que está acontecendo. Boa tarde, Júlio. [...]

UNIDADE 10 IMPORTAÇÕES E EXPORTAÇÕES

COMEÇANDO O TRABALHO

1:79 ► LEIA E OUÇA.

1 Ouça e leia o texto, observando os trechos sublinhados.

BALANÇA COMERCIAL
EM BILHÕES DE DÓLARES

EXPORTAÇÕES IMPORTAÇÕES SALDO

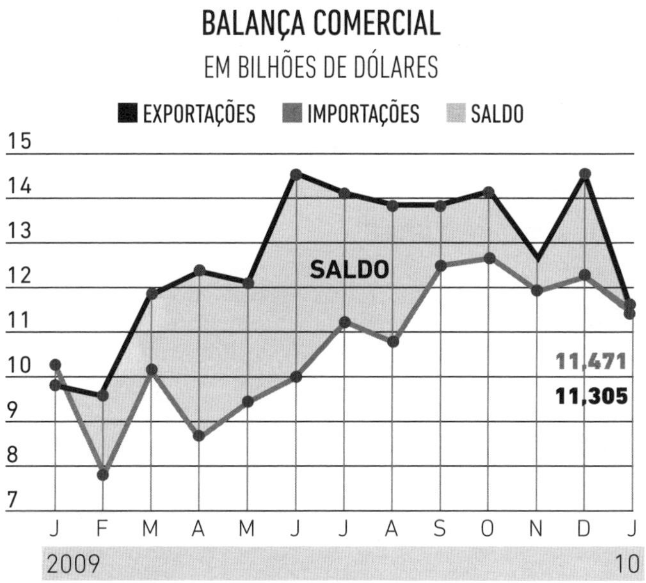

FONTE: MINISTÉRIO DO DESENVOLVIMENTO

DEFINIÇÃO

Balança comercial é um termo econômico que representa as importações e exportações de bens entre os países.

Dizemos que a balança comercial de um determinado país está favorável quando este exporta (vende para outros países) mais do que importa (compra de outros países). Do contrário, dizemos que a balança comercial é negativa ou desfavorável.

A balança comercial favorável apresenta vantagens para um país, pois atrai moeda estrangeira, além de gerar empregos dentro do país exportador.

(<http://www.suapesquisa.com/o_que_e/balanca_comercial.htm>. Acesso em 9 jul. 2013, grifo nosso.)

► REFLEXÕES INICIAIS.

2 Responda.

a. Como você traduz os trechos sublinhados em sua língua materna?
b. Qual é a ideia apresentada no trecho?

GLOSSÁRIO
além de: para mais, mais do que
do contrário: no caso oposto
pois: porque

► SOBRE VOCÊ.

3 Responda.

a. As exportações do seu país de origem são maiores que as importações?
b. Você sabe dizer se o Brasil exporta mais do que importa?
c. As exportações são mais importantes do que as importações? Por quê?

COMPREENSÃO ORAL

1:80 ▶ **1 Ouça o áudio uma vez e marque a alternativa que expressa a ideia geral do texto. Ao ouvir, não se preocupe em entender todos os detalhes, mas apenas em identificar sua ideia geral.**

a. ☐ O Brasil importa mais produtos do que exporta.
b. ☐ O Brasil mantém a balança comercial favorável.
c. ☐ O Brasil exporta apenas para três países.

2 Ouça o áudio do Exercício 1 mais uma vez e classifique as afirmativas como verdadeiras (V) ou falsas (F) de acordo com o texto.

a. ☐ O produto mais exportado pelo Brasil é o minério de ferro.
b. ☐ O Brasil exporta apenas sete produtos.
c. ☐ A Argentina vende produtos eletrônicos para o Brasil.
d. ☐ O Brasil exporta açúcar feito de cana.
e. ☐ O Brasil importa produtos norte-americanos.
f. ☐ O Brasil vende mais produtos a outros países do que compra deles.

1:81 ▶ **3 Ouça o áudio e responda: Qual é a sua ideia principal?**

____
____
____
____

4 Ouça o áudio do Exercício 3 mais uma vez e complete as frases sobre ele.

a. Os ____________ brasileiros nos Estados Unidos ____________ mais em 2012 do que em 2011.
b. Os ingleses gastaram ____________ a mais no mesmo período.
c. Os gastos dos turistas estrangeiros no Brasil também ____________.
d. Os gastos dos turistas estrangeiros no Brasil ____________ em 12% entre ____________ e ____________.
e. O turista brasileiro ____________ mais do que quase ____________ os outros turistas nos Estados Unidos.
f. Os únicos turistas que gastam ____________ os brasileiros nos Estados Unidos são os ____________.

1:82 **5 Ouça a apresentação sobre um novo jato e complete as lacunas.**

Apresentamos a vocês o _________ membro da nossa _________ de jatos: o AV-12, o jato que vai revolucionar a aviação _________ regional no Brasil. O AV-12 é _________ confortável _________ o nosso modelo anterior, o AV-11. A reconfiguração do jato significa que o AV-12 tem _________ espaço interno _________ o AV-11, apesar de ser um pouco _________ do que o AV-11. Ele também se adapta _________ facilmente _________ os outros jatos a modelos de _________ específicos. Além disso, nós também disponibilizamos uma versão opcional do AV-12, o AV-12op, que é um jato de alta capacidade ainda _________ versátil _________ o AV-12 tradicional. O AV-12op é o jato ideal para _________ que não comportam aviões _________ que ele. O AV-12op é tão _________ quanto o AV-12. Além da aviação brasileira, o AV-12 tem potencial para inovar também em outros países. O AV-11 _________ exportado para toda a América Latina e para a Inglaterra. O AV-12 _________ competir também com jatos produzidos nos Estados Unidos e no Canadá.

6 Identifique, no *script* do Exercício 5, as formas usadas pelo falante para comparar os jatos. Escreva-as no quadro abaixo.

mais confortável **que** = mais confortável **do que**

tão confortável **quanto** = tão confortável **como**

PRODUÇÃO ORAL

1:83 **1 Leia e ouça o diálogo. Em seguida:**

a. Sublinhe no texto o trecho em que Ana:
I. pergunta sobre a definição.
II. pede esclarecimento sobre a definição dada.
III. confirma o entendimento da definição.

Ana:	Marcos, você sabe o que é uma *trading company*?
Marcos:	*Trading company* é uma empresa comercial voltada para exportações e importações. Ela é constituída sob a forma de sociedade por ações e tem capital mínimo fixado pelo Conselho Monetário Nacional. A empresa também tem que observar certas exigências estabelecidas no âmbito da SECEX.
Ana:	Desculpe, Marcos, eu não entendi muito bem. Você pode explicar de novo? O que a *trading company* faz?
Marcos:	É simples. Uma *trading company* é uma empresa que atua na área de exportação e importação. Ela faz o papel de intermediária entre os fabricantes e os compradores. A *trading company* procura os produtos que os compradores querem e age como intermediária. Além disso, aqui no Brasil, as *trading companies* cuidam da burocracia ligada a exportações e importações. Como essas empresas se especializam em comércio exterior, elas sabem tudo que é necessário para importar e exportar. Com a movimentação de grandes volumes, os custos ficam menores.
Ana:	Ah, sei. Agora entendi. A *trading company* é a especialista que ajuda os importadores e exportadores a fazer os seus negócios. Como elas fazem muitos negócios, os custos não são tão altos.
Marcos:	Sim, essencialmente é isso.
Ana:	Obrigada, Marcos!

b. Simule diálogos sobre definições dos conceitos a seguir seguindo os passos I, II e III acima. Você pode improvisar seus diálogos oralmente ou, se preferir, escreva os diálogos em seu bloco de notas e, depois, leia-os em voz alta.

- **Matéria-prima:** o principal elemento utilizado na fabricação de um produto. A matéria-prima pode ser de origem animal, mineral ou vegetal. Pode ser também natural ou transformada. A matéria-prima natural é usada em seu estado original. Quando a matéria-prima natural é modificada para servir de base a outros produtos, dizemos que essa nova matéria-prima é transformada.
- **Ações** (ou **medidas**) ***antidumping***: medidas que têm como objetivo evitar os efeitos danosos do *dumping* à economia nacional. O *dumping* é a prática de vender produtos, mercadorias ou serviços a outro país por preços muito baixos para prejudicar os concorrentes locais.
- **Protecionismo**: conjunto de medidas que favorecem as atividades econômicas internas, dificultando a concorrência estrangeira. Essas medidas incluem tarifas altas para produtos estrangeiros, subsídios à indústria nacional e limitação de número de produtos importados.

2 Observe o gráfico e descreva algumas informações oralmente. Use o vocabulário a seguir como referência.

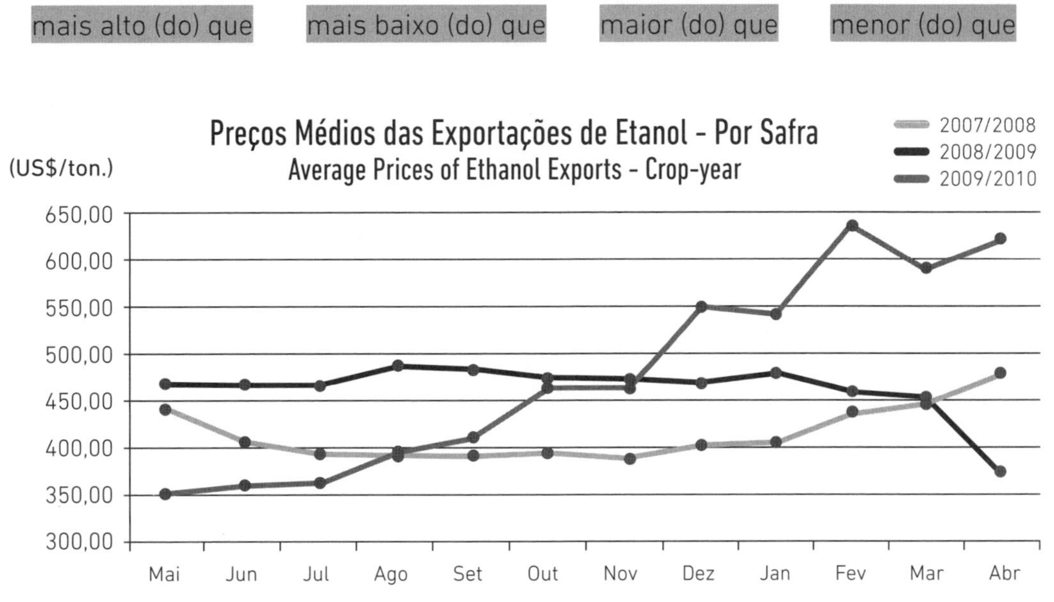

(<http://www.agricultura.gov.br/arq_editor/file/vegetal/Estatistica/23-EXP_%20ALCOOL%20PREO%20MD.pdf>. Acesso em 9 jul. 2013.)

3 Leia as seguintes manchetes de jornal e reaja oralmente a elas, expressando a sua opinião sobre cada uma das notícias. Use o vocabulário a seguir como referência.

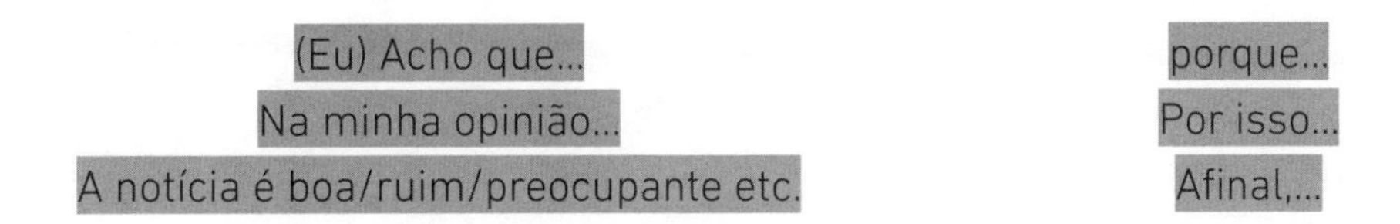

- Petrobrás adia registro de importação e infla saldo comercial do País em US$ 6 bi
- Governo eleva imposto de importação de 100 produtos
- Exportação de milho bateu recorde em outubro
- Movimento de cargas no Porto de Santos cai em maio
- Infraestrutura precisa atrair US$ 100 bi por ano
- Copersucar e Eco-Energy formam maior *trading* de etanol do mundo
- Senado aprova MP que cria Empresa de Planejamento e Logística
- No País, terminais de contêiner têm déficit de US$ 4 bi

(<http://www.estadao.com.br>. Acesso em 9 jul. 2013.)

COMPREENSÃO ESCRITA

1 Leia o texto, sublinhando os verbos no passado e circulando os verbos no presente.

Brasil é o país mais fechado do G-20

De campeão do liberalismo ao posto de país mais fechado do G-20. Em quatro anos de crise internacional, o Brasil revolucionou sua política comercial, abandonou o discurso de defesa da abertura de mercados, suspendeu acordos e passou a ser um dos líderes na aplicação de tarifas e medidas protecionistas.

De 2008 a junho de 2011, o Brasil foi o segundo país que mais iniciou ações *antidumping* contra importações, com um total de 80, só sendo superado pela Índia, com 137. Naquele período, o Brasil iniciou mais ações *antidumping* do que Estados Unidos (48), União Europeia (57) e até a Argentina (65), conhecida por sua postura protecionista.

Além disso, dados obtidos pela reportagem apontam que, desde o início da crise em 2008, o Brasil é o quinto país a adotar o maior número de barreiras no mundo. Em termos de impacto, porém, essas medidas colocam o Brasil na liderança entre os países mais protecionistas hoje do G-20.

No total, o Brasil já adotou ou anunciou pelo menos 85 medidas claramente protecionistas desde o início da crise. Em média, uma nova barreira é criada a cada 15 dias no país desde 2008. Só Rússia, China, Índia e Estados Unidos adotaram em números absolutos um volume maior de medidas protecionistas. Mas a realidade é que o impacto das novas barreiras brasileiras tem ido além de qualquer outro país.

Segundo um levantamento do Centro para a Pesquisa de Políticas Econômicas, financiado pelo Banco Mundial, as ações brasileiras já atingiram as exportações de 131 países. O grande foco é a China, com mais de um quarto de todas as medidas, 25, seguida pelas barreiras contra produtos americanos (22), alemães (14), italianos (11) e japoneses (10).

No total, as normas brasileiras já afetam 254 produtos e a constatação de especialistas é de que as barreiras são as mais básicas, como a elevação de tarifas, e sem qualquer elaboração para dar maior competitividade às indústrias nacionais que estejam experimentando prejuízos. Tais medidas, segundo funcionários da OMC, são típicas dos países mais pobres do mundo, que não têm outro instrumento senão a criação de muros contra o comércio.

A onda de medidas no Brasil tem preocupado parceiros comerciais, analistas e acadêmicos. "Já deixamos claro ao Brasil nossas preocupações", declarou o comissário de Comércio da UE, Karel de Gucht. "O Brasil está liderando uma tendência na economia mundial que, se for mantida, será desastrosa", disse o especialista em comércio Simon Evennet, da Universidade de Saint Gallen, Suíça.

(*Primeira Chamada*: jornal diário da TAM. São Paulo, 26 mar. 2012. p. 4.)

2 Leia o texto novamente e marque a alternativa verdadeira sobre ele.

a. ☐ O Brasil iniciou mais ações *antidumping* que todos os outros países.
b. ☐ A tendência protecionista pode ter maus resultados.
c. ☐ As medidas protecionistas afetam produtos chineses menos do que japoneses.

3 Localize no texto o vocabulário à esquerda. Em seguida, associe o vocabulário aos significados correspondentes.

a. liberalismo	☐ listagem ou recolha de informações
b. abertura de mercados	☐ pacto, concordância
c. acordo	☐ perda, dano
d. tarifa	☐ permissão de entrada de empresas e produtos estrangeiros
e. norma	☐ taxa, imposto
f. levantamento	☐ defesa da liberdade econômica e do livre mercado
g. prejuízo	☐ sócio, associado, companheiro
h. parceiro	☐ regra

4 Escolha a melhor alternativa para completar as frases de acordo com as informações do texto.

a. Entre 2008 e 2011, o Brasil iniciou (menos) (mais) ações *antidumping* do que a Índia.
b. O Brasil é o país (mais) (menos) protecionista do G-20.
c. O país (menos) (mais) atingido pelas medidas brasileiras é a China.
d. As medidas brasileiras são típicas das nações (mais) (menos) ricas.

5 Complete as frases com a alternativa mais adequada.

a. O Brasil mudou sua ___________ desde o início da crise.
☐ balança comercial ☐ política comercial ☐ parceiros comerciais

b. Desde o início da crise, o Brasil ___________ o número de medidas protecionistas.
☐ aumentou ☐ diminuiu ☐ estabilizou

c. Normalmente, a Argentina costuma ___________ a sua indústria nacional.
☐ diminuir ☐ proteger ☐ estimular

d. O Brasil é o ___________ país a adotar o maior número de barreiras comerciais.
☐ 4º ☐ 5º ☐ 6º

e. As medidas *antidumping* brasileiras já ___________ 131 países.
☐ somaram ☐ convidaram ☐ afetaram

f. As barreiras brasileiras são básicas, como o aumento de ___________.
☐ impostos ☐ produtos ☐ *tradings*

O TEXTO E VOCÊ

- O que você aprendeu com o texto?
- O que você achou mais interessante no texto? Por quê?

PRODUÇÃO ESCRITA

1 Leia o infográfico e as frases sobre o texto. Em seguida, reescreva as frases que apresentam informação incorreta.

O CRESCIMENTO DAS EXPORTAÇÕES BRASILEIRAS E O PESO DAS *COMMODITIES*

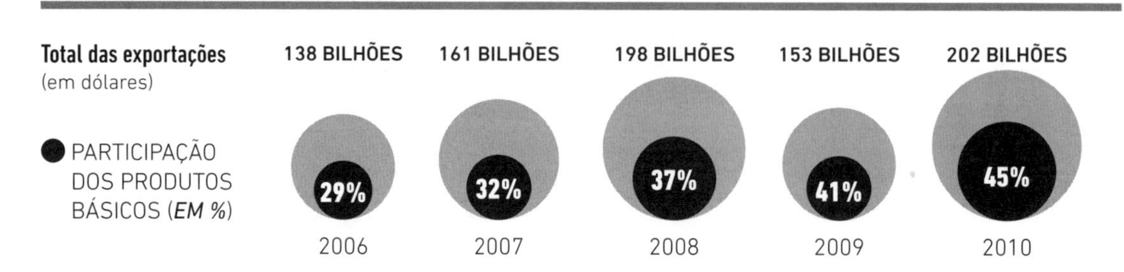

A EVOLUÇÃO DAS EXPORTAÇÕES DOS PRINCIPAIS PRODUTOS (bilhões de dólares e variação percentual)

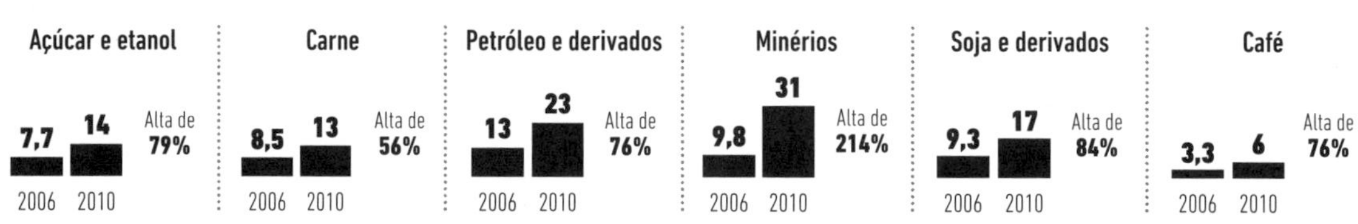

(*Exame 1006*. São Paulo: Abril, n. 24, 14 dez. 2011. p. 52.)

Fonte: MDIC.

a. Em 2006 o Brasil exportou 138 bilhões de reais.

b. A exportação em 2009 foi maior que em 2010.

c. A participação percentual de produtos básicos na exportação diminui de ano a ano.

d. O Brasil exportou menos etanol em 2010 do que em 2006.

e. Entre 2006 e 2010 houve uma alta de 21,2% na exportação de minérios.

f. O Brasil exportou mais café do que carne em 2010.

g. A exportação de soja e derivados foi a que mais cresceu entre 2006 e 2010.

2 Escreva um texto intitulado "As exportações brasileiras entre 2006 e 2010". Para tal:

- use as informações do infográfico como referência.
- use as frases anteriores como inspiração.
- use o vocabulário a seguir para tornar seu texto mais conectado.

e mas também
pois porque além de
no entanto por outro lado dessa maneira

VOCABULÁRIO E PRONÚNCIA

1:84 **1 Ouça e leia o texto, prestando atenção à pronúncia das letras *c, ç, s, z, r*.**

(Folheto produzido por Vigiagro – Vigilância Agropecuária Internacional, Ministério da Agricultura, Pecuária e Abastecimento, 2012.)

- A letra **c** tem som de [k] antes de **a**, **o**, **u** e antes de consoantes, exceto **h** (reveja o som de **ch** nas p. 20-21). Antes de **e**, **i**, a letra **c** tem som de [s].
- O **ç** aparece somente antes de **a**, **o**, **u** (nunca antes de **e**, **i**). O som de **ç** é [s].
- A letra **s** tem som de [s] no começo da palavra, em **ss** e depois de consoantes.
- Entre duas vogais, a letra **s** tem som de [z].
- A letra **z** tem som de [z] no começo de palavra e entre vogais.
- A letra **r** normalmente tem som "aspirado" no começo de palavra e em **rr**. Entre vogais e depois de **c**, **d**, **f**, **g**, **k**, **p**, **t**, o som da letra **r** é "suave".

1:85 **2 Ouça e repita. Escreva [k], [s] ou [z] embaixo das letras *c, ç, s, z*.**

a. A importação de cera precisa de autorização.

b. A comida servida a bordo só ingressa no Brasil quando é autorizada.

c. O presunto e a hortaliça precisam de certificação sanitária.

1:86 **3 Ouça e repita. A letra *r* tem som "aspirado" (como em *terra*) ou "suave" (como em *Brasil*)?**

a. fruta	**c.** ferro	**e.** regra	**g.** renda	**i.** rural
b. madeira	**d.** produto	**f.** tarifa	**h.** petróleo	**j.** concorrente

INFORMAÇÕES CULTURAIS

1 Leia.

O Mercosul (Mercado Comum do Sul) foi criado em 1991, com a assinatura do Tratado de Assunção. Os países-membros do Mercosul são Argentina, Brasil, Paraguai, Uruguai e Venezuela. Outros países também podem participar das negociações do bloco, mas apenas como associados (sem direito a voto). Atualmente, os países associados são a Bolívia, o Chile, a Colômbia, o Equador e o Peru. O objetivo principal do Mercosul é garantir a livre circulação de bens, serviços e fatores produtivos entre os países-membros. Além disso, o Mercosul também visa estimular a troca regional com os países associados.

No entanto, os objetivos do Mercosul vão além do livre comércio. A abertura se estende ao intercâmbio cultural e social. Com esse intuito, uma das propostas do Mercosul é o reconhecimento mútuo de diplomas e cursos superiores e colaboração em pesquisas. Em 2002, assinou-se também um acordo de livre residência entre os países-membros do Mercosul, a Bolívia e o Chile.

CONEXÕES INTERCULTURAIS

Responda oralmente.

1 Quais informações novas o texto acima lhe trouxe?

2 Quais informações contidas no texto você já sabia?

3 Na sua opinião, o bloco do Mercosul pode trazer alguma desvantagem aos países-membros? Qual(is)?

4 Na sua opinião, a existência do Mercosul é problemática para o comércio com países fora do bloco? Por quê?

5 Na sua opinião, quais as maiores vantagens do Mercosul? Por quê?

GRAMÁTICA

CONSULTE A *MINIGRAMÁTICA* PARA MAIS INFORMAÇÕES.

1 Complete as frases com base no quadro abaixo. Use os adjetivos dados na sua forma comparativa quando necessário.

	EXPORTAÇÕES	IMPORTAÇÕES	BALANÇA COMERCIAL
País A	US$ 130 bilhões	US$ 140 bilhões	- US$ 10 bilhões
País B	US$ 90 bilhões	US$ 86 bilhões	US$ 4 bilhões
País C	US$ 50 bilhões	US$ 41 bilhões	US$ 9 bilhões

a. O País A exporta ______________ o País C.
b. O País B importa ______________ o País A.
c. A balança comercial do País A é ______________ a balança comercial do País C. (favorável)
d. A balança comercial do País C é ______________ a balança comercial do País B. (favorável)
e. O País A exporta ______________ importa.

2 Complete as frases de acordo com as informações abaixo.

QUANTIDADES EXPORTADAS POR *COMMODITY* EM 2012, EM 1.000 TONELADAS (ESTIMATIVA)

PRODUTOS	QUANTIDADE
café cru	1.800
soja (grãos)	32.500
fumo (folha)	500
açúcar bruto	20.000

PRODUTOS	QUANTIDADE
carne de frango	3.500
minério	320.000
petróleo	30.000
alumínio	500

(<www.aeb.org.br>. Acesso em 9 jul. 2013.)

a. O Brasil exportou __________ carne de frango do que café.
b. O Brasil exportou __________ soja do que __________.
c. A exportação de açúcar foi __________ do que a de carne de frango.
d. A quantidade de petróleo exportada foi __________ do que a de soja.
e. O Brasil exportou __________ fumo __________ alumínio.
f. O produto __________ exportado foi o minério.

3 Responda por escrito em seu bloco de notas.

a. Que produto(s) o seu país mais exporta? Que produtos são os mais importados?
b. Na sua opinião, que produto é tão importante quanto o petróleo? Por quê?
c. O seu país é menor ou maior do que o Brasil?
d. Que parceiro comercial é o mais importante para o seu país?

UNIDADE 11 ENTREVISTAS

COMEÇANDO O TRABALHO

2:1 ► LEIA E OUÇA.

Entrevistador: O que mudou no seu comportamento profissional nos últimos anos?

Entrevistada: Antigamente, eu era muito ansiosa e insegura, mas agora não sou mais. Eu tentava fazer muitas coisas ao mesmo tempo e não sabia priorizar as tarefas. Eu também não sabia administrar meu tempo e ficava sempre frustrada porque trabalhava demais, mas não era muito eficiente.

► REFLEXÕES INICIAIS.

1 Responda.

a. Os verbos sublinhados no exercício anterior referem-se ao passado, presente ou futuro?

___

b. Qual das duas alternativas descreve melhor como a entrevistada vê os fatos sobre o seu passado?

I. ☐ Os fatos correspondem a pontos específicos no passado.

passado presente

II. ☐ Os fatos correspondem a um período mais extenso no passado.

► SOBRE VOCÊ.

2 Responda.

a. Antigamente, você sabia priorizar as tarefas de trabalho?

b. Quando você tinha 15 anos você era inseguro/a?

c. Em seu primeiro emprego você ficava cansado/a depois de um dia de trabalho?

PARA FALAR DO PASSADO SEM ÊNFASE NO INÍCIO E OU NO TÉRMINO DO EVENTO, USA-SE O *PRETÉRITO IMPERFEITO* EM PORTUGUÊS. VEJA MAIS SOBRE O ASSUNTO NA MINIGRAMÁTICA.

COMPREENSÃO ORAL

2:2 **1 Ouça e complete o diálogo. Repita o áudio quantas vezes achar necessário.**

Entrevistador:	
Entrevistado:	
	Eu
	Eu também
Entrevistador:	
Entrevistado:	

2:3 **2 Dois candidatos a um emprego falam sobre seu emprego anterior em uma entrevista. Ouça e complete as lacunas.**

a.

Entrevistador:	Quais eram as suas funções no seu emprego anterior?
Paulo:	Como você sabe, eu ______________ gerente comercial. Como tal, eu ______________ o grupo de vendedores e ______________ como ligação entre os vendedores e os ______________ da empresa. Eu não efetuava vendas porque não ______________ competir com os vendedores. Eu ______________ que a minha responsabilidade ______________ manter a organização de maneira estratégica para alcançar os ______________ resultados. Com frequência o grupo ultrapassava as metas mensais, o que me deixava muito contente. Eu ______________ muito de trabalhar com a minha equipe, todo mundo era excelente.

Todo mundo = Todas as pessoas

b.

Entrevistador:	Quais eram as suas funções no seu emprego anterior?
Márcia:	Como tecnóloga de TI, eu ______________ uma das responsáveis pela implementação e gerenciamento do sistema de informática. Eu ______________ os sistemas de segurança e os bancos de dados. Quando ______________ problemas na rede, normalmente era eu quem diagnosticava o problema e ______________ a solução. Às vezes, eu ______________ os projetos de informática que ______________ ser adotados. Essa era a minha função preferida porque eu gosto muito de pesquisar as novidades e de me atualizar.

2:4 **3 Ouça o áudio uma vez e responda.**

a. Qual é o seu assunto? ______________________________

b. As frases a seguir fazem parte do diálogo que você acabou de ouvir. Ouça mais uma vez e complete as frases com os verbos abaixo no tempo adequado.

dar   dizer   entrevistar   esperar   estar   fazer
haver   parecer   querer   ser   ter

I. Quem você _______________ hoje?
II. Entrevistei um candidato que _______________ diplomas de universidades de primeira linha.
III. Ele _______________ gestos que não _______________ adequados?
IV. _______________ que ele _______________ se defender de alguma coisa.
V. _______________ a impressão que ele não _______________ de acordo com alguma coisa que eu _______________.
VI. Não _______________ nada brilhante, ao contrário do que nós _______________.

c. Reflita: O entrevistador teve uma ideia positiva ou negativa do entrevistado? Como você sabe?

2:5 **4 Sublinhe no diálogo a seguir a alternativa que você acha que vai ser utilizada no áudio. Depois, ouça e confirme suas respostas.**

Anselmo:	Para começar (aquela) (esta) entrevista, você (pode) (pôde) falar um pouco sobre você mesmo?
Edgar:	Bem, como já (vai saber) (sabe), eu me formei em Ciências Contábeis. Eu adoro números e sempre (quero) (quis) trabalhar na área de contabilidade. Quando eu ainda (era) (estava) na faculdade, (tive) (teve) oportunidade de fazer estágio e (vi) (vejo) que isso (era) (estava) realmente o que eu queria fazer. Eu (sou) (estou) uma pessoa completamente dedicada. Como eu gosto demais do que (faz) (faço), às vezes nem (sinto) (senti) o tempo passar. Respondi à sua pergunta?
Anselmo:	Respondeu, sim. (Quais) (Qual) são os seus objetivos a curto e a longo prazo?
Edgar:	Bem, a curto prazo, eu gostaria de ter um emprego mais desafiador. Acho que ainda não (pude) (posso) demonstrar toda a minha capacidade. A longo prazo, eu (quero) (quis) me estabelecer numa empresa e crescer com ela.
Anselmo:	Certo. Você (disse) (dizem) que gosta de desafios. Você (é) (está) capaz de trabalhar sob pressão e com prazos (estreitos) (estreitas)?
Edgar:	Sem dúvida! A pressão me faz render muito mais. Como eu (disse) (digo), sou completamente dedicado ao meu trabalho, tanto que costumo entregar as tarefas antes do prazo. Por exemplo, no meu último emprego o chefe (reserva) (reservava) para mim as tarefas que (têm) (tinham) os prazos mais curtos, porque ele (confia) (confiava) em mim.
Anselmo:	Edgar, você trabalha bem em equipe?
Edgar:	Trabalho, sim. Nunca tive nenhum problema com os meus colegas, pelo contrário. Faço (tudo) (todo) para manter uma boa relação com (tudo) (todos) os colegas. O único problema é que às vezes eu quero almoçar com eles mas não percebo que chegou a hora do almoço...
Anselmo:	Você (teve) (tem) algum problema com algum chefe?
Edgar:	Não, de jeito nenhum. Os meus chefes (eram) (estavam) muito bons com (todo) (tudo) mundo. Infelizmente, a minha última empresa abriu falência.
Anselmo:	Esse não (vai ser) (foi) o nosso caso. Na verdade, eu quero saber onde você se (vê) (viu) daqui a cinco anos.
Edgar:	Desculpe, não (entendi) (entendeu) bem. Quer saber qual é o meu plano em termos de carreira?
Anselmo:	Exatamente.
Edgar:	Bem, daqui a cinco anos....

5 Leia o diálogo acima mais uma vez e responda.

a. Como o entrevistado pede esclarecimento? _______________
b. Como ele confirma se sua resposta foi satisfatória? _______________
c. Como ele ganha tempo ao responder? _______________
d. Como ele inicia um exemplo? _______________

PRODUÇÃO ORAL

1 Fale sobre como você era no trabalho há 5 anos. Use os verbos a seguir em frases afirmativas ou negativas e veja o exemplo.

Há 5 anos eu ficava muito ansioso quando tinha pressão de prazos no trabalho.

era trabalhava tinha sabia podia fazia colaborava escrevia

2 Contraste as suas habilidades e competências no trabalho há 5 anos e agora usando alguns dos verbos dados. Veja o exemplo.

Há 5 anos eu não preparava orçamentos de projetos. Agora eu preparo.

fazer saber ser manter administrar criar

3 No diálogo abaixo, complete a parte do entrevistado com o que se pede em cor. Depois, leia o diálogo em voz alta.

Entrevistador:	Por que você não permaneceu na mesma empresa em que estagiou?
Entrevistado:	[Esclarece que não havia vagas na empresa e que você procurou outras possibilidades.]
Entrevistador:	Por que você quer deixar o seu emprego atual?
Entrevistado:	[Começa ganhando tempo. Depois explica que o trabalho atual não oferece muitas oportunidades; dá detalhes.]
Entrevistador:	O que você vai pode trazer para a nossa empresa?
Entrevistado:	[Descreve seus pontos fortes. Relata um evento em que contribuiu efetivamente para o sucesso da empresa. Confirma se a resposta foi satisfatória.]
Entrevistador:	Sim, obrigado. Passando adiante, o que o diferencia de outros candidatos?
Entrevistado:	[Pede esclarecimento para ver se entendeu a pergunta.]

Entrevistador:	Sim, essencialmente é isso.
Entrevistado:	[Ganha tempo, dá detalhes, dá exemplos.]
Entrevistador:	Você pode morar em outra cidade ou em outro estado?
Entrevistado:	[Responde afirmativamente, comenta sobre situação similar no passado.]

4 Imagine que você está sendo entrevistado/a para um emprego. Responda oralmente às perguntas e use o vocabulário a seguir.

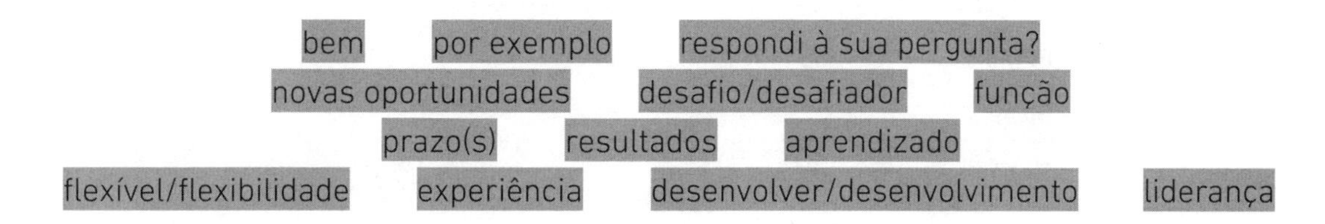

a. Por que você escolheu essa carreira?
b. Quais são suas qualidades?
c. Quais são seus defeitos? Como você acha que pode superá-los?
d. Por que você se candidatou para este emprego? Como você acha que pode contribuir para a empresa?
e. Por que você quer mudar de emprego?
f. Por que você quer trabalhar nesta empresa especificamente?
g. Do que você mais gostou no seu antigo trabalho? E do que você menos gostou?
h. Você é capaz de trabalhar sob pressão? Dê um exemplo.
i. Você costuma cumprir suas metas? Fale sobre um evento em que você teve dificuldade de cumprir suas metas, e o que fez para lidar com a dificuldade.
j. Quais foram os principais desafios que você enfrentou?
k. Você trabalha melhor em equipe ou individualmente? Por quê?
l. Quando você trabalhava em equipe, você era líder ou seguia os seus colegas?
m. Como você se relacionava com os seus colegas?
n. Qual é sua pretensão salarial?
o. Você tem alguma pergunta para mim?

COMPREENSÃO ESCRITA

1 Leia o texto abaixo, sobre seleção de *trainees* nas empresas, publicado na revista *Você S/A* de agosto de 2012. Em seguida, decida onde entram as dicas 1, 2 e 3.

PASSO A PASSO
Veja como funciona a triagem

Etapa online	
Como funciona:	Inclui testes de inglês, português, raciocínio lógico e atualidades. Pode demandar a produção de vídeos contando sobre suas características e a participação em *games*.
Duração:	De uma semana a dois meses.
Elimina:	Até 99% dos candidatos.
Dicas:	
Etapa presencial – Triagem	
Como funciona:	Dinâmicas de grupo avaliam a personalidade do candidato, além de competências como flexibilidade, foco em resultados, comprometimento, trabalho em equipe e liderança.
Duração:	Uma semana.
Elimina:	0,9% dos candidatos.
Dicas:	
Etapa presencial – Painel de negócios e entrevista com os gestores.	
Como funciona:	O candidato é entrevistado pelos gestores da empresa. Os líderes avaliarão sua capacidade de análise e de síntese, além de foco em resultados, liderança e flexibilidade.
Duração:	Um dia.
Dicas:	

DICA 1: Tenha em mente exemplos de obstáculos que enfrentou na vida ou de situações difíceis que teve de superar, envolvendo pessoas. Estruture seu discurso sobre seu histórico de vida e de carreira, de modo a destacar seus pontos fortes.

DICA 2: Converse com ex-*trainees* e funcionários da empresa para entender a dinâmica da entrevista e se informe sobre as questões relevantes para o negócio da companhia.

DICA 3: No dia do exame, evite deixar abertas páginas de redes sociais e de comunicadores instantâneos, que podem distraí-lo e roubar tempo precioso para completar a prova.

2 Leia o texto do Exercício 1 novamente e explique, com suas palavras, o significado dos seguintes termos.

a. raciocínio
b. atualidades
c. redes sociais
d. superar
e. histórico
f. destacar

3 Responda sobre o mesmo texto.
a. O que a primeira etapa de seleção inclui?

____

b. Por que é importante fechar páginas de redes sociais?

____

c. Para que servem as dinâmicas de grupo da segunda etapa?

____

d. Em que exemplos o/a candidato/a deve pensar?

____

e. O que o/a candidato/a deve enfatizar nessa etapa? De que maneira?

____

f. Na terceira etapa, o que os gestores procuram?

____

g. Como o/a candidato/a deve se preparar para a terceira etapa?

____

O TEXTO E VOCÊ

Responda oralmente.

- Você acha que os selecionadores devem incluir participação em *games* no processo de seleção? Por quê (não)?
- Você gosta de participar de dinâmicas de grupo? Em sua opinião, que vantagens e/ou desvantagens há nas dinâmicas?
- Qual é a melhor maneira de avaliar a capacidade de análise de um/a candidato/a?
- Você é gestor/a de uma empresa. Como você avalia a capacidade de liderança de um/a candidato/a?
- Você é candidato/a a um emprego e foi selecionado/a para uma entrevista. Como você se prepara?

PRODUÇÃO ESCRITA

1 Leia a seguinte carta de apresentação.

1 ← 17 de março de 2013

Sra. Mariana Pereira
Gerente de Marketing
Rossi & Valentim
R. Oliveira da Silva, 123
Belo Horizonte - MG

→ 2

Prezada Sra. Mariana Pereira,

3 ← Em resposta ao anúncio publicado no dia 15 de março, envio meu currículo para apreciação.

4 ← Em primeiro lugar, formei-me em Propaganda e Marketing pela Universidade Belo-Horizontina. No campo profissional, há cinco anos atuo na área de divulgação e *marketing* da empresa Vieira & Borba, organizando eventos em diversos segmentos empresariais. Antes, trabalhava na empresa DGS Computadores, onde desenvolvia a divulgação da empresa em diversos ambientes (*on-line*, revistas, jornais e folhetos) e coordenava a participação da empresa em eventos relevantes. Nessa empresa, também atuei no setor de atendimento ao cliente, solucionando disputas de faturamento e atraso na entrega de produtos.

5 ← Além do curso superior em Propaganda e Marketing, tenho pós-graduação em Marketing Digital. Também domino plenamente o inglês e o espanhol. Essas habilidades são muito importantes em uma empresa que, como a Rossi & Valentim, ingressa pelo *marketing* digital e tem ligações com empresas sediadas em países de todas as Américas. Creio que posso contribuir para o desenvolvimento de um trabalho objetivo que gera resultados qualitativos e quantitativos para a empresa.

Agradeço a atenção e coloco-me ao inteiro dispor para contato pessoal, pelo telefone 31-2345-6789 ou pelo *e-mail* dilmavarela@dominio.com.br.

→ 7

Cordialmente,

→ 6

Dilma Varela
R. Marianos, 456
Belo Horizonte - MG

Anexo: *Curriculum vitae* → 8

2 Responda às perguntas com os números corretos, de acordo com os destaques na carta da página anterior. Em que parte da carta a autora:

a. dá detalhes para contato? ______
b. fala sobre suas qualificações e experiência profissional? ______
c. fala de habilidades adicionais? ______
d. menciona seu conhecimento sobre a empresa? ______
e. explica por que está escrevendo? ______
f. menciona o que está sendo anexado na carta? ______
g. indica a data em que escreveu a carta? ______
h. inclui os dados de contato da destinatária? ______

3 Ache na carta, e copie abaixo, como a autora:

a. dirige-se à destinatária. ______
b. começa a explicar as suas qualificações. ______
c. começa a discorrer sobre a experiência profissional. ______
d. adiciona dados à experiência profissional. ______
e. começa a falar sobre outras habilidades. ______
f. se põe à disposição da destinatária. ______
g. faz o cumprimento final na carta. ______

4 Prepare-se para escrever uma carta de apresentação.

a. Relacione nos espaços abaixo sua formação, sua experiência e suas habilidades.

FORMAÇÃO EDUCACIONAL E EXPERIÊNCIA PROFISSIONAL

HABILIDADES

b. Agora escreva, em seu bloco de notas, uma carta de apresentação para uma empresa que busca um profissional como você.

VOCABULÁRIO E PRONÚNCIA

2:6 1 Ouça, leia e repita.

a. Isto é um fator importante para mim.
b. Ela aprendeu inglês para trabalhar numa grande empresa.
c. Eles foram pro escritório.
d. A chefe precisa do relatório para amanhã.
e. Você tem alguma pergunta pra mim?
f. Ela enviou a carta pelo correio.
g. Ele foi entrevistado pelo diretor.
h. Nós substituímos o sistema antigo pelo novo.
i. Ele trabalhou naquela empresa por dez anos.
j. Eles entrevistavam quatro candidatos por dia.

2 Agora, relacione as frases acima aos seguintes usos de *por* e *para*.

☐ duração de tempo	☐ ponto de vista
☐ objetivo	☐ receptor
☐ troca, substituição	☐ destino
☐ prazo	☐ ritmo, velocidade, medida
☐ meio	☐ agente

por também aparece em:
• Obrigado/a por...
• Por exemplo,...
• Por um lado,... / por outro lado,...
pra = para (a); **pro** = para o (informal)

3 Complete as frases com *por* ou *para*. Lembre-se: *por* + *o* = *pelo*; *por* + *a* = *pela*.

a. Obrigado ________ informações que você enviou ________ *e-mail*.
b. A carta foi enviada ________ o diretor financeiro, que a recebeu ontem.
c. A diretora executiva quer o orçamento ________ a semana que vem.
d. Os donos da empresa andaram ________ fábrica.
e. A fábrica produz 50 mil unidades ________ mês.
f. Márcia foi entrevistada ________ duas pessoas.
g. ________ a chefia do setor, ela é a melhor candidata.
h. Ela está preparada ________ enfrentar os desafios do cargo.

INFORMAÇÕES CULTURAIS

1 Leia.

Algumas características culturais

Muitas pessoas acham que os brasileiros são simpáticos e extrovertidos. No entanto, é importante evitar generalizações: como em todas as culturas, há muitas diferenças individuais no Brasil.

Em relação ao espaço pessoal, os brasileiros aceitam alguma proximidade. Esse espaço pode ser menor do que em certas culturas, mas também pode ser maior do que em outras.

Cumprimentos

Em situações formais, os/as brasileiros/as se cumprimentam com um aperto de mãos.

Em situações informais, as mulheres normalmente trocam dois "beijinhos" (na realidade, as faces se tocam e os "beijos" são no ar). Uma mulher e um homem também podem dar beijinhos em situações informais. Dois homens nunca dão beijos, mas podem se abraçar com tapas nas costas.

Comportamento em entrevistas

a. Veja as descrições abaixo. Na sua opinião, quais desses comportamentos são apropriados durante uma entrevista? Quais não são?

I. Olhar fixamente para o/a entrevistador/a.
II. Manter contato visual com o/a entrevistador/a, mas não olhar fixamente para ele/ela.
III. Apertar as mãos de forma muito forte.
IV. Apertar as mãos de forma muito leve.
V. Cumprimentar o/a entrevistador/a com um sorriso.
VI. Balançar o corpo.
VII. Cruzar os braços.
VIII. Sentar-se com boa postura.

CONEXÕES INTERCULTURAIS

Responda oralmente.

1 Na sua opinião, quais são as maiores diferenças entre brasileiros e pessoas do seu país de origem no que se refere à linguagem corporal em geral e a formas de cumprimentar outra pessoa em particular?
2 Você acha que, em geral, os brasileiros mantêm entre si um espaço maior ou menor do que em seu país de origem?
3 Que características são normalmente associadas às pessoas do seu país? Você acha que a maioria das pessoas realmente tem essas características?

GRAMÁTICA

CONSULTE A *MINIGRAMÁTICA* PARA MAIS INFORMAÇÕES.

1 Marque o que você fazia/como você era no seu primeiro emprego.

a. ☐ Eu falava com várias pessoas.
b. ☐ Eu conversava com o/a meu/minha chefe.
c. ☐ Eu era muito pontual.
d. ☐ Eu me dava bem com os meus colegas.
e. ☐ Eu ajudava os meus colegas.
f. ☐ Eu fazia todo o meu serviço.
g. ☐ Às vezes, eu ficava entediado/a.
h. ☐ Eu nunca fazia hora extra.

GLOSSÁRIO

dar-se bem com alguém: ter um bom relacionamento

2 Complete os parágrafos usando um dos verbos do quadro no pretérito imperfeito.

escrever controlar fazer pôr responder

a. No meu primeiro emprego, eu ______________ muitas coisas diferentes. Eu ______________ memorandos, ______________ os documentos nos arquivos, ______________ perguntas dos clientes e ______________ os horários de chegada e saída dos outros funcionários.

ajudar almoçar gostar ser ter

b. Às vezes, os clientes ______________ um pouco desagradáveis. Mas normalmente eu não ______________ problemas com eles. Eu sou muito comunicativa e ______________ de conversar com as pessoas, principalmente com os meus colegas. Nós ______________ juntos quase todos os dias no restaurante da esquina. Todos os meus colegas me ______________ muito.

avaliar dar estar ficar gostar

c. Os gerentes sempre ______________ do nosso trabalho. Eles ______________ a nossa *performance* com frequência e sempre ______________ notas altas. Nós ______________ muito contentes porque ______________ fazendo um bom trabalho.

UNIDADE 12 REUNIÕES

COMEÇANDO O TRABALHO

2:7 ► LEIA E OUÇA.

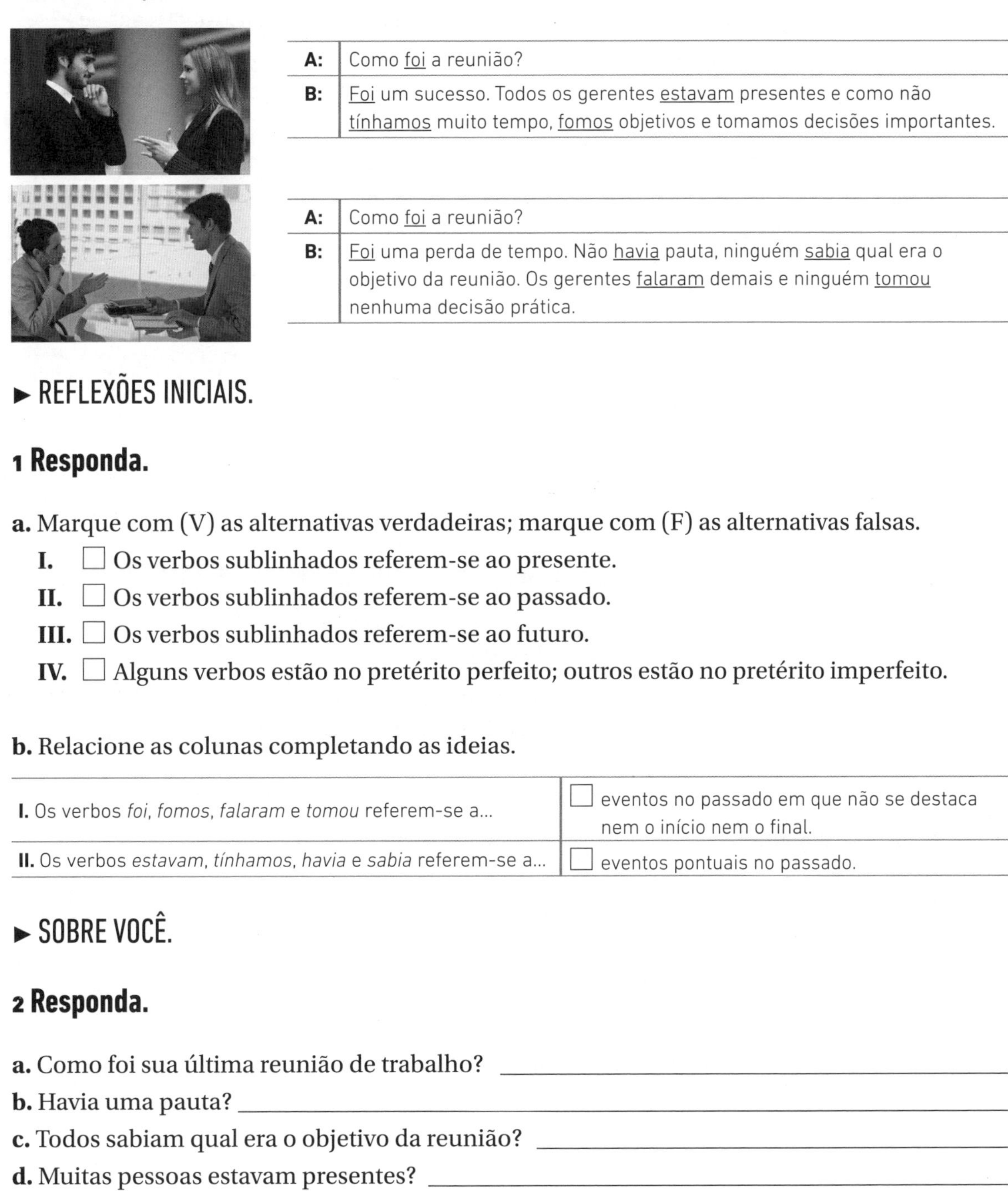

A:	Como foi a reunião?
B:	Foi um sucesso. Todos os gerentes estavam presentes e como não tínhamos muito tempo, fomos objetivos e tomamos decisões importantes.

A:	Como foi a reunião?
B:	Foi uma perda de tempo. Não havia pauta, ninguém sabia qual era o objetivo da reunião. Os gerentes falaram demais e ninguém tomou nenhuma decisão prática.

► REFLEXÕES INICIAIS.

1 Responda.

a. Marque com (V) as alternativas verdadeiras; marque com (F) as alternativas falsas.

I. ☐ Os verbos sublinhados referem-se ao presente.
II. ☐ Os verbos sublinhados referem-se ao passado.
III. ☐ Os verbos sublinhados referem-se ao futuro.
IV. ☐ Alguns verbos estão no pretérito perfeito; outros estão no pretérito imperfeito.

b. Relacione as colunas completando as ideias.

I. Os verbos *foi, fomos, falaram* e *tomou* referem-se a...	☐ eventos no passado em que não se destaca nem o início nem o final.
II. Os verbos *estavam, tínhamos, havia* e *sabia* referem-se a...	☐ eventos pontuais no passado.

► SOBRE VOCÊ.

2 Responda.

a. Como foi sua última reunião de trabalho? ____________________

b. Havia uma pauta? ____________________

c. Todos sabiam qual era o objetivo da reunião? ____________________

d. Muitas pessoas estavam presentes? ____________________

e. Vocês tomaram decisões importantes? ____________________

COMPREENSÃO ORAL

2:8 **1 Sublinhe a melhor opção para completar o diálogo. Depois, ouça o áudio e confira suas respostas.**

Pedro:	Laís, precisamos marcar a reunião mensal com o grupo.
Laís:	(Pode)(Pôde) ser virtual ou tem que ser presencial?
Pedro:	Eu acho que essa (deve) (deveu) ser presencial. Que dia (são) (estão) todos aqui?
Laís:	Normalmente, quarta-feira.
Pedro:	Então vamos marcar para quarta, dia 25, (nas) (às) 10 horas. A última reunião (foi) (era) depois do almoço e todo mundo (estava) (esteve) cansado.
Laís:	Tudo bem, eu aviso (todo) (tudo) mundo. O que precisamos discutir na reunião?
Pedro:	Como sempre, temos que começar pela aprovação das atas da reunião anterior. Você já (mandava) (mandou) as atas para todos?
Laís:	Já, sim. (Mandei) (Mandava) ontem.
Pedro:	Ótimo. Bem, acho que o item mais importante dessa reunião (é) (está) a visita do pessoal da matriz.
Laís:	Eu também acho. Então é melhor discutir isso logo no início, enquanto as pessoas (são) (estão) concentradas.
Pedro:	Eu concordo. Na reunião passada o item mais importante (ficava) (ficou) para mais tarde e no final nós (estávamos) (estivemos) todos desconcentrados.
Laís:	É verdade. Também temos que falar sobre a formação de uma equipe para trabalhar com a sucursal de Palmas.
Pedro:	Vamos colocar esse item por último. Então a agenda (ficou) (ficava) assim: aprovação das atas, visita do pessoal da matriz, formação de equipe. É isso?
Laís:	É isso mesmo. Uma hora é suficiente?
Pedro:	Tem que ser. Temos que usar o tempo de maneira eficiente. Eu vou circular a agenda. Você (pode) (pôde) encomendar os biscoitos e o cafezinho?

2:9 **2 Ouça e responda.**

a. Onde se passa a conversa? Como você sabe?

____

____

b. Os falantes têm o mesmo nível hierárquico? Como você sabe?

____

____

3 Ouça o áudio do Exercício 2 mais uma vez e marque as afirmativas corretas.

a. ☐ Tadeu é o chefe de Renata.
b. ☐ Joana já chegou atrasada outras vezes.
c. ☐ Renata não ficou chateada com o atraso de Joana.
d. ☐ Joana saiu de casa muito tarde.
e. ☐ Renata terminou a reunião quando Joana chegou.

2:10 ⊙

4 Ouça os diálogos e marque (I) se eles reproduzem o início de uma reunião e (F) se eles reproduzem o fim de uma reunião.

a. Diálogo 1 ☐
b. Diálogo 2 ☐
c. Diálogo 3 ☐
d. Diálogo 4 ☐

2:11 ⊙

5 Ouça e identifique formas usadas pelos falantes para:

a. agradecer a presença de todos:

____

b. apresentar um visitante:

____

c. apresentar o objetivo da reunião:

____

d. perguntar sobre progressos recentes:

____

e. garantir o foco da reunião:

____

f. fechar a discussão sobre um assunto:

____

g. mudar de assunto:

____

h. interromper a fala de outra pessoa:

____

i. discordar:

____

PRODUÇÃO ORAL

1 Como você reage a essas situações em reuniões? Improvise respostas oralmente.

a. Seu colega está apresentando uma ideia que você não acha boa. Você quer interromper para expressar sua opinião.
b. Seu chefe pede um resumo das vendas no último mês.
c. Os funcionários estão conversando sobre assuntos que não se relacionam ao tópico da reunião e você quer manter o foco.
d. Seus colegas estão prolongando a discussão de um item. Você quer fechar esse item e começar outro.
e. Você está encarregado/a da reunião e tem que apresentar o objetivo.

2 O que você diz nessas situações? Escreva e depois leia suas respostas em voz alta.

3 Em seu bloco de notas, crie um diálogo de uma reunião entre três participantes da equipe de RH de uma empresa, seguindo as informações a seguir. Depois, leia seu diálogo em voz alta. O objetivo da reunião é definir as estratégias para o próximo ano.

Diretor de RH:	[Abre a reunião, pede a contribuição de todos.]
Gerente de Treinamento e Desenvolvimento:	[Dá a sua opinião.]
Analista de Recrutamento e Seleção:	[Discorda, dá opinião, apresenta outra ideia.]
Diretor de RH:	[Pede esclarecimento.]
Analista de Recrutamento e Seleção:	[Apresenta sua ideia de outra forma.]
Gerente de Treinamento e Desenvolvimento:	[Revê sua posição original. Diz que a ideia pode trazer algumas vantagens; dá um exemplo.]
Diretor de RH:	[Nota que pode haver desvantagens. Dá um exemplo. Propõe *brainstorm* para discutir vantagens e desvantagens da ideia.]

4 O setor financeiro de uma empresa se reúne com o diretor para discutir a possibilidade de manter um cliente que perdeu dinheiro recentemente numa operação de risco. Crie o diálogo entre os participantes seguindo as informações dadas.

Diretor Financeiro:	[Inicia a reunião e explica o objetivo.]
Gerente Financeiro:	[Lembra a todos a importância do cliente em questão e relata sua atual situação financeira. Dá algumas características pessoais positivas do cliente.]
Assistente Financeiro:	[Expressa pena.]
Diretor Financeiro:	[Pede ideias sobre como manter o cliente.]
Assistente Financeiro:	[Dá uma ideia.]
Gerente Financeiro:	[Elogia a ideia, mas aponta uma dificuldade.]
Diretor Financeiro:	[Menciona que a empresa já teve um caso parecido no passado. Explica as circunstâncias (quem era/estava/fazia o quê) e como o setor solucionou o caso.]
Assistente Financeiro:	[Pergunta se podem fazer a mesma coisa.]
Gerente Financeiro:	[Responde negativamente e justifica a resposta.]

COMPREENSÃO ESCRITA

1 Leia os dois *e-mails* e indique no quadro da p. 161 se cada afirmação corresponde ao *e-mail* 1, ao *e-mail* 2, ou aos dois.

E-MAIL 1

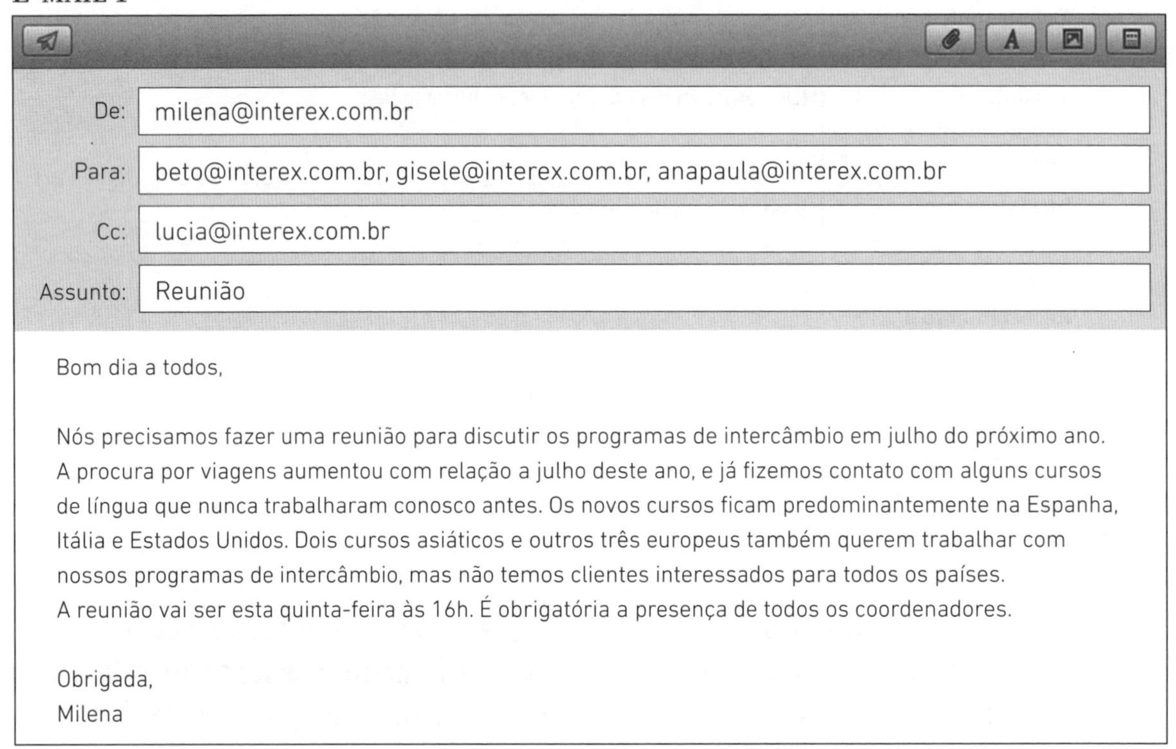

De: milena@interex.com.br

Para: beto@interex.com.br, gisele@interex.com.br, anapaula@interex.com.br

Cc: lucia@interex.com.br

Assunto: Reunião

Bom dia a todos,

Nós precisamos fazer uma reunião para discutir os programas de intercâmbio em julho do próximo ano. A procura por viagens aumentou com relação a julho deste ano, e já fizemos contato com alguns cursos de língua que nunca trabalharam conosco antes. Os novos cursos ficam predominantemente na Espanha, Itália e Estados Unidos. Dois cursos asiáticos e outros três europeus também querem trabalhar com nossos programas de intercâmbio, mas não temos clientes interessados para todos os países.
A reunião vai ser esta quinta-feira às 16h. É obrigatória a presença de todos os coordenadores.

Obrigada,
Milena

E-MAIL 2

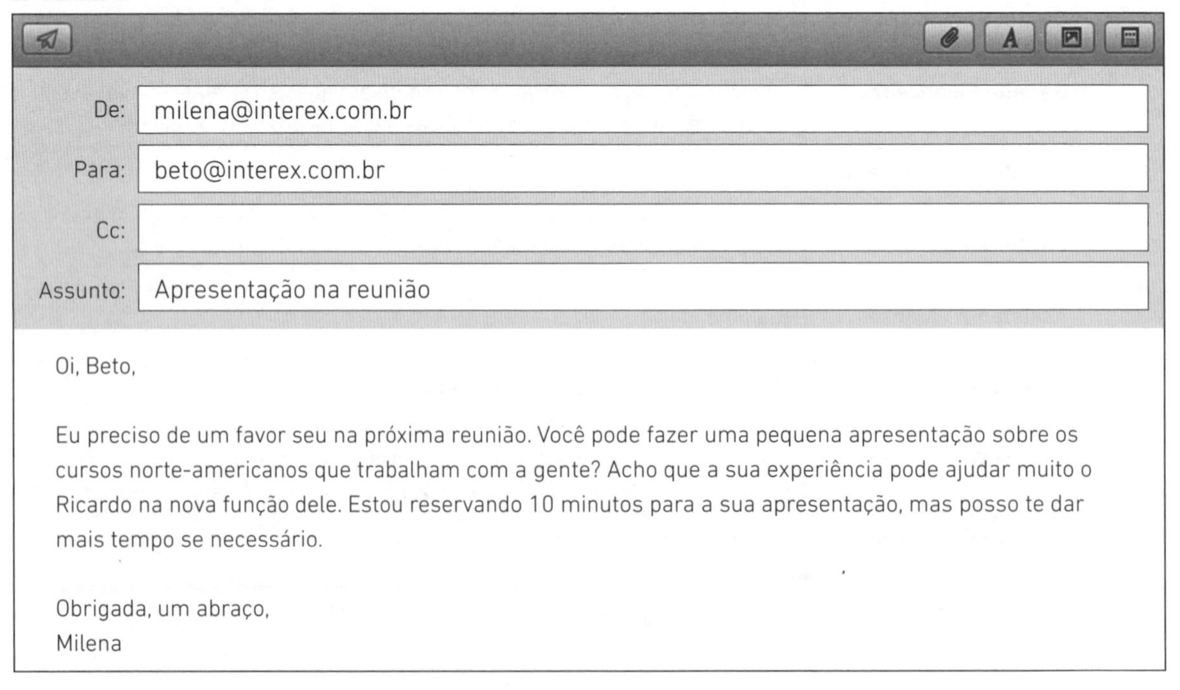

De: milena@interex.com.br

Para: beto@interex.com.br

Cc:

Assunto: Apresentação na reunião

Oi, Beto,

Eu preciso de um favor seu na próxima reunião. Você pode fazer uma pequena apresentação sobre os cursos norte-americanos que trabalham com a gente? Acho que a sua experiência pode ajudar muito o Ricardo na nova função dele. Estou reservando 10 minutos para a sua apresentação, mas posso te dar mais tempo se necessário.

Obrigada, um abraço,
Milena

	E-MAIL 1	E-MAIL 2
Refere-se a uma reunião no futuro.		
Estabelece o dia da reunião.		
Fala de uma apresentação.		
Exige a presença dos destinatários.		
Menciona o trabalho de um membro da equipe.		
A remetente usa um cumprimento informal.		
A remetente agradece ao(s) destinatário(s).		

2 Leia o texto a seguir e responda: Qual é a ideia principal do texto?

Um levantamento feito anos atrás pela Microsoft com 30 mil pessoas ao redor do mundo descobriu que a maior parte dos empregados sente-se produtiva em apenas três dias da semana. O que mais contribuiu para isso? Reuniões improdutivas (objetivos pouco claros e falta de comunicação da equipe também estavam entre os três primeiros colocados, uma prova de que usar reuniões como ferramenta de comunicação é um erro). De acordo com a pesquisa, as pessoas passam 5,6 horas em reuniões por semana, apesar de 65% responderem que elas não são produtivas. Nos Estados Unidos, em particular, o número de empregados que acham reuniões perda de tempo sobe para 71%.

(<http://cio.uol.com.br/gestao/2012/10/30/como-promover-reunioes-mais-produtivas/>. Acesso em 12 jul. 2013.)

____

____

____

3 O vocabulário à esquerda está no texto anterior. Relacione as colunas com seu significado.

a. um levantamento	☐ só
b. anos atrás	☐ cresce
c. apenas	☐ uma pesquisa
d. de acordo com	☐ há alguns anos
e. sobe	☐ segundo

O TEXTO E VOCÊ

Responda oralmente.

- Quantas horas por semana você passa em reuniões?
- Suas reuniões de trabalho são produtivas? Por quê (não)?

PRODUÇÃO ESCRITA

1 Observe a ata de reunião abaixo. Em seguida, marque com um "x" as informações que ela contém e também suas características.

ATA DE REUNIÃO

Data: 16/05/2013
Início: 16h05
Término: 18h10

Participantes: Milena Carvalho (Diretora-Executiva); Alberto Vieira, Ricardo Nunes, Gisele Brandão e Ana Paula Rocha (Coordenadores); Lúcia Gontijo (Secretária).
Ausências: n/d

Pauta:
1. Aprovação da ata da reunião anterior (Milena).
2. Programas de intercâmbio já contratados (Gisele e Ana Paula).
3. Apresentação sobre cursos norte-americanos (Beto).
4. Novos cursos em negociação: Brasil e exterior (Milena).
5. Distribuição de tarefas (Milena).
6. Outros assuntos.

GLOSSÁRIO

n/d: não disponível

DESENVOLVIMENTO:

1. Aprovação da ata da reunião anterior (Milena).
A ata da reunião anterior foi aprovada por unanimidade.

2. Programas de intercâmbio já contratados (Gisele e Ana Paula).
Gisele apresentou a lista de programas de intercâmbio já contratados para cursos na Europa no próximo ano (52 programas). Ana Paula listou os *tours* para cursos nos Estados Unidos, Canadá, Austrália e Nova Zelândia, um total de 61 *tours*. Gisele comentou que faltavam guias para os programas na França e na Espanha. Beto disse que tinha dois amigos que eram guias e falavam francês e inglês. Milena pediu o contato deles.

3. Apresentação sobre cursos norte-americanos (Beto).
Beto falou do trabalho com cursos norte-americanos. Explicou como proceder com esses cursos, que exigem detalhes que outros não exigem necessariamente.

4. Novos cursos em negociação (Milena).
Milena está negociando com novos cursos. Esses incluem três na Europa (Alemanha, Grécia e Suécia) e dois no Japão. Gisele perguntou se podia contratar um estagiário para fazer pesquisa de mercado sobre interesse em cursos nos países europeus. Milena disse que sim e pediu a Lúcia para redigir o anúncio.

5. Distribuição de tarefas (Milena).
Beto vai coordenar os contratos com os novos cursos. Gisele vai supervisionar o atendimento ao público. Ana Paula vai coordenar o trabalho com cursos na América Latina e na Europa. Ricardo vai se dedicar aos cursos de inglês. Milena vai anunciar a vaga para estagiário, entrevistar os candidatos e contratar o novo estagiário.

6. Outros assuntos.
Não houve outros assuntos.

Lúcia Gontijo
Secretária

a. ☐ Número da ata
b. ☐ Lista dos participantes
c. ☐ Número de identidade dos participantes
d. ☐ Estado civil dos participantes
e. ☐ Cargos dos participantes
f. ☐ Lista dos ausentes
g. ☐ Data da reunião
h. ☐ Local da reunião
i. ☐ Hora que a reunião começou
j. ☐ Hora que a reunião terminou
k. ☐ Agenda da reunião
l. ☐ Lista de pessoas que vão receber a ata
m. ☐ Assinaturas de todos os presentes
n. ☐ Números das linhas ao lado do texto
o. ☐ Divisão do texto por itens
p. ☐ Texto contínuo, sem divisões
q. ☐ Funções de cada participante no futuro
r. ☐ Um selo oficial

2 Pense na última reunião em que você esteve presente. Escreva sua ata no espaço abaixo.

____
____
____
____
____
____
____
____
____
____
____
____
____
____
____
____
____
____
____
____

VOCABULÁRIO E PRONÚNCIA

1 Complete as frases relacionando as colunas. Em caso de dúvida, consulte o glossário.

a. A _____ da reunião tinha seis itens.	☐ estado civil
b. O diretor-executivo estava _____ por motivo de saúde.	☐ voto de minerva
c. A reunião foi ______ depois das seis horas da tarde.	☐ agenda
d. Já são 11 horas. Vamos dar _____ à reunião.	☐ unânime
e. O _____ para assinatura do contrato é dia 19.	☐ início
f. A presença dos gerentes é _____. Eles não podem faltar.	☐ ausente
g. A decisão foi _____: todos os presentes concordaram com a proposta.	☐ ata
h. A _____ é um documento que relata o que aconteceu na reunião.	☐ obrigatória
i. O _____ mostra que um documento é oficial e formal.	☐ encerrada
j. Os participantes votaram, mas não chegaram a um acordo. A diretora deu o _____ para decidir o assunto.	☐ selo
k. O _____ dele é divorciado.	☐ cargo
l. Milena ocupa o _____ de diretora-executiva.	☐ prazo

2:12 ⊙ **2 Ouça e repita as frases do Exercício 1, verificando suas respostas.**

3 Observe os exemplos e complete as frases usando *andar*, *estar*, *ficar* e *viver* no tempo adequado.

Paulo **está** estressado agora. (estado temporário)

Paulo **ficou** estressado durante a reunião. (mudança de estado)

Paulo **anda** estressado ultimamente. (mesmo estado durante algum tempo)

Paulo **vive** estressado. (estado constante)

a. Nós estávamos bem dispostos, mas ___________ cansados com a reunião de três horas.

b. Eu acho melhor não levantar esse assunto na reunião. O diretor ___________ irritado hoje.

c. Marisa ___________ nervosa nos últimos dias porque tem que fazer vários relatórios para apresentar na reunião da semana que vem.

d. Nada afeta o bom humor de Murilo. Ele ___________ alegre e sorrindo!

INFORMAÇÕES CULTURAIS

1 Leia.

DISTÂNCIA DO PODER

De acordo com o pesquisador holandês Geert Hofstede, os valores no mundo do trabalho são caracterizados pela cultura e uma dimensão importante na caracterização desses valores é a "distância do poder".

Esta dimensão cultural lida com a desigualdade entre os indivíduos. A distância do poder é definida como o grau em que os membros menos poderosos de instituições e organizações dentro de um país esperam e aceitam que o poder seja distribuído de forma desigual. O índice de distância do poder (IDP) reflete a atitude da cultura em relação a essa desigualdade.

O Brasil tem um IDP alto (69), representando uma sociedade que acredita que a hierarquia deve ser respeitada e as desigualdades entre as pessoas são aceitáveis. A distribuição do poder justifica o fato de que os detentores do poder têm mais benefícios do que os menos poderosos na sociedade. No Brasil, é importante mostrar respeito aos idosos (e os filhos cuidam dos pais idosos). Nas empresas, há um chefe que assume toda a responsabilidade. Nos países com IDP alto, os subordinados normalmente não criticam nem contradizem o chefe. Os símbolos de *status* são considerados maneiras de indicar a posição social e "comunicar" o respeito que deve ser mostrado.

(<http://geert-hofstede.com/brazil.html> e <http://www.aeflup.com/ficheiros/O_indice_de_distancia_do_poder__IDP.pdf>. Acesso em 12 jul. 2013.)

CONEXÕES INTERCULTURAIS

Responda oralmente.

1 Você concorda com as informações sobre "distância do poder" no Brasil no texto acima?

2 Como você descreveria o IDP do seu país de origem, alto ou baixo?

3 No seu país de origem valoriza-se a independência?

4 No seu país de origem o poder é centralizado ou descentralizado?

5 No seu país de origem as relações de trabalho com superiores são formais ou informais?

6 Visite o *site* <http://geert-hofstede.com/countries.html> para verificar se as informações lá existentes sobre o seu país de origem coincidem com suas ideias.

GRAMÁTICA

CONSULTE A *MINIGRAMÁTICA* PARA MAIS INFORMAÇÕES.

1 Escolha a melhor opção para completar cada frase.

a. Os funcionários não trabalhavam	☐ porque não eram produtivas.
b. A diretora deu uma explicação	☐ quando não entendia as ordens.
c. A gerente fazia muitas perguntas	☐ para esclarecer o procedimento.
d. Nós não gostávamos das reuniões	☐ quando estavam em reuniões.

2 Sublinhe a melhor alternativa.

Nós (estivemos) (estávamos) numa reunião ontem quando (ouvimos) (ouvíamos) o sinal de alarme. Todos nós (ficamos) (ficávamos) muito assustados, mas o chefe não (interrompeu) (interrompia) a reunião. Nós (soubemos) (sabíamos) que (foi) (era) uma emergência, porque o alarme nunca toca. Finalmente, o chefe (terminou) (terminava) o que (esteve) (estava) dizendo e nós (saímos) (saíamos) correndo!

3 Complete usando o pretérito perfeito ou o pretérito imperfeito dos verbos dados.

a. Na última reunião, Marcos _______________ (ficar) chateado porque os colegas não _______________ (concordar) com a ideia dele.
b. Antes da reunião, eu _______________ (estar) otimista. Mas durante a reunião o chefe _______________ (dizer) que a situação _______________ (ser) muito ruim.
c. No mês passado, nós _______________ (ter) quatro reuniões.
d. Quando eu _______________ (ser) gerente, os diretores sempre _______________ (pedir) relatórios semanais. Toda sexta-feira eu _______________ (entregar) um relatório que eles _______________ (analisar) nas reuniões de segunda-feira.
e. Ontem, durante a reunião, eu _______________ (pedir) um relatório e _______________ (lembrar) que eu _______________ (detestar) fazer relatórios!
f. A reunião de ontem _______________ (ser) bastante produtiva. Em conjunto com a equipe, nós _______________ (determinar) as metas para o ano que vem.

4 Complete usando o pretérito perfeito ou o pretérito imperfeito de um dos verbos do quadro.

marcar ser ter trabalhar vir

Quando eu _______________ no banco, nós _______________ reuniões quase todos os dias. As reuniões _______________ uma verdadeira perda de tempo. Agora é diferente. No meu emprego atual, só temos reuniões quando é necessário. Na semana passada, o meu chefe _______________ uma reunião pela primeira vez desde que eu _______________ trabalhar aqui.

UNIDADE 13 APRESENTAÇÕES

COMEÇANDO O TRABALHO

2:13 ► LEIA E OUÇA.

Para fazer uma apresentação em *slides*:

1 Abra o PowerPoint.
2 Clique em *Arquivo* e escolha *Novo*.
3 Clique em *Apresentação em Branco* e em *Criar*.
4 Aplique um modelo ou um tema.
5 Insira novos *slides*.
6 Se necessário, escreva anotações embaixo dos *slides*.
7 Salve a sua apresentação: vá a *Arquivo*, clique em *Salvar como* e digite o título da apresentação.
8 Exiba a apresentação: em *Apresentação de Slides*, no grupo *Iniciar Apresentação de Slides*, clique em *Do Começo*.
9 Antes da apresentação, faça uma revisão do texto.

► REFLEXÕES INICIAIS.

1 Responda.

a. Os verbos sublinhados dão ideia de:

☐ rotina que acontece com frequência. ☐ ordem; sugestão. ☐ probabilidade.

b. Complete o quadro copiando os verbos sublinhados acima na coluna apropriada.

1ª CONJUGAÇÃO	2ª CONJUGAÇÃO	3ª CONJUGAÇÃO	VERBOS IRREGULARES
Clique (clicar)	Escolha (escolher)	Abra (abrir)	Vá (ir) Faça (fazer)

No quadro acima, temos duas formas de cada verbo: o imperativo e o infinitivo. O imperativo é usado para expressar uma ordem ou sugestão. O infinitivo, que aparece entre parênteses, é a forma simples do verbo e sempre termina em **-r**.

► SOBRE VOCÊ.

2 Responda.

a. Na sua língua materna, como se expressa uma ordem? Há formas diferentes para o imperativo e o infinitivo dos verbos como há em português?

___

___

COMPREENSÃO ORAL

1 Você vai ouvir um áudio que contém sugestões para uma boa apresentação em *slides*. Antes de ouvir, faça algumas previsões sobre o conteúdo relacionando as colunas.

a. Defina	☐ informações demais no *slide*.
b. Coloque as informações	☐ fontes e cores fáceis de ler.
c. Evite *slides*	☐ o tema a fundo.
d. Não coloque	☐ o texto.
e. Use	☐ confiança durante a apresentação.
f. Insira	☐ as mensagens.
g. Revise	☐ em ordem.
h. Conheça	☐ as imagens e vídeos.
i. Treine	☐ com informações não essenciais.
j. Demonstre	☐ a apresentação.

2:14 ▶ **2 Ouça o áudio duas vezes e verifique suas respostas acima.**

2:15 ▶ **3 Ouça e escreva as diferentes formas usadas pelo apresentador para chamar a atenção dos colegas a um detalhe da apresentação.**

a. ______________ este número.
b. ______________ bem este número.
c. ______________ este número com atenção.
d. ______________ este número.
e. ______________ este número.

Quando a ordem ou sugestão é para uma pessoa, o imperativo fica no singular. Se a ordem é para mais de uma pessoa, o imperativo aparece no plural. Em geral, o plural é formado ao se acrescentar **-m** à forma singular do imperativo.

2:16 4 Estude o vocabulário abaixo. Depois, ouça o áudio e sublinhe o que a falante diz.

Iniciando uma apresentação	Bom dia / Boa tarde. Obrigado/a pela presença de todos. Meu nome é...
Apresentando a organização da apresentação	Eu vou começar falando sobre... Em seguida,... Depois,... Eu vou finalizar essa apresentação... Para terminar,... De uma forma geral eu tenho três assuntos para tratar. Os assuntos principais desta apresentação são...
Fechando um assunto	Bem, isso é tudo sobre... Finalizamos, então, a discussão sobre...
Começando um novo assunto	Agora vamos discutir... Vamos, então, partir para a análise de... Quanto aos resultados,... O próximo ponto que quero discutir é... Agora, vamos passar para...
Dando exemplos	Por exemplo,... Um exemplo disso é... Para ilustrar este ponto, podemos dizer que...
Esclarecendo/ Dando ênfase a um ponto	O que isto quer dizer? Isto quer dizer que... Vejam bem, isto mostra que... Em outras palavras,... Uma outra forma de dizer isso é que... Como vocês podem observar no *slide*... Como vocês podem ver,... Vamos observar o gráfico. O ponto principal aqui é que... A ideia principal é...
Resumindo e concluindo	Então, resumindo,...
Abrindo a apresentação para perguntas	Alguém tem alguma dúvida/alguma pergunta?

5 Leia o *script* na p. 289 e verifique suas respostas.

2:17 6 Ouça e complete o quadro com os detalhes da apresentação.

	PONTOS POSITIVOS	PONTOS NEGATIVOS
Luiz Fernando		
Carina		

PRODUÇÃO ORAL

1 Descreva oralmente uma apresentação a que você assistiu recentemente. Use as perguntas a seguir como roteiro.

- Como foi a apresentação de modo geral: Boa? Ótima? Razoável? Fraca?
- O/A apresentador/a falou devagar? Depressa?
- Ele/a leu os *slides*? Deu exemplos? Envolveu a plateia? Movimentou-se demais? Usou as mãos de forma adequada? Usou vocabulário adequado? Deu informações demais, ou de menos?
- A apresentação teve *slides*? Os *slides* eram fáceis de ler? Havia imagens? As imagens eram adequadas?
- O conteúdo da apresentação foi relevante? Claro? Conciso?
- Houve perguntas ao final? O/A apresentador/a respondeu às perguntas de maneira clara e segura?

2 O estagiário de seu departamento vai fazer sua primeira apresentação para a equipe na próxima semana. O que você diz para ele? Use o vocabulário do quadro como referência.

Não se esqueça de Não deixe de Lembre-se de Tome cuidado para não Evite	• comentar (o objetivo da apresentação, os resultados do projeto) • falar (pausadamente, rapidamente, demais) • dar (exemplos, ênfase a) • se movimentar • enfatizar (as conclusões, as recomendações) • passar do tempo • ser simpático • ser agressivo

3 Complete oralmente as falas dos balões, dando detalhes.

4 Dois colegas estão planejando uma apresentação sobre um produto que vai ser lançado. Improvise oralmente um diálogo entre os dois colegas seguindo as informações dadas.

Francisco	[Pede sugestões de como pode começar a apresentação.]
Juliana	[Sugere várias maneiras para começar e enfatiza o agradecimento à plateia.]
Francisco	[Expressa um comentário sobre as sugestões e, em seguida, sugere como podem organizar a apresentação.]
Juliana	[Expressa sua opinião sobre o plano de Francisco e lembra que é preciso dar exemplos.]
Francisco	[Enfatiza que é preciso observar o tempo.]
Juliana	[Concorda e ressalta que é importante resumir antes de concluir.]

5 O gerente de desenvolvimento de produtos de uma empresa faz uma apresentação sobre um novo produto. Elabore o texto da apresentação dele com base no esquema a seguir. Você pode improvisar a apresentação oralmente ou, se preferir, escreva-a e depois a leia em voz alta.

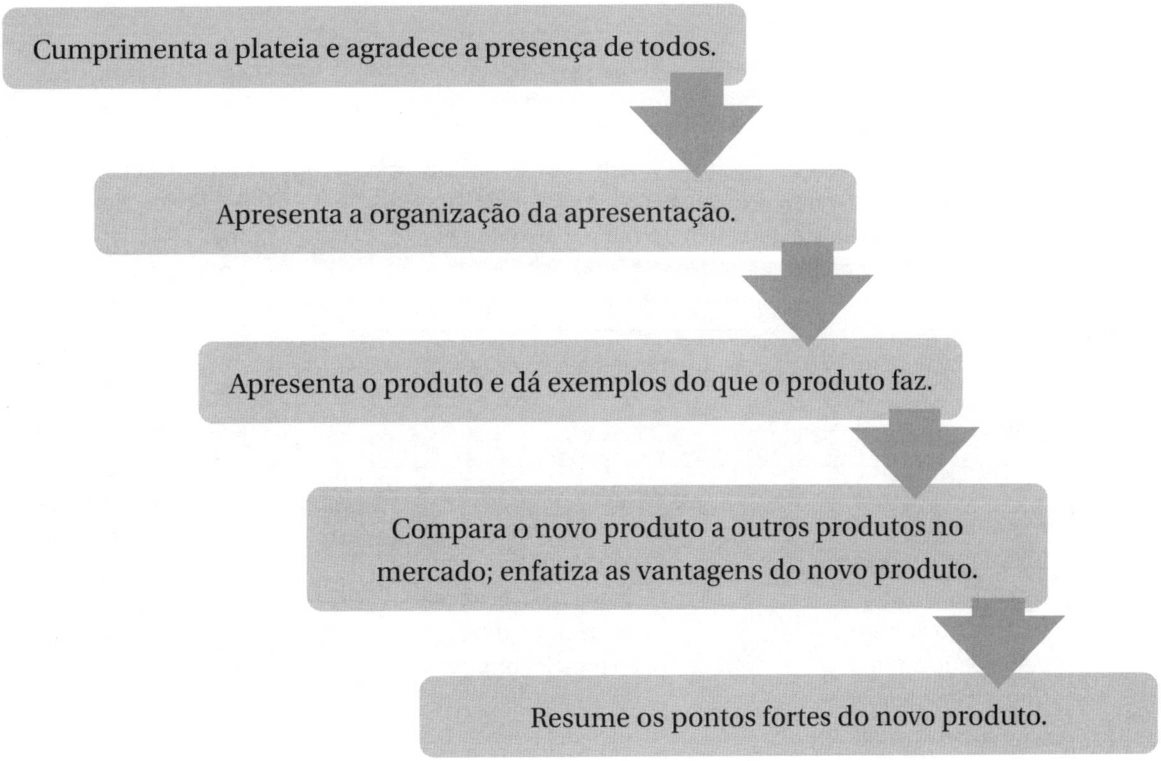

Cumprimenta a plateia e agradece a presença de todos.

↓

Apresenta a organização da apresentação.

↓

Apresenta o produto e dá exemplos do que o produto faz.

↓

Compara o novo produto a outros produtos no mercado; enfatiza as vantagens do novo produto.

↓

Resume os pontos fortes do novo produto.

6 Prepare uma apresentação em português sobre um aspecto do seu trabalho. Grave sua apresentação em áudio e/ou vídeo e depois escute (ou veja) sua apresentação, a fim de avaliar o seu desempenho.

COMPREENSÃO ESCRITA

1 O texto contém respostas às perguntas a seguir. Nos quadrados do texto, escreva a letra da pergunta a que cada parte se refere.

a. Ao se fazer uma apresentação oral, deve-se falar alto ou baixo?
b. Que cuidados devem ser tomados com o uso de linguagem corporal?
c. Falar devagar, enfatizando a pronúncia de todas as partes das palavras, é uma boa ideia?
d. Deve-se ser formal ou informal?
e. Deve-se evitar algum tipo de expressão entre frases ou no meio da fala?
f. Que tipo de palavras e expressões devem ser usadas?
g. Como balancear a altura da voz e a velocidade da fala?

ORADOR SEGURO

Dicas para falar em público

I. ► Comporte-se da maneira mais natural possível. Fale em público como se estivesse conversando de forma animada com um grupo de amigos. ☐

II. ► Acerte o volume de voz de acordo com o ambiente. Não fale muito alto para não agredir, nem muito baixo, senão não será compreendido. ☐

III. ► Pronuncie bem as palavras, mantendo a naturalidade. Articular exageradamente a fala só como recurso estético pode levar ao artificialismo. ☐

IV. ► Mantenha um ritmo agradável. Para isso é preciso alternar o volume da voz e a velocidade da fala. Quem fala sempre com o mesmo volume e a mesma velocidade pode comprometer o interesse dos ouvintes. ☐

V. ► Use o vocabulário adequado. É prudente evitar palavrões e excesso de gírias, termos incomuns e expressões técnicas para grupos de atividades profissionais distintas. ☐

VI. ► Elimine vícios como "né?", "tá?" e "ok?" no fim das frases, e os "ãããããã", "ééééé" nas pausas. ☐

VII. ► Evite falar com as mãos nos bolsos ou com os braços nas costas ou cruzados. Observe a reação de ouvintes para que se sintam prestigiados e incluídos. ☐

Fonte: Reinaldo Polito
(*Você S/A*: São Paulo, Abril, out. 2011. p. 80-81.)

2 Encontre no texto as palavras ou expressões que equivalem a:

a. aqueles que ouvem ______
b. que têm prestígio ______
c. ser agressivo ______
d. de forma exagerada ______
e. diferentes ______

3 Complete as definições a seguir com as palavras abaixo.

comportar-se animado comprometer

a. ______. 1. Dotado de vida; 2. Cheio de animação.
b. ______. Portar-se, proceder.
c. ______. 1. Afetar, prejudicar. 2. Danificar.

4 Para cada um dos pares a seguir, escolha a alternativa correta de acordo com o texto.

a.	(I) Devemos sempre usar termos técnicos durante apresentações sobre nossa atividade profissional.
	(II) Durante uma apresentação, a escolha do vocabulário deve considerar o conhecimento dos ouvintes sobre o assunto.
b.	(I) O apresentador deve mudar o ritmo da fala durante a apresentação.
	(II) O apresentador deve falar sempre muito pausadamente.
c.	(I) Devemos articular bastante as palavras para facilitar a compreensão.
	(II) Devemos pronunciar as palavras de maneira natural.
d.	(I) É importante dizer "ok?" ou "tá?" com frequência para saber se a plateia está entendendo.
	(II) É preciso evitar palavras como "ok?" ou "tá?" no fim das frases.
e.	(I) Devemos agir de maneira natural e fazer a apresentação como uma conversa com amigos.
	(II) Devemos ser atores e representar um papel que é diferente da nossa personalidade normal.

O TEXTO E VOCÊ

- Você é um orador seguro de acordo com as informações do texto?
- Quais são suas qualidades ao fazer apresentações em português? Em que áreas você deve procurar melhorar?

PRODUÇÃO ESCRITA

1 Observe os *slides* e responda.

O QUE FAZER ANTES DE CONTRATAR UMA EMPRESA DE SEGURANÇA

(Adaptado de revista *Exame*, 14 dez. 2011, p. 118.)

1 Certifique-se de que ela está devidamente legalizada e qualificada

2 Exija a certidão de quitação dos débitos trabalhistas e fiscais

3 Verifique se há contrato que define os serviços e equipamentos

4 Confira a qualidade e procedência dos produtos adquiridos

5 Visite as instalações da empresa contratada

6 Conheça os projetos realizados e obtenha referências de clientes

7 Confirme se o sistema eletrônico é integrado ao plano de segurança

8 Peça a programação de monitoramento e manutenção

9 Realize um teste do sistema para ver se funciona bem

10 Assegure o treinamento de toda a equipe envolvida

a. A apresentação acima gera interesse para aqueles que estão:

☐ pensando em se tornar agentes de segurança.

☐ precisando dos serviços de agentes de segurança.

☐ pensando em abrir uma empresa de segurança.

b. O título da apresentação poderia ser substituído por:

☐ Conte com uma empresa de segurança.

☐ Faça o seguinte antes de contratar uma empresa de segurança.

☐ Faça contratos com uma empresa de segurança.

c. O que você acha da organização dos *slides*? O que poderia ser melhorado e como?

___

___

___

___

2 Prepare *slides* para uma apresentação sobre procedimentos de algum aspecto do seu trabalho. Siga os passos abaixo e em seguida escreva o conteúdo dos *slides*.

- *Slide* 1: Escreva o título: "O que fazer ______________________" e seu nome.
- *Slide* 2: Relacione 2 ou 3 motivos para adotar esses procedimentos.
- *Slides* 3, 4 e 5: Em cada um, liste 2 procedimentos, e inclua subtítulos se desejar.
- *Slide* 6: Escreva algumas conclusões em forma de *bullets*.

1/6

2/6

3/6

4/6

5/6

6/6

VOCABULÁRIO E PRONÚNCIA

1 Estude as definições a seguir. Depois, leia os balões e responda: Qual é o problema de cada fala?

O que deve ser evitado em apresentações:

- Termos técnicos: palavras usadas em certa profissão ou ciência, mas não utilizadas por pessoas que não pertencem àquela área. Exemplos: agregação, *blow-out*, debênture, manobrabilidade, *spread*.
- Termos incomuns: palavras que são usadas raramente. Exemplos: célere, inócuo, tergiversar.
- Palavrões: palavras grosseiras ou obscenas. Exemplos: merda, cacete, esculhambação.
- Gírias: expressões populares utilizadas entre membros de um grupo social (p.ex., jovens). Exemplos: maneiro, parada, zoar.
- Vícios de linguagem: pequenas palavras, geralmente usadas em fim de frase, que não têm significado intrínseco. Exemplos: né, ok, sabe, tá.

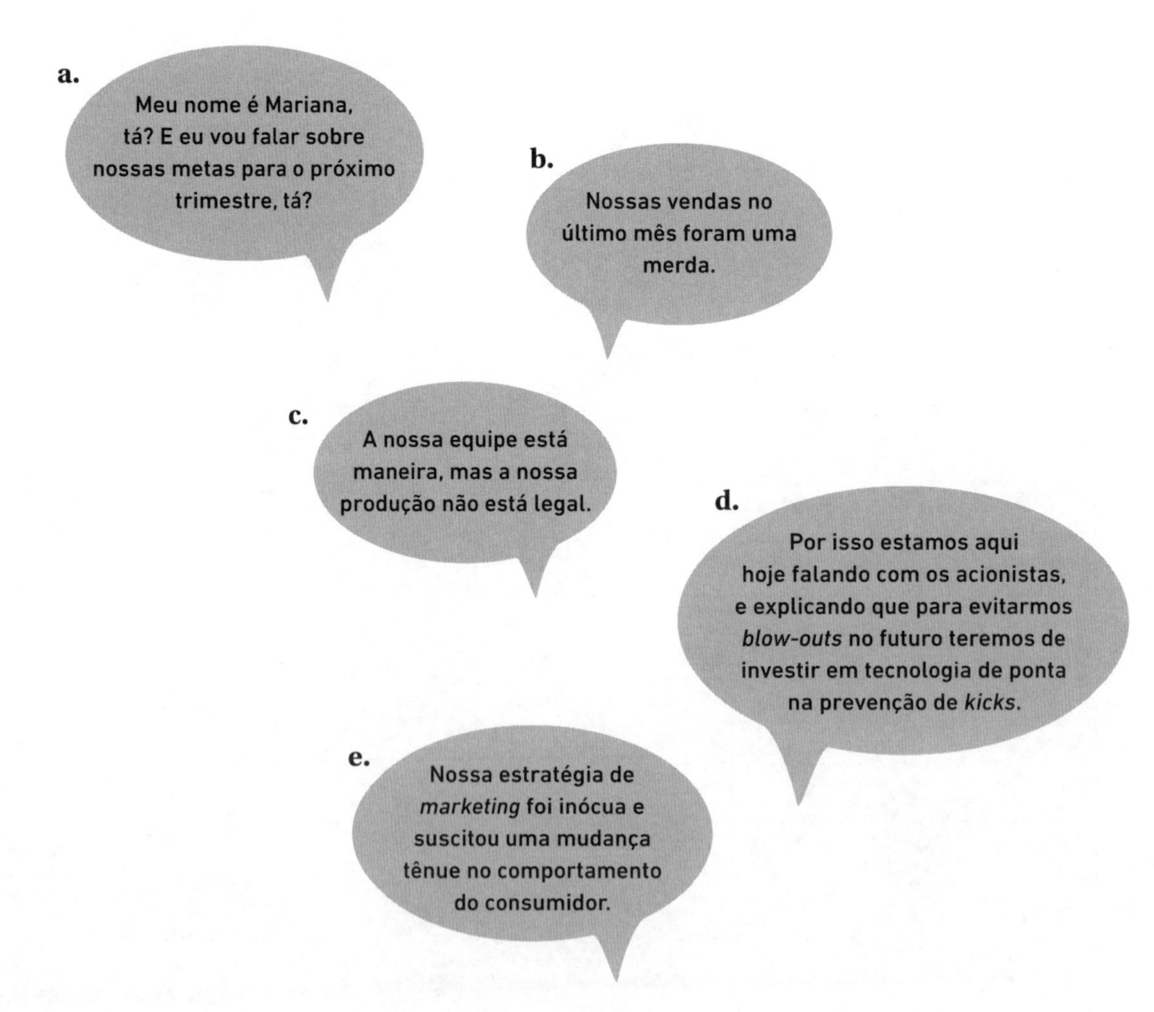

INFORMAÇÕES CULTURAIS

1 Leia o texto, sublinhando o vocabulário que se refere a roupas e outros artigos de vestuário.

COMO SE VESTIR NO TRABALHO

O Brasil é um país com clima tropical ou subtropical (ou, em algumas regiões, equatorial ou semiárido). Portanto, faz calor na maior parte do país, na maior parte do ano. No entanto, apesar do calor, os homens devem usar terno e gravata em ocasiões formais, inclusive reuniões de trabalho formais, ou se ocupam cargos altos numa empresa ou órgão público. Os homens que não ocupam cargos altos, mas trabalham em escritório ou ambiente semelhante podem usar camisa e calça social. Nesse tipo de ambiente, não use *jeans* nem camisa esporte.

Num ambiente de trabalho formal, as mulheres que ocupam cargos altos devem se vestir de maneira sóbria. Os terninhos são práticos e apropriados. Os sapatos não devem ter saltos altos demais. Se você é mulher e prefere saias e vestidos, mantenha-os num comprimento apropriado (ou seja, ligeiramente acima dos joelhos ou mais longos). Nunca use roupas apertadas demais, pois não são elegantes e não condizem com ambientes de trabalho. As mulheres que vivem em cidades muito quentes podem usar mangas curtas ou mesmo blusas ou vestidos sem mangas, especialmente se não ocupam cargos altos. Também podem usar sandálias em vez de sapatos. Mas lembre-se de que as sandálias também devem ser discretas e não devem ter saltos muito altos. Reserve as sandálias de salto alto para sair à noite.

2 Verifique o vocabulário sublinhado: Você compreende o significado de todos os itens? Na dúvida, consulte o glossário.

CONEXÕES INTERCULTURAIS

Responda oralmente.

1 De que forma as roupas no seu país de origem se adequam às condições climáticas? Dê exemplos.

2 O que você acha da maneira como os brasileiros se vestem no trabalho? Essa maneira de vestir é parecida ou diferente no seu país? Como?

GRAMÁTICA

PÁGINA 272 CONSULTE A *MINIGRAMÁTICA* PARA MAIS INFORMAÇÕES.

1 Formule ordens, como no exemplo a seguir.

(fazer a apresentação) *Faça a apresentação.*

a. ser conciso/a ______
b. dizer o essencial ______
c. responder às perguntas de maneira direta ______
d. não usar figuras demais ______
e. não escrever muito nos *slides* ______
f. usar fontes grandes ______
g. mudar o tom de voz ______
h. falar com naturalidade ______
i. saber bem o tema da apresentação ______
j. ficar calmo/a ______

2 Complete o parágrafo usando o imperativo singular de um dos verbos dados.

escolher falar organizar ser

Para fazer uma boa apresentação, ______ o que você quer dizer. A boa organização é uma das chaves para uma apresentação de sucesso. Se você vai usar *slides*, ______ um fundo neutro e uma fonte que oferece bom contraste. Na dúvida, o melhor é usar fundo branco e letras pretas. Durante a apresentação, ______ natural. Não vale a pena tentar incorporar uma personalidade diferente. Finalmente, ______ de maneira clara. A sua plateia deve ouvir o que você diz.

3 Você é chefe e precisa dar alguns conselhos à sua equipe a respeito de apresentações. Siga o exemplo e elabore os conselhos no seu bloco de notas.

- preparar = *Preparem a apresentação com cuidado.*

a. fazer **b.** estar **c.** ir **d.** não usar **e.** evitar

2:18 4 Ouça o áudio e marque a opção que contém um verbo no imperativo.

	1	2	3	4
a.				
b.				

UNIDADE 14 AVALIAÇÃO DE DESEMPENHO E METAS

COMEÇANDO O TRABALHO

2:19 ► LEIA E OUÇA.

METAS PARA O MÊS DE NOVEMBRO	ANOTAÇÕES
1. Aumentar o número de clientes em 5% com relação ao mês anterior.	• Tínhamos 47 clientes no final de outubro; estamos com 60 em 30/11.
2. Enviar mala direta com o folheto sobre o novo produto.	• Os folhetos só vão ficar prontos na 2ª semana de dezembro.
3. Treinar divulgadores sobre o novo produto.	• Treinamento foi realizado dia 15/11, mas dois divulgadores não puderam comparecer.
4. Finalizar sistema para controle de estoque do novo produto.	• Equipe de TI diz que progrediu no desenvolvimento do sistema, mas ele só vai estar pronto para testes no final de dezembro.
5. Reduzir custos de compra de material de limpeza.	• Gastamos R$ 250,00 em outubro e R$ 175,00 em novembro.

► REFLEXÕES INICIAIS.

1 Responda.

a. Quais metas **foram cumpridas** totalmente? ______________________

b. Quais metas **foram cumpridas** parcialmente? ______________________

c. Quais metas **não foram cumpridas**? ______________________

► SOBRE VOCÊ.

2 Responda.

a. Em seu trabalho, as suas metas da semana passada foram cumpridas? ______________

b. O que foi feito? O que não foi feito? ______________________

____

____

____

COMPREENSÃO ORAL

2:20 ▶ **1 Vamos tratar de metas cumpridas.**

a. Leia e ouça, observando no quadro as metas que foram cumpridas de acordo com o áudio.

METAS	
Expandir refeitório	✓
Contratar nova empresa de *catering*	✓
Estabelecer parcerias com grupos comunitários	
Aumentar reciclagem em 10%	✓
Fazer embalagens com material reciclado	✓
Reduzir consumo de energia em 15%	
Aumentar vendas em 10%	✓
Lançar novo produto	✓
Cadastrar 5 novos clientes	✓
Distribuir produtos em novo sistema	
Fazer avaliações mensais	

b. Ouça o áudio mais uma vez e complete os verbos com as terminações que ouve. Siga o exemplo:

estabelec*idas*

cumpr______	reduz______
expand______	ultrapass______
contrat______	lanç______
contat______	cadastr______
relacion______	distribu______
ating______	conclu______

c. Complete o quadro organizando os verbos acima e adicionando as terminações irregulares.

-ado(s) / -ada(s)	-ido(s) / -ida(s)	Terminações irregulares
	estabelecidas (estabelecer)	feitas (fazer) __________ (entregar) __________ (rever)

2:21 **2 Use o vocabulário do quadro para completar o texto. Depois, ouça o áudio para verificar suas respostas.**

foi +	ampliada estimada comprovado fixada reavaliada verificado

foram +	cortadas elaborados estimadas implementadas limitadas

A meta de superávit da empresa ________________ em 240 milhões de reais para este ano. De acordo com o plano empresarial, cada setor deve elaborar um cronograma de desembolso mensal. Os cronogramas ____________________ e a receita ____________________ com a finalidade de garantir o cumprimento da meta de superávit. Assim sendo, as despesas ________________ em 15%. Depois do segundo bimestre, as despesas ____________________ a 71 milhões de reais. As recomendações da avaliação ____________________ e a receita líquida ________________ em 90 milhões de reais, enquanto as despesas ____________________ em 67 milhões de reais. Com isso, a movimentação financeira ____________________ no terceiro bimestre. Encerrado o mês de junho, ____________________ um superávit de 45 milhões de reais, ultrapassando em 5 milhões de reais a meta para o terceiro bimestre. Desta forma, ____________________ o cumprimento da meta de superávit da empresa.

2:22 **3 Ouça a conversa sobre o desempenho do gerente de informática e responda os exercícios.**

a. Ele foi bem ou mal avaliado? ______________________________

b. Ouça a conversa novamente e anote alguns pontos positivos e negativos sobre o desempenho do gerente de informática.

PONTOS POSITIVOS	PONTOS NEGATIVOS

PRODUÇÃO ORAL

1 Pense no/a seu/sua chefe atual (ou em um/a chefe que teve no passado) e faça sua avaliação marcando a coluna apropriada na tabela.

	Discordo totalmente	Discordo parcialmente	Não concordo nem discordo	Concordo parcialmente	Concordo totalmente
Ajuda no desenvolvimento profissional					
Valoriza e motiva a equipe					
Dá *feedback* que leva a melhor desempenho					
Reconhece o trabalho individual e de equipe					
Comunica-se de forma clara e concisa					
Direciona a equipe para o cumprimento das metas					
Compreende em detalhes o campo de trabalho					
Compartilha informações necessárias					
Demonstra energia e espírito de vitória					

2 Agora use as informações da tabela anterior para falar sobre essa pessoa. Use o vocabulário abaixo, com atenção para os termos em negrito.

- Ela reconhece meu trabalho; **além disso**, ajuda-me no cumprimento das metas.
- **Apesar de** às vezes ser um pouco impulsiva, ela dá bom *feedback*.
- Ele me motiva, **mas nem sempre** me ajuda a cumprir as metas.
- Ele **não só** conhece bem a empresa **como também** entende detalhadamente o campo em que atua.
- Ela tenta direcionar a equipe. **No entanto**, não se comunica de forma clara.
- Ele valoriza a equipe **e também** dá bom *feedback*. **Outro ponto positivo**: ele está sempre disposto a ouvir o que temos a dizer.

3 Em um bloco de notas, liste vantagens e desvantagens de cada um dos métodos de avaliação a seguir. Depois, fale sobre cada um deles, dando exemplos com base na sua experiência. O vocabulário em negrito do exercício anterior pode ajudar.

TIPOS DE AVALIAÇÃO DE DESEMPENHO	
Escala gráfica	Avaliação feita com base em critérios predefinidos e avaliados de forma graduada.
Pesquisa de campo	Inclui entrevistas com profissionais especializados em avaliação e gerentes do funcionário avaliado para conclusões conjuntas.
Autoavaliação	Avaliação feita pelo próprio funcionário sobre seu desempenho.
Incidentes críticos	O funcionário é avaliado por seu desempenho em incidentes altamente positivos ou negativos. O método, portanto, não prioriza eventos "normais", mas sim "excepcionais".
Lista de verificações	Método tradicional baseado em *checklists*.
Avaliação a 360°	Método abrangente que envolve *feedback* de todos os envolvidos com o trabalho do avaliado: superiores, pares, subordinados, clientes, fornecedores etc.

4 Veja abaixo ideias que podem ser levadas em conta quando se avalia um colega de trabalho. Marque sua reação sobre essas ideias e expresse suas opiniões oralmente.

	Boa ideia	Depende	Má ideia
Perguntar sobre a opinião do/a avaliado/a.			
Fazer a avaliação em um lugar informal, fora da empresa (p. ex., em um bar).			
Dar sugestões concretas (por exemplo, não dizer "Você deve ser proativo", mas especificar: "Você deve procurar novos clientes").			
Comentar sobre pontos negativos de forma particular, sem pessoas por perto.			
Perguntar a outros colegas o que eles acham do/a avaliado/a.			
Apontar primeiro os pontos negativos e depois ressaltar os pontos positivos.			

5 Com base nos comentários abaixo sobre os membros de uma equipe, responda oralmente.

a. Quais os pontos fortes de Érica?
b. Que áreas Rodrigo deve desenvolver?
c. Como você avalia as competências de Iara?
d. Você gostaria de trabalhar com Luiz Fernando? Por quê (não)?

ÉRICA
- Tem muita autoconfiança.
- Nem sempre ouve os colegas.
- Às vezes fica calada quando discorda dos outros.
- Está sempre disposta a aprender coisas novas.
- Sempre entrega o trabalho no prazo combinado.
- Às vezes faz uma tempestade em copo-d'água.

LUIZ FERNANDO
- Às vezes chega atrasado.
- É muito dinâmico.
- Nem sempre acata os conselhos dos superiores.
- Trabalha muito bem em equipe.
- Lida bem com clientes.
- Em certas ocasiões, é maria vai com as outras.

RODRIGO
- Vai sempre além de suas funções.
- Valoriza a ajuda dos colegas e procura ajudar também.
- De vez em quando vê um bicho de sete cabeças onde não existe.
- Não é muito flexível.
- Conhece muito bem o setor.
- Às vezes sai mais cedo.

IARA
- É sempre pontual.
- Assimila novas informações com facilidade.
- Apresenta novas ideias com frequência; não chora sobre o leite derramado.
- Demonstra alguma ansiedade no relacionamento com superiores.
- É mais eficaz trabalhando sozinha do que em equipe.
- Demonstra interesse genuíno pelo bom funcionamento do setor.

Algumas expressões idiomáticas
- **Bicho de sete cabeças**: algo complicado; problema sem solução fácil.
- **Chorar sobre o leite derramado**: lamentar por causa de algo que já ocorreu.
- **Fazer tempestade em copo-d'água**: reagir de modo exagerado a algo que não é muito grave.
- **Ser maria vai com as outras**: não ter opinião própria; seguir a ideia de outras pessoas.

6 Ainda com base nos comentários do Exercício 5, simule um diálogo com um dos membros da equipe. No diálogo você deve ser o chefe, e a conversa acontece numa reunião de avaliação de desempenho. Explique por que essa pessoa vai (ou não vai) receber um bônus este ano. Use algumas das expressões em negrito no Exercício 2 da p. 182.

COMPREENSÃO ESCRITA

1 Leia o texto rapidamente e marque a alternativa que responde a cada pergunta.

80% DAS EMPRESAS UTILIZAM SISTEMA INFORMAL DE AVALIAÇÃO

A Page Assessment, divisão de negócios do grupo Michael Page especializada em identificar e propor soluções para que os talentos estejam alinhados aos objetivos das empresas, realizou uma pesquisa com 206 diretores de RH e identificou que 80% das empresas ainda utilizam sistemas de avaliação informal para desenvolvimento de lideranças, avaliação de *performance*, retenção de talentos e planos de sucessão.

Segundo dados da pesquisa, quase metade das empresas pesquisadas fazem avaliações mensais de modo informal, sem o uso eficiente de ferramentas complementares. Das ferramentas de avaliação pesquisadas (avaliação 180 graus, 360 graus, comitê de avaliação e 9box), as empresas indicam que, em média, 65% não utilizam nenhuma ferramenta formal de avaliação. [...]

Dentre as razões que explicam a baixa utilização das ferramentas de avaliação e os potenciais ganhos para as empresas que utilizam as ferramentas de avaliação, a pesquisa aponta [...]:

- *Turnover* da área de RH, o que dificulta a comparação dos motivos que restringem o uso de ferramentas nas empresas.
- As atuais práticas de Recursos Humanos ainda são convencionais, com pouca inovação.
- A área de RH ainda é refém da empresa na definição de política de investimento.
- Empresas não identificam os resultados das ferramentas de avaliação.
- Ganho direto na assertividade de processos seletivos.
- Eficiência na melhor definição das políticas de atração, retenção e desenvolvimento de talentos, priorizando ações de curto prazo que potencializem os resultados.
- Subsídio para decisões em relação ao uso de recursos internos para planos de expansão.
- Aprimoramento da cultura de alta *performance*, privilegiando a meritocracia.

(Adaptado de <http://www.rh.com.br/Portal/Desempenho/Pesquisa/8215/80-das-empresas-utilizam-sistema-informal-avaliacao.html>. Acesso em 11 jul. 2013.)

a. Qual é o assunto do texto? (isto é, o texto é sobre o quê?)

☐ Uma empresa que realiza pesquisas em RH.

☐ Os resultados de uma pesquisa sobre ferramentas de avaliação.

☐ As dificuldades encontradas ao se avaliar o desempenho de funcionários.

b. Qual é a ideia principal do texto? (isto é, qual é o ponto que o autor do texto quer enfatizar?)

☐ Pesquisas podem ajudar as empresas a melhor avaliar seus funcionários.

☐ É importante realizar avaliações de *performance*.

☐ Poucas empresas usam sistemas formais de avaliação.

2 Leia o texto novamente e escolha a melhor alternativa para completar cada frase.

a. A pesquisa da Page Assessment revelou que:
☐ todas as empresas realizam avaliações mensais.
☐ a área de RH ainda usa práticas convencionais.
☐ as empresas não avaliam *performance* regularmente.

b. O *turnover* da área de RH:
☐ não permite comparar decisões tomadas ao longo do tempo.
☐ perde consequências inibidoras.
☐ restringe o uso de ferramentas de avaliação.

c. O aprimoramento da cultura de alta *performance* é:
☐ uma razão para o baixo uso de ferramentas de avaliação.
☐ um potencial ganho quando a empresa usa ferramentas de avaliação.
☐ uma consequência do baixo uso de ferramentas de avaliação.

3 Relacione as palavras da esquerda aos significados da direita.

a. ferramentas	☐ pequeno período de tempo
b. restringem	☐ de acordo com; na mesma linha
c. atuais	☐ instrumentos
d. alinhados	☐ melhoramento
e. aprimoramento	☐ ajuda
f. priorizando	☐ presentes, efetivas
g. curto prazo	☐ limitam, reduzem
h. subsídio	☐ dando preferência

4 Complete as frases usando as palavras do quadro do exercício anterior.

a. No meu setor, nós consideramos as metas muito importantes. Nosso trabalho ___________ os objetivos que queremos atingir.
b. Nossas metas _______________ incluem a expansão para outros mercados. Este ano, contratamos dois profissionais especializados em ampliação de mercado.
c. Algumas pessoas acham que as metas _______________ a criatividade porque não podemos nos afastar dos objetivos.
d. Mas eu acho que as metas ajudam no _______________ da *performance*.
e. Nós temos algumas metas anuais e outras a _______________, ou seja, mensais ou semanais.

O TEXTO E VOCÊ

Responda oralmente.
- Que ferramentas de avaliação são usadas na sua empresa?
- Você prefere sistemas de avaliação formais ou informais? Por quê?
- Você gosta de ser avaliado/a? Por quê (não)?

PRODUÇÃO ESCRITA

1 Você vai produzir um questionário para avaliação de desempenho dos membros de sua equipe.

a. Primeiramente, defina as áreas que deseja incluir no questionário, escolhendo entre as áreas abaixo ou outras de sua preferência.

trabalho em equipe
orientação para resultado
capacidade de análise e crítica
comunicação oral
comunicação escrita

- ______________________________
- ______________________________
- ______________________________
- ______________________________
- ______________________________

b. Para cada uma das áreas acima, escreva no seu bloco de notas três itens que devem ser avaliados, como no exemplo:

Capacidade de análise e crítica
- Usa informações em seu julgamento
- Questiona as suas próprias posições
- Considera prós e contras de argumentos propostos

c. Escolha o tipo de critérios de avaliação que prefere. Abaixo há algumas sugestões.

☐	1. Sempre; 2. Na maioria das vezes; 3. Às vezes; 4. Raramente; 5. Nunca.

☐	1. Competência bem desenvolvida; 2. Competência razoavelmente desenvolvida; 3. Competência pouco desenvolvida; 4. Competência ausente.

☐	1. Supera as expectativas; 2. Satisfatório; 3. Precisa melhorar.

d. Em seu bloco de notas, escreva seu questionário. Se possível, peça a um colega para preenchê-lo.

2 O seu chefe quer um relatório com uma autoavaliação do seu desempenho. Antes de escrever o relatório, complete o quadro abaixo.

MEUS PONTOS POSITIVOS	
PONTOS EM QUE POSSO MELHORAR	

3 Agora, escreva um parágrafo com a sua autoavaliação. Use alguns dos termos dados abaixo.

além disso | apesar de | mas | não só... como também | no entanto

VOCABULÁRIO E PRONÚNCIA

2:23 **1 Leia e ouça.**

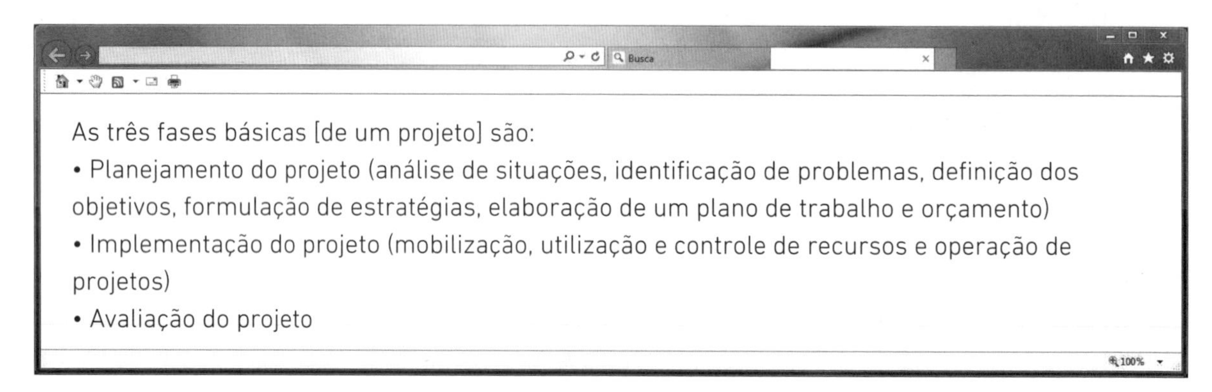

As três fases básicas [de um projeto] são:

- Planejamento do projeto (análise de situações, identificação de problemas, definição dos objetivos, formulação de estratégias, elaboração de um plano de trabalho e orçamento)
- Implementação do projeto (mobilização, utilização e controle de recursos e operação de projetos)
- Avaliação do projeto

(<http://cec.vcn.bc.ca/mpfc/modules/mon-impp.htm>. Acesso em 12 jul. 2013.)

2 Complete o quadro com vocabulário do texto. Depois, ouça e repita.

VERBO	SUBSTANTIVO
avaliar	(a) avaliação
definir	(a) __________
elaborar	(a) __________
formular	(a) __________
identificar	(a) __________
implementar	(a) __________
mobilizar	(a) __________
operar	(a) __________
utilizar	(a) __________

VERBO	SUBSTANTIVO
orçar	(o) __________
planejar	(o) __________

VERBO	SUBSTANTIVO
analisar	(a) __________
controlar	(o) __________
planejar	(o) __________
projetar	(o) __________
trabalhar	(o) __________

- Os substantivos que terminam em **-mento** são masculinos (**o orçamento**, **o planejamento**).
- Quando são derivados de verbos, os substantivos que terminam em **-ção** são femininos (**a definição**, **a operação** etc.).

Note que há substantivos masculinos que terminam em **-ção** (**o coração**, **o cação** etc.), mas estes não são derivados de verbos.

INFORMAÇÕES CULTURAIS

1 Leia.

APELIDOS

No Brasil, é comum chamar uma pessoa pelo seu apelido. Alguns apelidos comuns são: Zé, Zeca, Zezinho (para José); Tom, Toninho, Tonico (para Antônio); Malu (para Maria Luísa); Bia (para Beatriz); Pepê, Pedrinho (para Pedro); Guga, Gugu (para Gustavo). Muitos apelidos formam-se com as iniciais dos nomes (Fê para Fernanda; Rê para Renata; Di para Diogo; Leo para Leonardo) e outros remetem a características pessoais (Baixinho/a, Louro/a, Linguiça) ou origem geográfica (Gaúcho, Mineiro).

"Dom Casmurro" é o apelido, ou alcunha, do personagem central de um livro muito conhecido no Brasil. O livro, também chamado *Dom Casmurro,* foi escrito por Machado de Assis (1839-1908), autor considerado por muitas pessoas o maior escritor da literatura brasileira. Sua obra destaca-se pela ironia, pessimismo e desenvolvimento da psicologia dos personagens. Dentre seus romances mais famosos, além de *Dom Casmurro,* estão *Memórias Póstumas de Brás Cubas* e *O Alienista.*

2 Leia o primeiro capítulo de *Dom Casmurro.* O livro foi publicado em 1899.

CAPÍTULO I

Do Título

Uma noite destas, vindo da cidade para o Engenho Novo, encontrei no trem da Central um rapaz aqui do bairro, que eu conheço de vista e de chapéu. Cumprimentou-me, sentou-se ao pé de mim, falou da lua e dos ministros, e acabou recitando-me versos. A viagem era curta, e os versos pode ser que não fossem inteiramente maus. Sucedeu, porém, que, como eu estava cansado, fechei os olhos três ou quatro vezes; tanto bastou para que ele interrompesse a leitura e metesse os versos no bolso.

– Continue, disse eu acordando.

– Já acabei, murmurou ele.

– São muito bonitos.

Vi-lhe fazer um gesto para tirá-los outra vez do bolso, mas não passou do gesto; estava amuado. No dia seguinte entrou a dizer de mim nomes feios, e acabou alcunhando-me Dom Casmurro. Os vizinhos, que não gostam dos meus hábitos reclusos e calados, deram curso à alcunha, que afinal pegou. Nem por isso me zanguei. Contei a anedota aos amigos da cidade, e eles, por graça, chamam-me assim, alguns em bilhetes: "Dom Casmurro, domingo vou jantar com você." – "Vou para Petrópolis, Dom Casmurro; a casa é a mesma da Renânia; vê se deixas essa caverna do Engenho Novo, e vai lá passar uns quinze dias comigo." – "Meu caro Dom Casmurro, não cuide que o dispenso do teatro amanhã; venha e dormirá aqui na cidade; dou-lhe camarote, dou-lhe chá, dou-lhe cama; só não lhe dou moça."

Não consultes dicionários. Casmurro não está aqui no sentido que eles lhe dão, mas no que lhe pôs o vulgo de homem calado e metido consigo. Dom veio por ironia, para atribuir-me fumos de fidalgo. Tudo por estar cochilando! Também não achei melhor título para a minha narração; se não tiver outro daqui até o fim do livro, vai este mesmo. O meu poeta do trem ficará sabendo que não lhe guardo rancor. E com pequeno esforço, sendo o título seu, poderá cuidar que a obra é sua. Há livros que apenas terão isso dos seus autores; alguns nem tanto.

CONEXÕES INTERCULTURAIS

Responda oralmente.

1 O capítulo é narrado por Dom Casmurro. Por que ele ganhou esse apelido?

2 Na cultura brasileira, ser calado e recluso é considerado positivo? E na sua cultura de origem?

3 Que qualidades são negativas na sua cultura? Que qualidades são positivas?

4 Você tem um apelido? Qual é a origem dele?

GRAMÁTICA

CONSULTE A *MINIGRAMÁTICA* PARA MAIS INFORMAÇÕES.

1 Complete o parágrafo com o particípio passado dos verbos dados.

A avaliação é _______________ (usar) para obter dados sobre o desempenho da empresa e de cada um dos funcionários. Uma avaliação bem _______________ (fazer) permite entender melhor as necessidades de todos. Pode-se verificar se os objetivos _______________ (estabelecer) foram _______________ (alcançar) e se todos cumpriram suas metas. Quando as metas não são _______________ (cumprir), é necessário identificar os motivos. Normalmente, as avaliações não são bem _______________ (ver) por todos. Portanto, é importante trabalhar com os avaliados e enfatizar o trabalho de equipe. É importante deixar as portas _______________ (abrir) para questionamentos _______________ (fazer) pelos avaliados.

2 Forme frases a partir dos elementos dados, como no exemplo. Use o pretérito perfeito.

metas / definir / há dois anos
As metas foram definidas há dois anos.

a. avaliação / realizar / mês passado

____

b. tarefas / dividir / entre os supervisores

____

c. relatório / escrever / depois do expediente

____

d. supervisores / avaliados / em seguida

____

e. funcionários / convidar / a discutir as avaliações

____

f. diretor geral / elogiar / na reunião

____

g. nós / promover / depois da avaliação

____

UNIDADE 15 NEGOCIAÇÕES

COMEÇANDO O TRABALHO

2:24 ► LEIA E OUÇA.

CENA 1

A: Você tem feito boas negociações recentemente?
B: Não, não tenho.
A: Mas por que não?

CENA 2

A: Como foi a negociação com o chefe?
B: Péssima.
A: Mas por quê?

► REFLEXÕES INICIAIS.

1 Responda.

a. Quais respostas são adequadas para dar continuidade à Cena 1? E quais são à Cena 2?

- Eu não **tinha desenvolvido** um plano de negociação.
- Eu não **tinha pensado** no que ia propor.
- Eu não **tinha decidido** o que podia e não podia aceitar.
- Eu não **tinha me preparado** para enfrentar a tensão.

- Eu não **tenho pensado** nos meus objetivos de negociação antes das reuniões.
- Eu não **tenho tido** tempo de me preparar para as negociações.
- Eu **tenho andado** inseguro e acabo aceitando coisas que não são vantajosas para mim.

I. ______________________ **II.** ______________________

b. Relacione as colunas.

I. O tempo verbal composto por "ter" no presente + particípio passado refere-se a...	☐ situações que começaram no passado e vêm até o presente.
II. O tempo verbal composto por "ter" no pretérito imperfeito + particípio passado refere-se a...	☐ situações que aconteceram antes de outro ponto no passado.

► SOBRE VOCÊ.

2 Responda com "Tenho, sim.", "Não, não tenho.", "Tinha, sim." ou "Não, não tinha.".

a. Você tinha se preparado bem antes da sua última negociação salarial?
b. Você tem se posicionado firmemente em negociações recentes?

COMPREENSÃO ORAL

2:25 **1 Ouça e complete o quadro: Quais benefícios são negociados antes de assinar um contrato de trabalho?**

BENEFÍCIO	PERCENTAGEM
	83%
	56%
Férias extras	
Gastos com mudança	
	27%
Pagamento em ações	
	24%
Planos de saúde	

2:26 **2 Ouça o diálogo e marque V (verdadeiro) ou F (falso).**

a. ☐ Inicialmente, Laura oferece R$ 2.400 por mês a Armando.
b. ☐ Armando exige seguro de vida.
c. ☐ Armando tem experiência como analista de TI.
d. ☐ Laura oferece uma jornada de trabalho flexível.
e. ☐ Armando vai trabalhar em casa a semana toda.
f. ☐ Armando quer tirar 30 dias de férias por ano.
g. ☐ Laura concorda em pagar R$ 2.600 por mês.
h. ☐ Armando vai ter assistência odontológica.

3 Ouça o diálogo do Exercício 2 novamente e sublinhe as formas usadas pelos falantes no áudio.

COMO OS FALANTES MOSTRAM CONCORDÂNCIA E/OU ENTENDIMENTO DE ALGO
• Essa é uma boa sugestão. • O que você está propondo é... • Deixa eu ver se entendi: você quer... • Acho que nós dois concordamos que... • Seus pedidos são válidos. • Acho que você tem razão em se posicionar dessa forma. • Não tem problema.

COMO OS FALANTES MOSTRAM DISCORDÂNCIA E/OU OBJEÇÃO A ALGO
• Sob o meu ponto de vista... • Para mim faz mais sentido... • Acho que podemos chegar a um acordo, mas... • Hum!... Não sei. Acho que... • Entendo o seu ponto de vista, mas... • Infelizmente essa ideia não é muito boa para mim. • Sob meu ponto de vista a situação fica um ponto diferente.

2:27 4 Ouça os diálogos e escreva como os falantes finalizam suas negociações.

Diálogo 1

Luís:	O motorista vai te pegar e te levar todo dia.
Rosa:	E eu posso trabalhar em casa às sextas-feiras?
Luís:	Pode, mas tem que vir ao escritório em caso de necessidade.
Rosa:	Acho que ____________________.

Diálogo 2

Rui:	Eu prefiro o pagamento em ações.
Jaime:	Eu vou levar a sua proposta à diretoria.
Rui:	Vamos deixar ____________________.

Diálogo 3

Marina:	Então você passa a ser supervisor, com um aumento de 15%.
Júlio:	Você não vai voltar atrás?
Marina:	Não. Eu estou ____________________.

Diálogo 4

Pedro:	Eu sei, Adriana, mas não posso tomar essa decisão agora.
Adriana:	Não se esqueça que nós não temos atraído novos clientes.
Pedro:	Eu gostaria de ____________________.

Diálogo 5

Regina:	Desculpe, não posso te dar férias agora.
Marcelo:	Mas eu tenho trabalhado todo fim de semana há cinco meses!
Regina:	Eu sei, por isso propus outubro ou novembro.
Marcelo:	Posso ____________________?

PRODUÇÃO ORAL

1 Na linha do tempo abaixo, leia os eventos que ocorreram com Fernando em seu trabalho. Depois, faça frases oralmente juntando duas informações. Observe o exemplo.

março/2012	janeiro/2013	março/2013	abril/2013	junho/2013	agosto/2013
Pediu aumento / O aumento foi negado	Assumiu a chefia do departamento de logística / O salário não foi alterado	Fez novo pedido de aumento / O pedido foi negado novamente	Começou a procurar novo emprego	O chefe lhe deu um aumento de 5%	Trocou de emprego

Quando Fernando assumiu a chefia do departamento de logística ele **já tinha pedido** aumento de salário.

2 O que você tem feito nas suas negociações recentes? Use o vocabulário abaixo e faça frases afirmativas ou negativas oralmente.

Ser transparente; paciente · Justificar posicionamentos · Dar opções
Propor alternativas que não são boas para o outro lado
Tentar entender o ponto de vista do outro · Fazer pesquisa sobre o mercado
Preparar argumentos sólidos · Ouvir o outro com atenção · Considerar alternativas

3 Você está se preparando para uma negociação futura. Responda às perguntas oralmente, como se estivesse pensando em voz alta.

a. Qual é o meu objetivo principal na negociação?
b. Qual são os objetivos principais do meu interlocutor?
c. Quais possibilidades posso propor?
d. Qual deve ser a contraproposta do meu interlocutor?
e. Qual é o meu prazo máximo para uma decisão?
f. O que posso / o que não posso aceitar?
g. O que preciso ler/pesquisar antes da reunião?
h. O que eu preciso me lembrar sobre as características de uma boa negociação?
i. Eu tenho concorrentes? Como me posiciono em relação a eles? O que posso fazer para tornar minha posição mais forte que a deles?

4 **Em pares, simule um diálogo entre Miguel e sua chefe Susana. Para se preparar para o *role play*, leia as informações em "A situação" e as do quadro sobre o papel que você vai representar no *role play*. Não leia o quadro com informações sobre o outro papel.**

A SITUAÇÃO

Miguel e Susana estudaram turismo na mesma universidade e trabalham há 10 anos em uma grande agência de turismo. Há dois anos Susana foi promovida a gerente de atividades operacionais na empresa, tornando-se chefe de Miguel, que é supervisor de atendimento a clientes. O contrato de Otávio, um dos atendentes no *call center* que Miguel supervisiona, está chegando ao fim. Otávio foi contratado por apenas seis meses para lidar com a demanda maior de pacotes de turismo que acontece no verão. Miguel convocou uma reunião para falar com Susana sobre Otávio.

MIGUEL

Você quer convencer Susana a oferecer uma vaga permanente para Otávio. Nos meses em que Otávio trabalhou na empresa ele demonstrou diversas qualidades e, nas avaliações feitas pelos clientes, teve o melhor desempenho do grupo. Uma cliente chegou a comentar que vai contratar viagens no futuro devido ao ótimo atendimento dado por Otávio quando ela teve um problema.

SUSANA

Você suspeita que Miguel vai propor extensão do contrato de Otávio, mas você tem um dilema: por um lado, você está sob pressão de seu próprio chefe, que insiste na necessidade de aumento de receita, mas não quer aumento de despesas com pessoal. Por outro lado, você confia nas avaliações feitas por Miguel e entende que ele sabe identificar talentos.

5 **Crie um diálogo entre você e seu chefe em que você explica que tem trabalhado demais. Use as ideias a seguir como apoio.**

Eu sou a única pessoa que faz...

Qual é a expectativa da empresa com relação a...

Eu tenho trabalhado... horas por dia e não tiro férias há... anos.

Acho que não é demais pedir...

Eu não tenho feito... porque...

6 **Leia a notícia abaixo e relate oralmente o conteúdo. Dê a sua opinião sobre a notícia.**

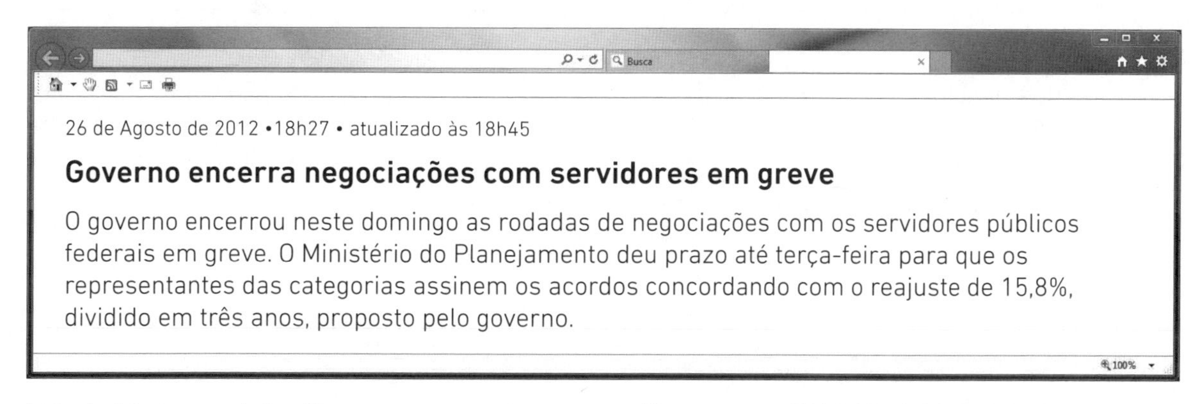
26 de Agosto de 2012 •18h27 • atualizado às 18h45

Governo encerra negociações com servidores em greve

O governo encerrou neste domingo as rodadas de negociações com os servidores públicos federais em greve. O Ministério do Planejamento deu prazo até terça-feira para que os representantes das categorias assinem os acordos concordando com o reajuste de 15,8%, dividido em três anos, proposto pelo governo.

(<http://noticias.terra.com.br/brasil/governo-encerra-negociacoes-com-servidores-em-greve,a8f0dc840f0da310VgnCLD200000bbcceb0aRCRD.html>. Acesso em 9 jul. 2013.)

COMPREENSÃO ESCRITA

1 Leia o texto e relacione as colunas.

Uma pesquisa divulgada pelo LinkedIn, maior rede profissional do mundo, apontou que o brasileiro foi considerado o profissional que mais teme uma negociação. A porcentagem foi de 21%, enquanto na média global o número é de 6%. Para Mário Rodrigues, diretor do Instituto Brasileiro de Vendas (IB-Vendas), essa realidade se aplica também aos empreendedores, seja qual for o ramo de atuação. A explicação é simples: a cultura brasileira preza por relações amistosas e toda negociação envolve um impasse – se não fosse assim, não seria necessário negociar. "O impasse é tido como algo negativo, coisa que o brasileiro muitas vezes prefere evitar. Aí acaba surgindo o medo de assumir riscos ao negociar, de melindrar o interlocutor", pondera. Entretanto, negociar não é um bicho de sete cabeças e é preciso ser encarado com naturalidade. O especialista explica que o segredo para uma negociação bem-sucedida é conseguir entender quais são os interesses dos envolvidos no processo. "Existem pessoas que entram em uma negociação sem ter ideia do que a outra parte quer. Antes de tudo, é preciso desenvolver a habilidade de ouvir e fazer perguntas que nortearão o trabalho. Dessa forma, é possível alcançar resultados positivos com mais facilidade", diz.

(*Meu Próprio Negócio*. São Paulo: On Line Editora, n. 114, ago. 2012. p. 26.)

VOCABULÁRIO DO TEXTO
a. divulgada
b. teme
c. seja qual for
d. preza por
e. é tido como
f. melindrar
g. interlocutor
h. um bicho de sete cabeças
i. nortearão

O QUE O VOCABULÁRIO SIGNIFICA
☐ é considerado
☐ independentemente de
☐ um grande problema
☐ revelada, apresentada
☐ tem medo de
☐ pessoa que participa de uma conversa
☐ vão dar direção
☐ gosta de
☐ ferir, ofender

2 Que ideia é expressa pelas palavras destacadas?

a. A porcentagem foi de 21%, **enquanto** na média global o número é de 6%.
☐ tempo ☐ comparação ☐ conclusão

b. **Aí** acaba surgindo o medo de assumir riscos ao negociar.
☐ conclusão ☐ contraste ☐ tempo

c. **Entretanto**, negociar não é um bicho de sete cabeças.
☐ condição ☐ ênfase ☐ contraste

d. **Dessa forma**, é possível alcançar resultados positivos.
☐ exemplificação ☐ condição ☐ conclusão

3 Leia o texto novamente e marque as alternativas verdadeiras.

a. ☐ De modo geral, os brasileiros gostam de relações que apresentam conflito.
b. ☐ De acordo com a pesquisa, os brasileiros têm mais medo de negociar do que empresários de outras nacionalidades.
c. ☐ Um bom negociador fala muito mais do que ouve.
d. ☐ É preciso compreender os interesses das pessoas com quem negociamos.
e. ☐ Os brasileiros não se importam de ofender o interlocutor.

4 Complete as frases de acordo com a informação no texto.

a. O LinkedIn fez ____.
b. Os brasileiros não gostam ______________________________________.
c. Maus negociadores ____.
d. Negociações ____.
e. Durante uma negociação _______________________________________.

O TEXTO E VOCÊ

Responda oralmente.

- Você concorda com o perfil de negociações dos brasileiros descrito no texto?
- Os brasileiros que você conhece são receosos no que se refere a negociações?.
- Você é um/a bom/boa negociador/a? Por quê?

PRODUÇÃO ESCRITA

1 Você sabe o que é um memorando? Leia e confira.

memorando

s. m.

Mensagem, breve e informal, usada como instrumento de comunicação administrativa, em impresso apropriado, geralmente em correspondência interna.

(Houaiss, Antônio. *Dicionário Houaiss da língua portuguesa*. Rio de Janeiro: Objetiva, 2009.)

2 Leia o memorando abaixo e marque quais elementos ele contém.

MEMORANDO

Para: Almir Silva, Presidente do Sindicato dos Metalúrgicos
De: João Cruz, Diretor Financeiro, Montadora Brasil (MB)
Data: 5/7/2013
Ref.: Acordo

Almir,

Segundo o acordo estabelecido na nossa última rodada de negociações, a MB concorda em antecipar o pagamento do 13º salário para fevereiro a partir do ano que vem. A MB também concorda em rever a situação dos trabalhadores que têm doenças ocupacionais e dos que sofreram acidentes de trabalho. Em relação ao último ponto negociado, demissões, a posição da montadora continua inalterada: a situação econômica atual exige cortes no orçamento.

Atenciosamente,

João Cruz
Diretor Financeiro
Montadora Brasil

GLOSSÁRIO

sindicato: associação que defende interesses dos trabalhadores.

metalúrgicos: trabalhadores da metalurgia, inclusive fábricas de automóveis.

a. ☐ Logo da empresa
b. ☐ Número do memorando
c. ☐ Remetente (aquele/a que escreveu o memorando)
d. ☐ Destinatário(s), indicado(s) pelo cargo
e. ☐ Referência (tópico, assunto)
f. ☐ Local e/ou data
g. ☐ Corpo da mensagem (o texto propriamente dito)

h. ☐ Despedida
i. ☐ Assinatura e cargo

3 Escreva um memorando para sua equipe, comunicando as decisões de uma negociação que você acaba de finalizar. Inclua alguns termos do quadro.

enquanto | de acordo com | segundo | entretanto | dessa forma

MEMORANDO

Para: ______________________________

De: ______________________________

Data: ______________________________

Ref.: ______________________________

Caros membros da equipe,

____
____
____
____
____
____
____
____
____
____
____
____
____

Atenciosamente,

____
____
____

(nome e cargo)

VOCABULÁRIO E PRONÚNCIA

2:28 **1 Complete as frases com o vocabulário em negrito do quadro. Depois, ouça e confira suas respostas.**

GLOSSÁRIO

ceder: aceitar
consenso: acordo geral
contraproposta: oferta apresentada como resposta à primeira proposta
exigência: o que uma das partes requer
impasse: dificuldade; ponto em que a negociação não prossegue
merecer: ser digno de; ter direito a
ponto de vista: perspectiva
receptivo/a: aberto/a a uma proposta
regatear: discutir (o preço, o salário etc.)
ultimato: exigência final

a. Do meu ______________ faz mais sentido ter um salário mais alto.
b. Ele me deu um ______________: ou eu concordo com o que ele pede, ou ele pede demissão.
c. O presidente da companhia vai ______________ aos nossos pedidos porque ele não pode perder a produção.
d. O sindicato só tinha uma ______________: o pagamento de hora extra.
e. O presidente do sindicato se mostrou ______________ à sugestão da empresa, que ele considerou justa.
f. Eu fiz uma proposta de aumento de 20%, e o meu chefe fez uma ______________ de aumento de 10%.
g. Os trabalhadores acham que eles ______________ os benefícios pedidos porque a companhia tem um lucro muito alto.
h. Depois de cinco horas de negociação, nós chegamos a um ______________: nenhuma das duas partes aceitava nada do que a outra dizia.
i. Os metalúrgicos e as montadoras chegaram a um ______________ e os trabalhadores voltaram ao trabalho.
j. Os compradores quiseram ______________ o preço do nosso produto.

2:29 **2 Ouça e repita.**

exigência máximo complexo faixa

2:30 **3 Ouça e escreva o som da letra "x" em cada palavra. Siga os exemplos.**

e**x**igência [z] má**x**imo [s] comple**x**o [ks] fai**x**a [ʃ]

a. e**x**emplo	**c.** au**x**ílio	**e.** e**x**tremo	**g.** Mé**x**ico	**i.** e**x**ecutiva
b. fi**x**ar	**d.** pu**x**ar	**f.** pró**x**ima	**h.** conte**x**to	**j.** tá**x**i

INFORMAÇÕES CULTURAIS

1 Desembaralhe as palavras para formar frases sobre o comportamento brasileiro em negociações.

a. latinos / os / de / brasileiros / de / chamados / não / ser / gostam

____

b. se sentem / não / espanhol / brasileiros / falando / confortáveis / os

____

(<http://www.rhportal.com.br/artigos/wmview.php?idc_cad=t2yf2_h_2>. Acesso em 9 jul. 2013.)

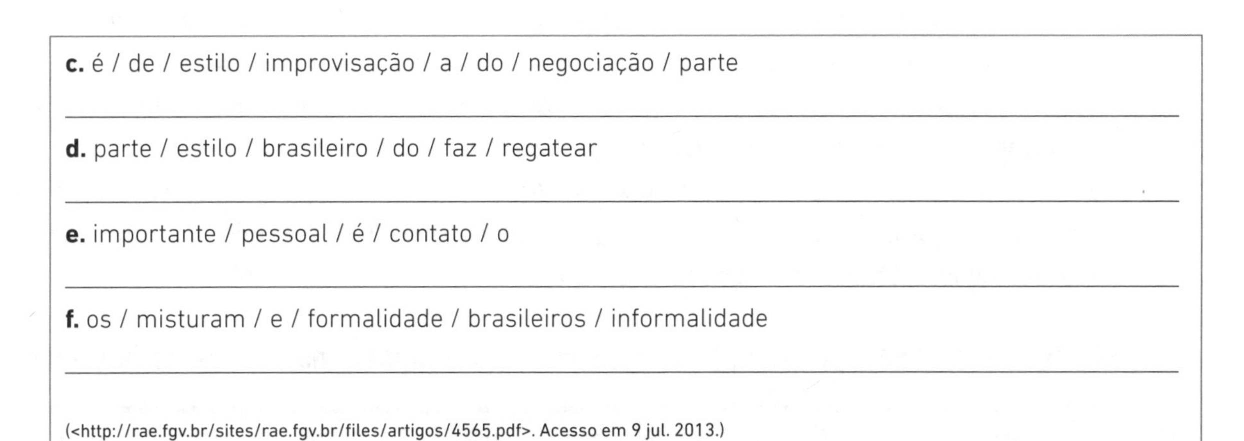

c. é / de / estilo / improvisação / a / do / negociação / parte

____

d. parte / estilo / brasileiro / do / faz / regatear

____

e. importante / pessoal / é / contato / o

____

f. os / misturam / e / formalidade / brasileiros / informalidade

____

(<http://rae.fgv.br/sites/rae.fgv.br/files/artigos/4565.pdf>. Acesso em 9 jul. 2013.)

g. de / jogo / Brasil / importante / ter / é / no / cintura

____

(<http://exame.abril.com.br/revista-exame/edicoes/0875/noticias/a-arte-da-negociacao-m0101332>. Acesso em 9 jul. 2013.)

GLOSSÁRIO

jogo de cintura: expressão coloquial que se refere à flexibilidade no modo de agir.

CONEXÕES INTERCULTURAIS

Responda oralmente.

1 Quais são as características de negociação mais comuns no seu país?
2 Que características você considera positivas? Por quê?
3 Que características você considera negativas? Por quê?
4 Na sua opinião, pode ser fácil negociar com brasileiros? Por quê (não)?
5 Na sua opinião, o relacionamento pessoal com o negociador é importante ou não? Por quê?
6 Você prefere uma negociação formal ou informal?

GRAMÁTICA

PÁGINA 274

CONSULTE A *MINIGRAMÁTICA* PARA MAIS INFORMAÇÕES.

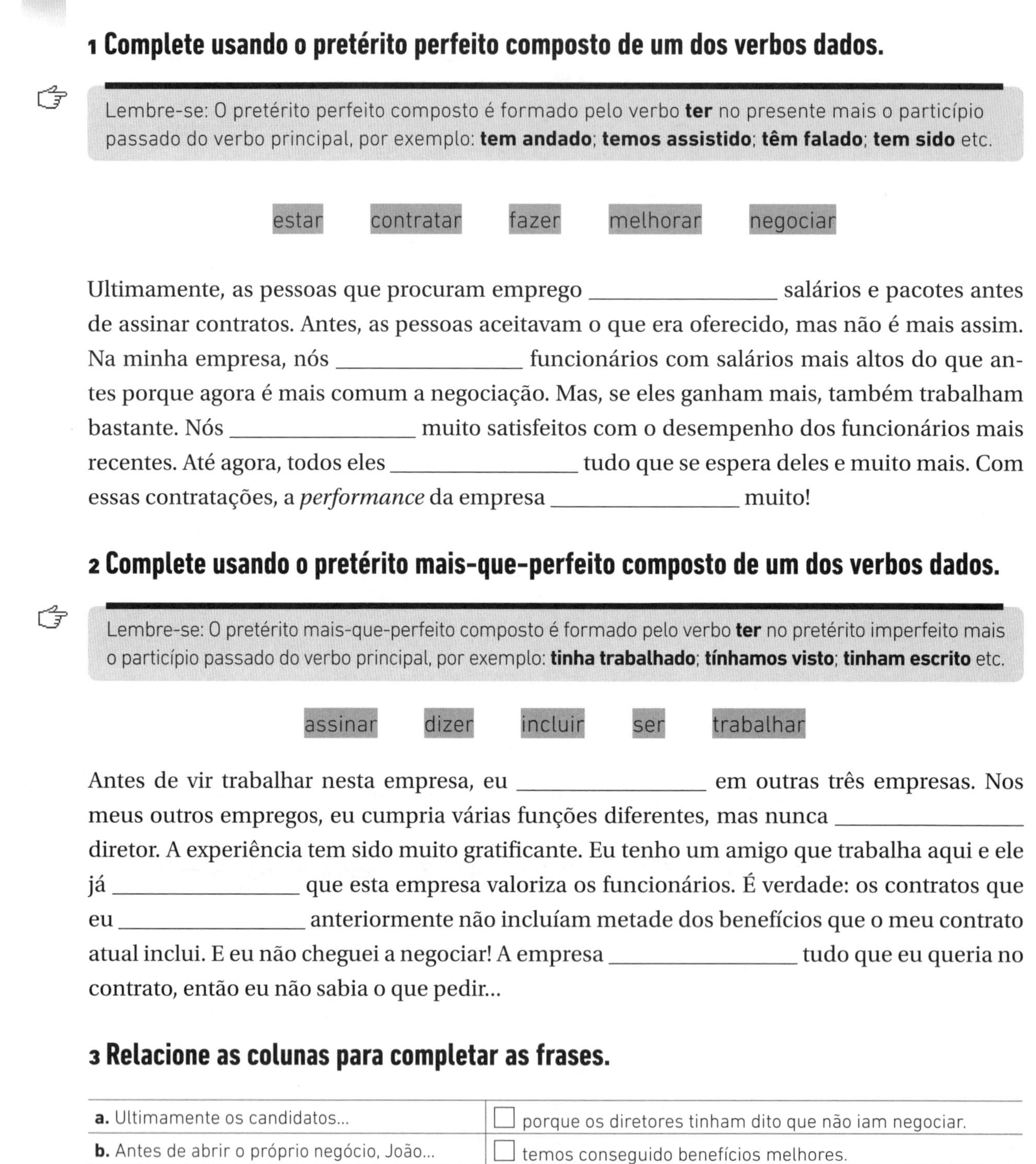

1 Complete usando o pretérito perfeito composto de um dos verbos dados.

Lembre-se: O pretérito perfeito composto é formado pelo verbo **ter** no presente mais o particípio passado do verbo principal, por exemplo: **tem andado**; **temos assistido**; **têm falado**; **tem sido** etc.

estar contratar fazer melhorar negociar

Ultimamente, as pessoas que procuram emprego __________ salários e pacotes antes de assinar contratos. Antes, as pessoas aceitavam o que era oferecido, mas não é mais assim. Na minha empresa, nós __________ funcionários com salários mais altos do que antes porque agora é mais comum a negociação. Mas, se eles ganham mais, também trabalham bastante. Nós __________ muito satisfeitos com o desempenho dos funcionários mais recentes. Até agora, todos eles __________ tudo que se espera deles e muito mais. Com essas contratações, a *performance* da empresa __________ muito!

2 Complete usando o pretérito mais-que-perfeito composto de um dos verbos dados.

Lembre-se: O pretérito mais-que-perfeito composto é formado pelo verbo **ter** no pretérito imperfeito mais o particípio passado do verbo principal, por exemplo: **tinha trabalhado**; **tínhamos visto**; **tinham escrito** etc.

assinar dizer incluir ser trabalhar

Antes de vir trabalhar nesta empresa, eu __________ em outras três empresas. Nos meus outros empregos, eu cumpria várias funções diferentes, mas nunca __________ diretor. A experiência tem sido muito gratificante. Eu tenho um amigo que trabalha aqui e ele já __________ que esta empresa valoriza os funcionários. É verdade: os contratos que eu __________ anteriormente não incluíam metade dos benefícios que o meu contrato atual inclui. E eu não cheguei a negociar! A empresa __________ tudo que eu queria no contrato, então eu não sabia o que pedir...

3 Relacione as colunas para completar as frases.

a. Ultimamente os candidatos...	☐ porque os diretores tinham dito que não iam negociar.
b. Antes de abrir o próprio negócio, João...	☐ temos conseguido benefícios melhores.
c. Marta não pediu um salário mais alto...	☐ tenho pedido aumento todos os meses.
d. Todos os anos nós...	☐ têm negociado os salários.
e. O gerente nega sempre, mas eu...	☐ tinha sido diretor de vendas.

UNIDADE 16 PUBLICIDADE E *MARKETING*

COMEÇANDO O TRABALHO

2:31 ► LEIA E OUÇA.

1 Ouça e leia o *webinar* em que a diretora de *marketing* de uma empresa fala a todos os funcionários sobre a nova estratégia de *marketing*.

É importante redefinirmos a nossa marca. Vamos discutir nossas estratégias de *rebranding* internamente e tomar todo o cuidado para não deixarmos nossas discussões saírem da empresa. Fica tudo aqui entre nós até as mudanças estarem todas definidas.

► REFLEXÕES INICIAIS.

2 Responda.

a. Em "É importante redefinirmos...", qual palavra está omitida antes do verbo "redefinirmos"?
(Eu) (Vocês) (Ela) (Nós) (Elas)
b. Em "... para não deixarmos...", qual palavra está omitida antes de "não deixarmos"?
(Eu) (Vocês) (Ele) (Nós) (Eles)
c. A que se refere o verbo "saírem"?
(À empresa, isto é, "ela") (À pessoa que fala, isto é, "eu") (Às discussões, isto é, "elas")
d. A que se refere o verbo "estarem"?
(À falante e a todos os funcionários, isto é, "nós") (Às mudanças, isto é, "elas")

► SOBRE VOCÊ.

3 Complete as frases. Comece a escrever usando um dos verbos a seguir.

estarmos perguntarmos incluirmos termos

a. Para desenvolvermos uma boa estratégia de *marketing* é importante...

____

b. A fim de conhecermos melhor os interesses do consumidor é aconselhável...

____

COMPREENSÃO ORAL

2:32 1 Ouça e complete as frases.

a. O chefe pediu para ______________ a propaganda do concorrente.
b. Antes de os folhetos ______________ prontos é preciso definir a quem eles vão ser enviados.
c. "Eu posso ficar aqui até os publicitários ______________", disse a estagiária.
d. Eles desenvolveram uma campanha de *marketing* sem os concorrentes ______________.
e. É muito bom ______________ um orçamento confortável para publicidade.
f. O Maurício fez a Paula e o Beto ______________ toda a estratégia de *marketing* para o novo produto.
g. Nós vimos dois funcionários da empresa concorrente ______________ no fundo do auditório em que nós apresentamos o novo anúncio.

GLOSSÁRIO

anúncio: mensagem que promove um produto ou serviço.
comercial (*substantivo*): anúncio no rádio ou na televisão.
propaganda: divulgação de ideias e conceitos.
publicidade: divulgação de produto ou serviço com fins lucrativos.

No Brasil, é comum usar a palavra **propaganda** no lugar de **publicidade**, **anúncio** ou **comercial**, por exemplo: *Eles criaram uma propaganda interessante para aquele produto.*

2:33 2 Ouça e complete as frases à esquerda. Em seguida, relacione as frases da esquerda com as explicações de uso da forma verbal à direita.

FRASES	USOS
a. Eu ouvi os diretores ______________ que gostaram da campanha.	☐ Depois de preposição.
b. O publicitário saiu da sala para nós ______________ o comercial.	☐ Após expressão impessoal (*é importante, é bom, é melhor* etc.).
c. A produtora mandou os estagiários ______________ o panfleto.	☐ Depois de verbos de percepção (*ver, ouvir*).
d. É melhor nós ______________ os folhetos logo.	☐ Após verbos como *mandar, deixar, fazer*.

2:34 3 Ouça o áudio e responda: Sobre o que é o áudio?

____
____
____
____

4 Ouça o áudio do Exercício 3 novamente e complete o quadro com o que ouve.

VANTAGENS	DETALHES	EXEMPLO
Duração	É possível __________ vídeos mais longos.	McDonald's usou vídeo para __________ porque o sanduíche da loja não se parece com o dos anúncios.
Capacidade de __________ o público	Após __________ sucesso em pouco tempo, um vídeo *on-line* pode __________ de veículo.	A Pepsi decidiu __________ um vídeo *on-line* e __________ para a televisão.
Amplitude	Depois de __________ um efeito viral, o alcance é ilimitado.	Campanha da Gillette brasileira conseguiu __________ o dobro do público projetado.
Custo	Pode __________ perto de zero.	Nokia: vídeo foi visto 150 mil vezes nas primeiras 24 horas, apesar de não __________ nada para __________.

2:35 ⏵

5 Ouça o áudio e responda.

a. O que o áudio contém? ____________________

b. Como você sabe? ____________________

6 Ouça o áudio do Exercício 5 novamente e complete o quadro.

	O que é?	O que tem de novo, melhor e/ou diferente dos concorrentes?
PRODUTO 1		
PRODUTO 2		
PRODUTO 3		

2:36 ⏵

7 Ouça e marque os motivos apresentados no áudio para a contratação de um matemático.

a. ☐ Calcular os aumentos de salários em 10%.
b. ☐ Calcular quanto devem gastar em publicidade.
c. ☐ Lançar propagandas em redes sociais.
d. ☐ Acompanhar o desempenho de anúncios em redes sociais.
e. ☐ Saber se cliques resultam em vendas.
f. ☐ Substituir anúncios todas as semanas.
g. ☐ Atrair clientes para fazer promoções.
h. ☐ Orientar a direção de promoções a partir de informações dadas pelos clientes.
i. ☐ Pedir informações aos clientes para comprar mais estoque.

8 Ouça novamente e responda: Quais termos Luís utiliza para apresentar seus exemplos?

____

PRODUÇÃO ORAL

1 Leia as informações a seguir em voz alta. Depois, responda às perguntas oralmente.

MÉTODOS DE PROPAGANDA	
Repetição	Uma ideia muito repetida se torna verdade.
Apelo à autoridade	Uma pessoa famosa apoia a ação ou o produto e dá credibilidade à mensagem.
Slogan	Frases curtas e impactantes. Um bom *slogan* fica entre o público durante anos.
Efeito dominó	"Venha para o nosso lado". Tenta convencer o público a aderir à ideia ou ao produto, pois todo mundo já aderiu.
Gente do povo	Apelo ao senso comum, ao que as pessoas comuns pensam ou querem.
Termos de efeito	Uso de vocabulário com apelo emocional, envolvendo noções como liberdade, amor à pátria, paz etc.

a. Qual método de propaganda você acha mais eficiente? Por quê?
b. Qual método de propaganda você acha menos adequado? Por quê?
c. Pense no seu comercial favorito. Qual/is dos métodos acima ele utiliza? Explique.
d. Veja alguns comerciais na TV ou no *site* <http://comerciaisdetv.com.br/> e identifique os métodos utilizados, comentando sobre eles.

2 Escolha alguns métodos de propaganda conforme as informações acima e faça uma apresentação oral sobre o assunto, seguindo os passos abaixo.

a. Descreva os métodos de propaganda com suas palavras.
b. Para cada um dos métodos dê um exemplo, comentando sobre eles. Use o vocabulário a seguir.

- Um anúncio que ilustra esse método de propaganda é...
- [x] serve como exemplo / é um exemplo / ilustra...
- Por exemplo...
- ... e isso é um exemplo de...
- Um bom exemplo é... ; outro exemplo é...

3 Pense em um produto real ou fictício e descreva-o oralmente.

a. Para que ele serve?
b. Para quem ele é útil e por quê?
c. Quais são suas principais características?
d. Como ele pode ser comparado a seus concorrentes?

4 Preencha a nota com algumas ideias para um anúncio oral sobre o produto criado no exercício anterior.

- Método de propaganda (ver Exercício 1):
____
- Como o anúncio vai começar:
____
- Que informações o anúncio vai conter:
____
- ____________________
____
- ____________________
____
- ____________________
____

5 Crie o anúncio para o produto e apresente-o a outra pessoa.

6 Crie um diálogo entre você e um colega de trabalho em que vocês discutem formas de anunciar um produto ou serviço de sua empresa. Discutam:

a. o que vai ser anunciado.
b. se o anúncio vai ser feito no rádio, no jornal ou na TV.
c. o método do anúncio.
d. que informações o anúncio vai conter e como elas vão ser organizadas.

COMPREENSÃO ESCRITA

1 Leia o título e subtítulo do texto, bem como os títulos das seções (em cor). Faça previsões sobre o conteúdo de cada seção.

SEÇÃO	IDEIAS/VOCABULÁRIO QUE ACHO QUE A SEÇÃO VAI CONTER
Ponto de venda	
Abordagem	
Organização	
Referências	
Distribuição	

2 Depois de ler o texto, relacione as palavras da esquerda com os significados da direita.

A VEZ DO LUGAR

Elementos como localização geográfica, arquitetura e decoração de ambientes ganharam relevância nas estratégias de marketing...

1 PONTO DE VENDA
Dar preferência a locais com grande afluência de consumidores e usar essa movimentação a seu favor, escolhendo, por exemplo, o lado da calçada pelo qual as pessoas voltam do trabalho.

2 ABORDAGEM
Experiências sensoriais, como cor, luz, cheiro e tato, atraem os consumidores.

3 ORGANIZAÇÃO
A disposição dos produtos deve ser baseada na forma de compra dos clientes e não na maneira como a companhia os classifica internamente.

4 REFERÊNCIAS
A relação psicológica que os clientes têm com determinada região pode aproximar ou afastar um público-alvo.

5 DISTRIBUIÇÃO
A logística entre fábrica, centros de distribuição e lojas começa a ter importância para os clientes por questões ambientais.

(*Exame*. São Paulo: Abril, 21 mar. 2012. p. 92.)

a. calçada	☐ potenciais consumidores
b. abordagem	☐ levar para longe
c. disposição	☐ parte da rua onde as pessoas andam
d. afastar	☐ espaço; lugar; atmosfera
e. público-alvo	☐ aproximação; maneira de aproximação
f. ambiente	☐ arranjo; arrumação

3 Qual das alternativas melhor expressa a ideia geral do texto?

a. ☐ Os consumidores são atraídos por estratégias de *marketing* que levam em consideração os pontos de venda.
b. ☐ Para criar uma boa estratégia de *marketing* é importante prestar atenção a vários fatores diferentes.
c. ☐ Os clientes não querem esperar a sua vez no lugar onde vão comprar algum produto.

4 Numere os seguintes depoimentos de consumidores de acordo com a seção no texto que trata do mesmo assunto.

a. ☐ "Eu me sinto muito bem em lojas que têm iluminação indireta e cores de terra como marrom, bege e alguns tons de verde."
b. ☐ "Eu tive uma experiência muito boa no Mato Grosso e tenho simpatia por pessoas e produtos mato-grossenses!"
c. ☐ "Eu sempre paro naquela loja porque fica no caminho para casa, é muito prático para mim."
d. ☐ "Eu dou preferência a coisas produzidas perto da minha cidade."
e. ☐ "Eu gosto de fazer compras naquele supermercado porque consigo encontrar tudo com facilidade."

5 Tendo o texto como base, complete as frases usando os verbos a seguir.

afastar atrair aumentar considerar organizar

a. A fim de ____________ os produtos é preciso conhecer a forma de compra dos clientes.
b. É possível usar experiências sensoriais para ____________ os consumidores.
c. Com o objetivo de ____________ as vendas, escolha locais por onde passam muitas pessoas.
d. Com o intuito de atender às preocupações com o meio ambiente, é importante ____________ as questões de logística.
e. Com a finalidade de não ____________ o público-alvo, estabeleça uma referência positiva.

Expressões de objetivo/finalidade: *para, a fim de, com o intuito de, com o objetivo de, com a finalidade de.*
- Em linguagem oral, a preposição **para** é a mais usada. As outras expressões são utilizadas com mais frequência em modalidade escrita.

O TEXTO E VOCÊ

Responda oralmente.
- O que você achou mais interessante no texto da página anterior e por quê?
- O conteúdo do texto se relaciona de alguma forma com estratégias de *marketing* da sua empresa? Dê detalhes.

PRODUÇÃO ESCRITA

1 Leia o texto abaixo rapidamente e marque a alternativa que o descreve. Depois, justifique sua escolha por escrito com base em elementos do texto.

VOOS ONLINE

MAIS DE 200 MIL PESSOAS JÁ TÊM INFORMAÇÕES SOBRE VOOS NA PALMA DA MÃO.

Com o aplicativo Infraero Voos Online, você pode consultar informações sobre chegadas e partidas de voos, saber a distância do ponto onde está até o aeroporto e a previsão do tempo da sua cidade de origem ou destino. E ainda pode compartilhá-las pelas redes sociais, mensagens de celular e e-mail. Além disso, tem acesso ao Guia do Passageiro, no qual pode consultar informações essenciais para fazer uma boa viagem.

Acesse **www.infraero.gov.br/fiquepordentro**, baixe gratuitamente o aplicativo e faça parte das mais de 200 mil pessoas que têm informações sobre voos onde estiverem.

As informações sobre os voos são fornecidas pelas companhias aéreas.

Disponível para iPhone, Android, Java e BlackBerry.
Agora também em inglês e espanhol.

(Folheto produzido por Infraero Aeroportos, 2012.)

a. ☐ Trata-se de uma reportagem em um jornal descrevendo um aplicativo para celulares.
b. ☐ Trata-se da reprodução de uma tela de um computador mostrando o anúncio de um telefone celular.
c. ☐ Trata-se de um folheto anunciando um aplicativo para *smartphone*.
d. ☐ Trata-se da reprodução de um manual de instruções que acompanha um novo modelo de telefone celular.

2 O texto da página anterior é um exemplo de texto persuasivo, isto é, um texto que tem o objetivo de convencer o leitor a fazer algo (no caso, a comprar um aplicativo para obter informações sobre voos). Textos persuasivos costumam ter as características listadas a seguir. Marque as características presentes no texto da página anterior.

☐	Uso de você; seu/sua
☐	Uso de pontos de exclamação
☐	Uso de negrito
☐	Uso de itálico
☐	Uso de imagens e cores
☐	Uso de fontes diversas
☐	Uso de caixa alta (letras maiúsculas)
☐	Uso de repetições
☐	Uso de verbos no imperativo (veja, faça, observe etc.)
☐	Uso de conectivos para adição de ideias (e, além disso, também etc.)

3 Com base nas informações do Exercício 1 da seção *Produção Oral*, responda: Que técnica(s) publicitária(s) encontramos no título do texto da página anterior?

____

____

4 Escreva um folheto para promoção de um produto da sua empresa. Use o espaço a seguir para desenvolver suas ideias e depois escreva seu folheto em uma folha avulsa.

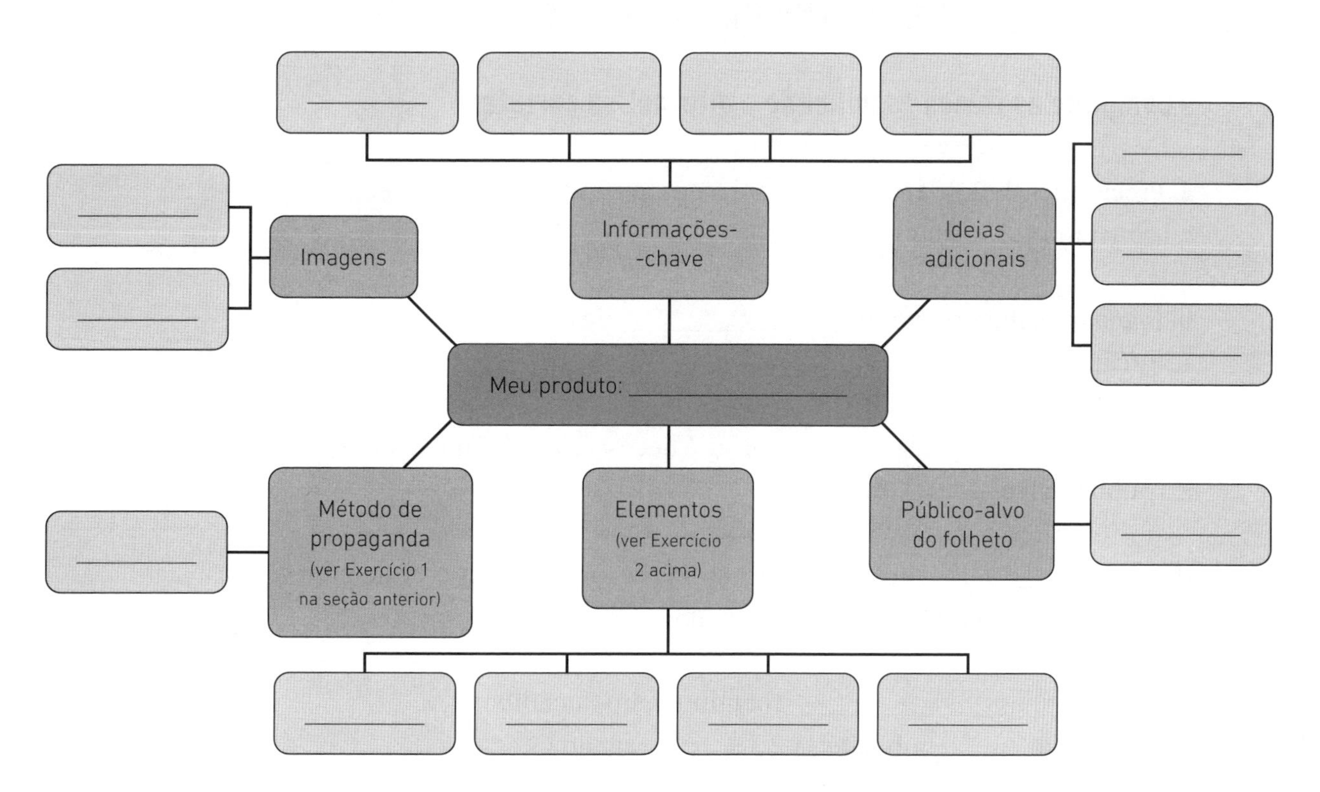

VOCABULÁRIO E PRONÚNCIA

1 Relacione as colunas.

a. marca	☐ empresa que apoia uma ação, instituição ou pessoa em troca de espaço publicitário
b. vitrine	☐ painel publicitário de grandes dimensões usado em ruas e estradas
c. rótulo	☐ símbolo ou nome que identifica um produto
d. embalagem	☐ recipiente para empacotar um produto
e. patrocinador	☐ tipo de propriedade intelectual associada a um produto
f. marca registrada	☐ impresso que identifica as características de um produto
g. *outdoor*	☐ parte da loja onde se expõem os produtos atrás de um vidro

2:37 2 Complete as frases com o vocabulário acima. Depois ouça o áudio para verificar suas respostas.

a. Aquele _______________ atrapalha a paisagem.
b. A _______________ deste produto é reciclável.
c. O _______________ do nosso time de futebol vai pagar a viagem.
d. Só nós podemos usar este nome porque é _______________.
e. Para saber a informação nutricional, leia o _______________.
f. Eu sou uma consumidora fiel e só compro carros da mesma _______________.
g. A _______________ daquela loja tem umas roupas lindas.

3 Complete as frases escolhendo a alternativa correta:

a. Precisamos definir a melhor estratégia para atingir o maior número de:
☐ consumo. ☐ consumidores. ☐ consumistas.

b. Joana trabalha no setor de _______________ de *marketing*.
☐ orçar ☐ orçado ☐ orçamento

c. Para uma boa estratégia de *marketing* é necessária a definição do:
☐ público-alvo. ☐ tiro ao alvo. ☐ alvo público.

d. A _______________ dos produtos nas lojas é um fator importante para vendas.
☐ arruma ☐ arrumada ☐ arrumação

e. A campanha _______________ foi muito bem-sucedida.
☐ *marketing* ☐ publicitária ☐ propaganda

INFORMAÇÕES CULTURAIS

1 Leia as informações sobre o Conar.

- Conar: Conselho Nacional de Autorregulamentação Publicitária
- Entidade sem fins lucrativos
- Fundado em 1980 com a finalidade de manter a liberdade de expressão comercial
- Mantido através de contribuições das principais entidades da publicidade brasileira
- Atua como regulamentador de normas éticas que se aplicam à publicidade comercial
- Oferece assessoria técnica sobre ética publicitária

Alguns exemplos de decisões passadas:

DATA	O ANÚNCIO	CATEGORIA	DECISÃO
Out/12	Um anúncio de carro mostra um estagiário sendo pisoteado pela multidão que se aglomera à frente da loja. Os vendedores também negam socorro ao estagiário.	Responsabilidade social	Alteração do anúncio
Set/12	Um *site* divulga especificações de um *laptop* que são superiores às do produto vendido.	Veracidade	Suspensão do anúncio e advertência
Jul/12	Um anúncio de curso de inglês *on-line* mostra uma professora de inglês brasileira como uma figura ridícula e uma professora norte-americana em imagem favorável.	Respeitabilidade	Suspensão do anúncio
Maio/12	Um anúncio de hotel menciona "sustentabilidade", mas não dá explicações adicionais.	Apelos de sustentabilidade	Alteração do anúncio a fim de indicar ao consumidor formas de acessar informação sobre sustentabilidade

(<http://www.conar.org.br/>. Acesso em 10 jul. 2013.)

2 Responda oralmente às seguintes perguntas.

a. O que você acha sobre os anúncios descritos acima?

b. Você concorda com as decisões tomadas? Por quê (não)?

CONEXÕES INTERCULTURAIS

Responda oralmente.

1 Em seu país há algum órgão que regula a publicidade?

2 Os anúncios descritos acima causariam reclamações no seu país de origem?

3 Há anúncios que são aceitáveis no Brasil, mas não seriam no seu país de origem? Dê detalhes.

GRAMÁTICA

CONSULTE A *MINIGRAMÁTICA* PARA MAIS INFORMAÇÕES.

1 Complete as frases relacionando a coluna da esquerda com a coluna da direita.

a. Elaborar uma campanha publicitária	☐ por não dizer a verdade sobre o produto.
b. É importante prestar	☐ exige diversos profissionais.
c. A empresa montou uma campanha	☐ comprar bons produtos.
d. O anúncio foi suspenso	☐ atenção à organização dos produtos para vender mais.
e. Os consumidores preferem	☐ a fim de divulgar seu novo produto.

2 Sublinhe os verbos no infinitivo pessoal.

A publicidade é importante para as empresas divulgarem os seus produtos. Por exemplo, quando os consumidores veem pessoas famosas falarem bem de alguma coisa, eles ficam curiosos e querem conhecer o produto. Uma boa campanha publicitária faz as pessoas desejarem o que se anuncia. Uma ótima campanha publicitária leva os consumidores a pensarem que precisam do produto anunciado. Como consumidores, somos convencidos pela publicidade sem percebermos. Isso inclui a propaganda "de boca": por exemplo, quando ouvimos um amigo dizer maravilhas de um produto, queremos ter aquilo também.

3 Complete usando o infinitivo pessoal dos verbos dados.

conseguir convencer dizer fazer produzir

O diretor de arte da agência publicitária ouviu os clientes ______________ que não gostaram da campanha. Ao voltar à agência, ele disse ao diretor geral: "Para nós ______________ a conta daquela empresa é preciso reformular toda a campanha". Com isso, o diretor geral mandou os membros da equipe ______________ uma nova campanha. "É fundamental nós ______________ os donos da empresa de que a campanha vai funcionar", disse ele. "Eu peço para vocês ______________ um esforço e criarem algo verdadeiramente excepcional".

4 Correlacione o uso do infinitivo pessoal à esquerda com os motivos à direita.

a. É bom vocês criarem uma campanha eficiente.	☐ depois de preposição
b. Eu vi meus amigos entrarem na loja para comprar o novo *smartphone*.	☐ depois de expressão impessoal
c. Aquele *outdoor* é para todos verem.	☐ depois de verbo causativo
d. O *outdoor* não deixa as pessoas passarem sem notar que ele está ali.	☐ depois de verbo de percepção

UNIDADE 17 ATENDIMENTO AO CLIENTE

COMEÇANDO O TRABALHO

2:38 ► LEIA E OUÇA.

O departamento de atendimento ao cliente da empresa GVS tem recebido muita reclamação.

► REFLEXÕES INICIAIS.

1 Responda.

a. Qual elemento se repete em todos os trechos em destaque nos balões? ________________

b. Este elemento está relacionado aos verbos que o precedem. Complete o quadro escrevendo os verbos nas colunas apropriadas.

Desejo, vontade	
Dúvida, incerteza	

c. Os verbos acima requerem o uso do *presente do subjuntivo* em português (**cometam**). Use o espaço a seguir para registrar algumas conclusões sobre esse tempo verbal.

1ª conjugação	2ª conjugação	3ª conjugação	Há verbos irregulares?

► SOBRE VOCÊ.

2 Complete as frases começando por uma das formas propostas.

a. Eu quero que meus clientes (têm, tenham)... ________________

b. Eu duvido que todos os consumidores (estão, estejam)... ________________

COMPREENSÃO ORAL

2:39 1 Ouça e complete as lacunas. Depois, verifique suas respostas na p. 313.

a. Eu quero que a empresa _______________ um aumento de pelo menos 50% no item "satisfação do cliente".
b. Nós duvidamos que as reclamações _______________ levadas a sério.
c. O cliente espera que a empresa _______________ o atendimento daqui para a frente.
d. A gerente exige que os funcionários _______________ treinamento contínuo sobre atendimento ao cliente.

• As frases do Exercício 1 expressam dúvida, desejo e/ou ação não realizada. Todos esses casos requerem o uso do subjuntivo na oração dependente (quando o sujeito da oração dependente é diferente do sujeito da oração principal).

2:40 2 Ouça e complete as lacunas. Depois, verifique suas respostas na p. 313.

a. É melhor que você _______________ uma reclamação por escrito.
b. É necessário que as lojas _______________ atender bem.
c. É possível que eu _______________ devolver o produto.
d. É melhor que vocês _______________ preparados para receber clientes difíceis.

• As expressões impessoais como **é (im)possível que**, **é melhor que**, **é preciso que** etc. são seguidas de eventos ainda não realizados. Portanto, os verbos das orações dependentes aparecem no subjuntivo.

2:41 3 Ouça e complete as lacunas. Depois, verifique suas respostas na p. 313.

a. Eu não acredito que você _______________ sorte com esse serviço de atendimento.
b. Ele não acha que os atendentes _______________ bem o processo de devolução.
c. Elas não creem que os clientes _______________ satisfeitos.
d. Nós não pensamos que o treinamento inicial _______________ suficiente.

• Na negativa, os verbos ***achar***, ***acreditar***, ***crer*** e ***pensar*** denotam dúvida. Portanto, são seguidos do subjuntivo. No entanto, na afirmativa não existe a ideia de dúvida e o verbo da oração dependente aparece no indicativo:
(I) *Eu acho que os atendentes **explicam** bem o processo de devolução.*
(II) *Eles creem que os clientes **estão** satisfeitos.*

2:42 4 Ouça e complete as lacunas. Depois, verifique suas respostas na p. 313.

a. Essa cliente vai reclamar a menos que você ________________ tudo.

b. Eu compro aqui por causa dos preços baixos, embora o atendimento nessa loja não ________________ bom.

c. Ligue para este número caso você ________________ fazer uma reclamação.

d. O gerente deve ficar calmo mesmo que o cliente ________________ com ele.

- Várias conjunções introduzem uma oração que apresenta uma circunstância (de condição, de causa, de finalidade, de concessão etc.).
- As orações introduzidas por essas conjunções são usadas com o subjuntivo.

2:43 5 Ouça os diálogos e complete o quadro.

DIÁLOGO	RECLAMAÇÃO	SOLUÇÃO PROPOSTA	O/A CLIENTE FICA SATISFEITO/A?
1		Enviar técnico	
2	Barbeador não funciona		Sim
3		Não efetuar a troca	
4			Parcialmente

Tomara que = Espero que

2:44 6 Ouça e responda.

a. Sobre o que é o áudio? ____

b. Ouça mais uma vez e complete o quadro com o maior número possível de detalhes.

FRASES	DETALHES
"Sinto muito pela espera".	Peça desculpas antes que o cliente reclame.

- **Fulano/a**, **Beltrano/a**, **Sicrano/a**: termos usados como nome próprio para fazer referência a uma pessoa inespecífica e quando não lembramos o nome de alguém.

PRODUÇÃO ORAL

1 Leia a notícia de jornal e faça frases oralmente, completando o trecho do quadro e usando os verbos a seguir no presente do subjuntivo.

[A Proteste e o Procon-SP sugerem que os consumidores...]

Como enfrentar a greve dos bancos e Correios

Com a greve dos bancos e dos Correios, os consumidores devem ficar atentos com as datas de vencimento das contas e encargos. Para evitar a cobrança de juros e multas, a Proteste Associação Brasileira de Defesa do Consumidor aconselha a entrar em contato com a empresa e negociar outra forma para fazer o pagamento (por exemplo, emissão de segunda via por meio do *site* da empresa, depósito em conta, ou envio de fatura por *e-mail*). Se não disponibilizar essas formas alternativas para pagar, a empresa deve prorrogar o vencimento da conta. Confira algumas dicas da Proteste e do Procon-SP:

- Entre em contato com a empresa e peça outra alternativa de pagamento, seja pela internet ou casa lotérica. O consumidor deve verificar com ela todas as possibilidades de pagamento além do banco. Se não houver outro meio, pode ser negociado o adiamento da data de vencimento da conta.
- Ao entrar em contato com a empresa, pegue o protocolo ou até mesmo grave a ligação. [...]

(*O Globo*: Rio de Janeiro, 20 set. 2012. p. 30.)

entrar | pedir | verificar | negociar | pegar | gravar

GLOSSÁRIO

Proteste: Associação Brasileira de Defesa do Consumidor
Procon: Fundação de Proteção e Defesa do Consumidor
disponibilizar: tornar disponível

2 Numa folha de papel liste 5 ou 6 problemas que clientes de sua empresa apontaram recentemente. Depois, faça comentários orais sobre esses problemas, começando seus comentários por:

Eu espero que... | Eu duvido que... | É necessário que...
Não é aceitável que... | Eu lamento que... | Eu quero que...

3 Leia os diálogos em voz alta. Em cada um deles sublinhe as más ideias do atendente e circule as boas ideias.

DIÁLOGO 1

Atendente:	Bom dia, senhora.
Cliente:	Bom dia. Eu queria saber por que vocês não aceitam cartão de crédito.
Atendente:	Como a senhora sabe, a nossa loja é pequena. As companhias de cartão de crédito cobram uma taxa e nós teríamos que repassar esse custo para os consumidores. É muito difícil competir com as lojas grandes. Caso aumentemos os preços, ninguém vai comprar aqui.
Cliente:	Mas o cartão é mais prático. Eu prefiro usar o cartão do que o cheque.
Atendente:	Eu entendo, mas por enquanto não podemos aceitar cartão. Talvez no futuro isso mude.

DIÁLOGO 2

Atendente:	Boa tarde.
Cliente:	A minha conta de celular está errada. Já é a segunda vez que isso acontece.
Atendente:	Qual é o erro, senhor?
Cliente:	Vocês cobraram um plano que não é o meu.
Atendente:	No momento o nosso sistema não está funcionando, não posso fazer nada. Telefone mais tarde.
Cliente:	Ah, para corrigir o erro o sistema não funciona!
Atendente:	Eu sei que o senhor quer que nós corrijamos o problema, mas agora não é possível.
Cliente:	Eu não estou nada satisfeito com esse serviço.
Atendente:	Nesse caso talvez o senhor deva procurar outra companhia.

4 Para cada uma das situações abaixo, simule oralmente uma conversa por telefone ou face a face para atender as reclamações do cliente. Para isso, use somente boas ideias!

SITUAÇÃO 1:	O cliente não pagou a conta porque os Correios entraram em greve e ele diz não ter recebido a fatura. Ele não quer pagar a multa cobrada.

SITUAÇÃO 2:	Você trabalha para uma empresa de telefones e o cliente reclama que já é a terceira vez que seu aparelho quebra. O aparelho estava na garantia nas outras vezes, mas a garantia acabou na semana passada.

SITUAÇÃO 3:	Você analisa a sustentabilidade de uma fábrica de carros que pretende se instalar em uma cidade brasileira. Seu cliente, a prefeitura da cidade, reclama que você não está levando em consideração alguns aspectos relevantes, tais como a perda de vegetação essencial para a economia local e a necessidade de desenvolver infraestrutura para o recebimento de mão de obra não local.

COMPREENSÃO ESCRITA

1 Responda oralmente ou discuta em pares: O que você sabe sobre *recall*?

2 Leia o texto rapidamente e escreva os subtítulos abaixo nos espaços adequados.

A quem denunciar? O que é? Como agir? Como acontece?

RECALL

Entenda o processo

____

Procedimento adotado quando produtos colocam em risco a segurança e a saúde dos consumidores. O Código de Defesa do Consumidor obriga o fornecedor (fabricante ou importador) a chamar a atenção da população sobre a periculosidade do produto, assim como procedimentos a serem adotados para sanar o defeito.

____

O fornecedor deve comunicar o problema em jornais, rádios e redes de TV para que o alerta chegue aos consumidores. Dependendo do problema, é possível reparar o produto. Nos casos em que o defeito afeta a estrutura, deve ser retirado do mercado. O reparo ou substituição é de responsabilidade do fornecedor, sem custo para consumidores.

____

Denúncias podem ser encaminhadas ao Departamento de Proteção e Defesa do Consumidor, Procon, Ministérios Públicos etc. (órgãos responsáveis pela fiscalização de *recalls*). Em caso de alimentos ou medicamentos, é possível também recorrer às vigilâncias sanitárias municipais, estaduais e à Agência Nacional de Vigilância Sanitária (Anvisa).

____

Seguir as recomendações do fornecedor para garantir a troca ou reparo do produto com defeito. Caso o problema tenha ocasionado acidente ou prejuízo material, o consumidor pode solicitar, por meio do Judiciário, a reparação por danos morais e patrimoniais. O Ministério da Justiça oferece um serviço que permite verificar se o seu carro ou qualquer outro produto [eletrodoméstico, alimento, remédio etc.] já passou ou está passando por *recall*. O *site* http://portal.mj.gov.br também tem o banco de dados das convocações no país desde 2000.

(*Viver Brasil*. Minas Gerais: VB Comunicação, n. 77, 9 mar. 2012. p. 35.)

3 Localize no texto o vocabulário que significa:

a. consertar ______________________

b. assegurar ______________________

c. corrigir ______________________

d. sugestões ______________________________

e. remédios ______________________________

f. pedir ______________________________

4 Leia o texto novamente e marque as alternativas que completam as frases.

a. É ______________ do fabricante ou importador chamar a atenção do consumidor sobre problemas com seus produtos.

☐ disponibilização ☐ obrigação ☐ recomendação ☐ intenção

b. O ______________ deve atingir os consumidores através de meios de comunicação.

☐ produto ☐ dano ☐ aviso ☐ defeito

c. Se há *recall*, o fornecedor deve procurar ______________ o problema.

☐ garantir ☐ amenizar ☐ evitar ☐ corrigir

d. Em caso de *recall*, o consumidor deve observar ______________ do fornecedor.

☐ os conselhos ☐ os problemas ☐ as vendas ☐ os reparos

5 O parágrafo abaixo resume o texto *Recall*. Complete-o usando as palavras a seguir.

siga alcance exige pagam danos seja
esclareça retirado procedimento denúncias

O *recall* é o ______________ que se usa quando se descobre que algum produto apresenta problemas para a segurança ou para a saúde do consumidor. No Brasil, o Código de Defesa do Consumidor ______________ que o fornecedor alerte a população a respeito do problema. O Código também ordena que o fornecedor ______________ como o consumidor deve proceder. Para que o alerta ______________ os consumidores, o problema deve ser comunicado na mídia. Caso não ______________ possível reparar o produto, ele deve ser ______________ do mercado. Os consumidores não ______________ nada pelo conserto ou substituição do produto. O público pode fazer ______________ ao Procon ou a outros órgãos responsáveis. No caso de *recall*, é importante que o público ______________ as recomendações do fornecedor. Caso haja acidente ou prejuízo material por causa do defeito, o consumidor pode pedir reparação por ______________ morais ou patrimoniais.

O TEXTO E VOCÊ

Responda oralmente.

- Como consumidor, você já teve a experiência de um *recall*? Em caso afirmativo, dê detalhes.
- A empresa em que você trabalha já precisou retirar algum produto do mercado? Em caso afirmativo, dê detalhes.

PRODUÇÃO ESCRITA

1 Leia as duas cartas e responda.

a. O que elas têm em comum? ______

b. Em que elas diferem? ______

c. Qual das duas cartas é mais apropriada? Por quê? ______

CARTA 1

Eu estou escrevendo porque almocei no Feijão com Farofa na segunda-feira e fui muito mal atendido. A garçonete estava super mal-humorada e resolveu descontar em mim. Isso não se faz, né? Eu pedi o especial, mas queria com cebola, ela disse que não podia colocar nada a mais no especial. Mas o pior é que ela respondeu com cara de quem comeu e não gostou! Vê se tem cabimento! Eu sei que a gente pode pedir pra colocar cebola porque eu já pedi várias vezes. Os outros atendem o meu pedido com um sorriso na cara, sabe? É claro que a moça não tava a fim de atender, só que eu não tenho nada com isso, ela que procure outro emprego se não tá satisfeita, certo? Aí, já viu, não veio a cebola que eu pedi, ela praticamente jogou o meu prato na mesa, e ainda por cima trouxe a conta quando eu ainda estava comendo. Foi o fim da picada. Espero que isso não aconteça mais, porque o Feijão com Farofa normalmente é um restaurante legal.
Então tá, é isso. Me escreve, até mais.

Elimar

CARTA 2

Ao
Restaurante Feijão com Farofa
Rua Bonita, 20
São João do Riacho - AM
90000-000

São João do Riacho, 6 de novembro de 2013

Assunto: Atendimento

Prezado/a Senhor/a,

Frequento regularmente o seu restaurante e lá estive no dia 4 último no horário de almoço. Escrevo para relatar o ocorrido. Normalmente não tenho problemas, mas nesse dia fui muito mal atendido pela Srta. Alice. Quando solicitei que se acrescentasse cebola ao especial do dia, a Srta. Alice respondeu que não era possível adicionar nada ao especial. No entanto, em outras ocasiões o meu pedido foi atendido, sempre com simpatia e polidez. Infelizmente, não foi o caso com a Srta. Alice: ao trazer o meu prato, ela depositou-o com força, a ponto de a refeição quase sair do prato. Em seguida, trouxe a conta, quando eu ainda estava comendo. Como se sabe, na nossa cultura isso é considerado uma indelicadeza, pois indica que o estabelecimento quer que o cliente saia o mais rápido possível. E foi exatamente essa a impressão passada pela Srta. Alice.

Espero que a direção do restaurante tome providências no sentido de treinar os seus funcionários para que casos como esse não voltem a acontecer.
Atenciosamente,

Elimar Silveira
Rua Linda, 34/401
São João do Riacho - AM
10000-000

2 Em seu bloco de notas, responda à Carta 2 observando os lembretes e informações a seguir. Utilize o espaço abaixo para levantar ideias iniciais sobre a carta.

NÃO SE ESQUEÇA DE:
• incluir um cabeçalho
• incluir o assunto (referência)
• dirigir-se ao destinatário por *Prezado/a Senhor/a*
• começar fazendo referência à carta anterior
• informar sobre a solução do problema
• incluir um fechamento e assinatura (com cargo)

FORMAS DE COMEÇAR A CARTA
• Obrigado/a pela sua carta.
• Agradecemos a sua correspondência sobre...
• Em resposta à sua carta datada de...
FORMAS DE FECHAR A CARTA
• Espero que a solução seja do seu agrado.
• Se precisar de mais informações não hesite em me contatar.
• Novamente, peço desculpas pelo inconveniente.
• Atenciosamente,...
• Cordialmente,...

VOCABULÁRIO E PRONÚNCIA

2:45 **1 Ouça e repita as seguintes expressões idiomáticas que usam o presente do subjuntivo. Depois, relacione-as aos significados da direita. Note que várias expressões podem ter o mesmo significado.**

a. Doa a quem doer	☐ De maneira nenhuma
b. Aconteça o que acontecer	☐ Não importa o que os outros pensam
c. Seja o que Deus quiser	☐ Não há mais nada a fazer
d. Seja como for	☐ Não importa o que vai se passar
e. Nem que a vaca tussa	☐ Mesmo assim; apesar disso
f. Nem que a cobra torça o rabo	

2:46 **2 Ouça e repita as seguintes expressões.**

a. Fazer uma denúncia
b. Fazer uma reclamação/queixa
c. Seguir um procedimento
d. Oferecer/Ter um serviço (cf. "Fazer um serviço" = terminar uma tarefa)
e. Fazer um pedido
f. Relatar o ocorrido
g. Tomar providência

3 Use os verbos das expressões apresentadas nos Exercícios 1 e 2 para completar as frases. Os verbos devem estar no presente do subjuntivo.

a. Eu exijo que vocês ________________ providências para resolver o problema.
b. O cliente ameaçou entrar na justiça contra nossa empresa. Nós então oferecemos retorno do pagamento e substituição gratuita do produto defeituoso. Não podemos fazer mais nada. Agora ________________ o que Deus quiser.
c. Eu não suporto trabalhar com atendimento ao cliente. Não vou aceitar ser transferida pra esse setor nem que a vaca ________________.
d. Eu preciso que vocês ________________ o pedido dos novos formulários de satisfação do cliente para a gráfica o mais rápido possível.
e. Eu sei que houve problemas com o cliente e peço que você me ________________ o ocorrido em detalhes.
f. O cliente disse: "Não estou nada satisfeito com o serviço de vocês! Quero que vocês ________________ os procedimentos, ________________ a quem doer!"
g. É importante que os consumidores ____________ denúncias contra empresas inescrupulosas.
h. ________________ o que acontecer, eu não vou desistir de procurar a Defesa do Consumidor para me orientar sobre como agir neste caso.

INFORMAÇÕES CULTURAIS

1 Leia.

PROCON

O Procon, Fundação de Proteção e Defesa do Consumidor, é a entidade de defesa do consumidor mais conhecida no Brasil. Foi criado com o Código de Defesa do Consumidor de 1990. O Procon atua como órgão do Poder Judiciário e tenta solucionar conflitos entre consumidores e empresas. O Procon atua a nível estadual, com representações nas capitais e em outros municípios, e faz parte do Sistema Nacional de Defesa do Consumidor. Os consumidores podem procurar o Procon para fazer reclamações sobre produtos ou serviços. Entre as categorias para reclamações, encontram-se: alimentos, assuntos financeiros, contratos, direitos do consumidor, educação, habitação, internet, meio ambiente, produtos, saúde, serviços e trânsito.

CONSUMIDORES BRASILEIROS AINDA NÃO BUSCAM POR SEUS DIREITOS, DIZ PESQUISA

Data: 31 de Outubro de 2012 - 10h02

Embora o consumidor brasileiro saiba da existência de um código que protege seus interesses, a maioria não briga pelos seus direitos, apontou pesquisa do instituto Market Analysis em parceria com o Idec (Instituto Brasileiro de Defesa do Consumidor).

Em cada 20 brasileiros, 19 disseram saber da existência de um código que defende seus direitos como consumidores, entretanto, apenas uma média de 9,5 consumidores exercem a cidadania de fato e vão atrás dos direitos quando são prejudicados nas relações de consumo.

(<http://www.procon.pe.gov.br/noticias/ler.php?id=3483>. Acesso em 15 jul. 2013.)

CONEXÕES INTERCULTURAIS

Responda oralmente.

1 No seu país de origem há um órgão como o Procon?

2 De um modo geral, os consumidores no seu país de origem sabem exercer seus direitos?

3 Você concorda com a ideia de que a maioria dos consumidores brasileiros não briga pelos seus direitos? Por quê (não)?

GRAMÁTICA

PÁGINA 275 CONSULTE A *MINIGRAMÁTICA* PARA MAIS INFORMAÇÕES.

1 Escolha a melhor alternativa para completar as frases.

a. É importante que o cliente __ satisfeito.
☐ ficam ☐ fique ☐ ficava
b. Talvez ele __ uma reclamação ao gerente.
☐ faço ☐ fazia ☐ faça
c. Eu espero que os vendedores __ bem aos clientes.
☐ atendam ☐ atenda ☐ atenderam
d. É essencial que o atendimento por telefone __ bem feito.
☐ seja ☐ sejam ☐ são
e. Embora a cliente __ do produto, ela não vai comprar porque não foi bem atendida.
☐ gostam ☐ goste ☐ gosto

2 Complete o parágrafo com o presente do subjuntivo de um dos verbos a seguir.

dar dizer saber ser tratar

Como consumidora, eu gosto de ser bem atendida. Por exemplo, ao fazer uma pergunta, eu quero que a pessoa me ____________ uma resposta. Caso a pessoa não ____________ a resposta correta, ela deve ir buscar a resposta. Eu não quero que a atendente ____________ que não sabe, ou que eu tenho que falar com outra pessoa. É importante que a atendente ____________ a cliente com respeito. A menos que eu ____________ bem atendida, não busco os serviços da empresa novamente.

3 Sublinhe as melhores alternativas para completar o parágrafo.

O bom atendimento ao cliente (é) (seja) fundamental. Para que o cliente (fica) (fique) satisfeito, não basta conduzir pesquisas depois do atendimento. É necessário que as empresas (entendem) (entendam) que o cliente retorna quando é bem atendido, não quando lhe (perguntam) (perguntem) se ele foi bem atendido. Embora muitas empresas (fazem) (façam) um esforço sério para garantir o bom atendimento, nem todas (são) (sejam) assim. Alguns prestadores de serviços (pensam) (pensem) que os clientes não têm opção. Naturalmente, isso não (é) (seja) verdade. Você quer que os clientes (retornam) (retornem)? Então, deve priorizar o bom atendimento. Caso você não (sabe) (saiba) como melhorar o atendimento, pode contratar serviços de consultoria. O importante é manter os clientes antes que eles (procuram) (procurem) outra empresa.

UNIDADE 18 ÉTICA

COMEÇANDO O TRABALHO

2:47 ► LEIA E OUÇA.

► REFLEXÕES INICIAIS.

1 Responda.

a. O trecho sublinhado ("Se vocês estivessem") dá ideia de:
☐ vontade, desejo ☐ incerteza ☐ condição ☐ habilidade

b. Os verbos em negrito (**fariam**, **aceitaria**, **estabeleceria**, **exigiria**) dão ideia de:
☐ rotina ☐ evento no passado ☐ decisão para o futuro ☐ hipótese

c. Observando os verbos em negrito, pode-se concluir que "aceitaria", "estabeleceria" e "exigiria" concordam com __________. A formação desse tempo verbal (futuro do pretérito, também conhecido como condicional) na primeira pessoa do singular (eu) nas três conjugações é composta pelo __________ do verbo principal + __________. Só há três verbos irregulares no condicional:

	FAZER	DIZER	TRAZER
Eu Você / Ele / Ela	faria	diria	traria
Nós	faríamos	diríamos	traríamos
Vocês / Eles / Elas	fariam	diriam	trariam

► SOBRE VOCÊ.

2 Responda: Se você estivesse no lugar do seu chefe hoje, o que você faria?

____

COMPREENSÃO ORAL

2:48 **1 Complete as lacunas com a conjugação apropriada dos verbos entre parênteses no condicional. Depois, ouça e confira suas respostas.**

a. Se você pudesse escolher, quem você ________________ (contratar)?
b. Se eu descobrisse alguma fraude, eu ________________ (pedir) demissão imediatamente.
c. Renata jamais ________________ (falsificar) documentos da empresa para benefício pessoal.
d. Quem ________________ (dizer)! Valdemar foi demitido por justa causa! Descobriram que ele participava de uma rede de estelionatários.
e. Nós ________________ (produzir) mais se todos se concentrassem no trabalho e não navegassem na internet.
f. Ele não ________________ (fazer) intrigas se não quisesse prejudicar os colegas.
g. Elas são muito honestas e ________________ (ser) incapazes de aceitar elogios por um trabalho realizado por outra pessoa. Infelizmente, nem todos são assim.
h. Se toda propaganda fosse honesta, nós não ________________ (precisar) do Conar.
i. A empresa ________________ (ter) acesso ao *e-mail* dos funcionários se quisesse saber o que eles mandam e recebem.

• Em várias situações acima, temos uma oração iniciada com a palavra **se**, que indica uma condição. Depois de **se** temos verbos como **pudesse**, **descobrisse**, **quisesse** etc. Esses verbos estão no imperfeito do subjuntivo (veja a p. 276). Esse tipo de construção (**se** + imperf. subj. / fut. pret.) se refere a uma situação incerta, que pode ocorrer ou não.

2:49 **2 Complete as lacunas com a conjugação apropriada dos verbos entre parênteses. Depois, ouça e confira suas respostas.**

a. Se você ____________ (descobrir) que alguém é desonesto, o que você ____________ (fazer)?
b. Eu ____________ (agir) como você se eu ____________ (estar) no seu lugar.
c. Se o chefe ____________ (saber) o que você fez, você ____________ (perder) o emprego na hora.
d. Mas eu não ____________ (dizer) nada se ele ____________ (perguntar), pode ficar tranquilo.
e. Se eu ____________ (querer) prejudicar você, eu ____________ (mostrar) os *e-mails* do mês passado.
f. Se você ____________ (ser) honesto, não ____________ (ter) esse tipo de problema.

2:50 **3 Ouça os diálogos e complete o quadro.**

	Que problema ético está sendo discutido?	Quais são as alternativas propostas?	Que decisão é tomada?
DIÁLOGO 1			
DIÁLOGO 2			

4 Abaixo você encontra vocabulário útil para tratar do tema "ética na empresa". Leia e ouça novamente o áudio do Exercício 3 e identifique as formas usadas pelos falantes nos diálogos, sublinhando-as no *script* abaixo.

Descrevendo situações

- Temos uma situação delicada/difícil.
- Essa situação é inaceitável/insustentável.
- Estamos diante de uma situação complicada.

Considerando alternativas e hipóteses

- Uma forma possível de lidar com essa questão é...
- Por um lado,...; por outro lado,...
- Se nós [fizéssemos assim], poderíamos...
- Se pelo menos [ela estivesse sendo sincera],...
- Talvez nós pudéssemos...
- E se [nós] [investíssemos]...?

DIÁLOGO 1

Cleide:	Eu pedi essa reunião porque nós temos uma situação delicada. Como vocês sabem, o Diogo é responsável pela aquisição de equipamentos. Eu fui informada que a última aquisição, que foi a maior que a nossa empresa já fez, favoreceu a empresa de um parente dele. Isso constitui corrupção.
Heitor:	Mas nós fizemos uma licitação.
Cleide:	Claro, mas o Diogo participou da licitação e não disse que a empresa era do primo dele. Eu convoquei essa reunião para decidirmos que medida vamos tomar.
Nei:	Essa situação é inaceitável. Eu acho que isso é caso para demissão sumária.
Heitor:	Vamos com calma, Nei. Ele está com a gente há mais de 10 anos e essa é a primeira vez que acontece alguma coisa. E se nós chamássemos o Diogo para conversar e explicar a situação?
Cleide:	Se nós conversássemos com ele, poderíamos dar a impressão que o que ele fez não é tão grave assim. Além disso, como é que saberíamos se ele está dizendo a verdade? Talvez nós pudéssemos fazer uma investigação interna e esperar os resultados antes de tomar uma decisão final em relação ao Diogo.
Nei:	Acho boa ideia. Você quer que eu coordene a investigação?

DIÁLOGO 2

Jurema:	Nestor, a gente tem que aplicar o lucro do trimestre. Esse dinheiro não pode ficar parado, você sabe disso.
Nestor:	Eu sei, Jurema. Quais são as nossas melhores opções?
Jurema:	A Bolsa não está muito boa ultimamente, então acho melhor evitar. E se investíssemos no mercado imobiliário?
Nestor:	Pode ser bom, especialmente agora. Mas acho que seria melhor investir naquela parceria com a prefeitura, lembra? A empresa tem uma responsabilidade social também.
Jurema:	É verdade. Só que também temos que contratar mais funcionários, especialmente para o setor de distribuição. Eles estão sobrecarregados.
Nestor:	Eu sei, eu sei. Mas nós prometemos que faríamos a parceria. A prefeitura quer abrir um centro de formação profissional para jovens carentes e nós podemos contribuir bastante. E a parceria traria bastante publicidade para nós, o que é sempre bom.
Jurema:	Você tem razão. Eu vou pedir para a secretária entrar em contato com a prefeitura agora mesmo. Vamos tentar a parceria.

PRODUÇÃO ORAL

1 Forme frases oralmente usando o vocabulário a seguir.

Se	eu você ele / ela nós vocês eles / elas	pudessem estivéssemos fosse dissessem aceitasse entendesse assumisse	o meu ponto de vista a verdade escolher a proposta no seu lugar a questão você	eu você ele / ela nós vocês eles / elas	avaliaria melhor a situação não trabalhariam aqui não teriam problemas aumentaríamos as vendas seria um chefe melhor iria para outra empresa seria promovido/a

2 Responda oralmente.

a. Se você marcasse uma reunião para as 9 horas e tivesse apenas a metade dos participantes presentes às 9h30, o que você faria?
b. Se você pudesse escolher um país para abrir uma filial de sua empresa, que país você escolheria? Por quê?
c. Se você fosse chamado/a hoje para trabalhar numa empresa concorrente, o que você faria?
d. Se você estivesse descontente com seu salário, você utilizaria tempo de trabalho no escritório para conduzir trabalhos pessoais? Por que (não)?
e. Se você participasse de uma equipe em que pessoas não fazem o que deveriam, o que você faria?
f. Como você agiria se fosse convidado/a a participar de um esquema muito lucrativo envolvendo o dinheiro de outras pessoas?
g. Qual seria a sua reação se descobrisse que o seu chefe está envolvido em operações ilícitas?
h. O que você faria se soubesse que um colega passa horas navegando na internet todos os dias?

3 Que atitude você tomaria nas situações seguintes? Responda oralmente, seguindo o modelo.

Se eu..., então... / Por outro lado, se eu..., ...

SITUAÇÃO 1	SITUAÇÃO 2	SITUAÇÃO 3
Você está participando de grupo para tomada de decisões para redução de custo. Alguns dos cortes envolvem demissões. Você sabe que seu colega Augusto será demitido, mas a comunicação oficial só será feita daqui a algumas semanas. Nesse meio tempo Augusto tem uma proposta de outro emprego, mas não pretende aceitar, pois prefere ficar na mesma empresa. Você diz ou não a Augusto que ele será demitido?	Você é chefe de setor e pode promover um dos funcionários. Henrique é o funcionário mais dedicado de todos, mas a sua produtividade está apenas dentro da média, não acima. Osmar tem uma produtividade muito boa, mas não trabalha bem em equipe, não se dá bem com os outros funcionários e nem sempre respeita os horários de trabalho. Quem você promove?	Dois candidatos chegam ao final de um processo de seleção e você tem que escolher quem vai ser contratado, Ana ou Roberto. Ana tem melhor qualificação que Roberto e teve melhor desempenho do que ele em todos os testes do processo de seleção. Ana está grávida e Roberto é filho de um amigo do presidente da empresa. Quem você contrata?

No Brasil, as pessoas com contrato de trabalho formal têm direito à licença-maternidade e à licença-paternidade quando nasce um filho (ou quando adotam uma criança). As mães têm direito a 120 dias, e os pais têm direito a cinco dias de licença.

4 Crie diálogos em que os participantes têm opiniões diferentes sobre as ideias a seguir. Nos seus diálogos use formas de expressão já trabalhadas neste livro e use o quadro a seguir para registrar ideias de expressões que podem ser usadas.

	VOCABULÁRIO ÚTIL
Descrevendo situações (Unidade 18)	
Considerando alternativas e hipóteses (Unidade 18)	
Concordando e discordando (Unidades 4, 15)	
Expressando e justificando opiniões (Unidades 6, 7)	
Tecendo argumentos (Unidade 14)	
Defendendo posições (Unidade 14)	
Expressando dúvida, incerteza ou desejo (Unidade 17)	

Um bom gestor privilegia o sucesso financeiro acima de todos os outros objetivos.
As metas e objetivos estabelecidos para o período devem ser alcançados a qualquer custo.
Um/a funcionário/a que tem uma produtividade abaixo da média durante três meses seguidos precisa ser despedido/a independentemente das causas da baixa produtividade.
As decisões relativas a contratações e demissões devem levar em consideração a vida pessoal do/a funcionário/a.
É preciso atacar os concorrentes para atingir a liderança do mercado.

5 Se você estivesse no lugar do personagem masculino, como responderia à pergunta na cena final do cartum?

Dilbert, Scott Adams/© 2011 Scott Adams/ Dist. by Universal Uclick
(<http://www.vidadetrainee.com/wp-content/uploads/2012/03/dilbert-entrevista-respostacerta1.jpg>. Acesso em 15 jul. 2013.)

COMPREENSÃO ESCRITA

1 Leia o título do texto a seguir. Neste momento não leia todo o texto, mas apenas seu título. Em seguida, use o quadro em branco abaixo do título para registrar algumas previsões de vocabulário que você espera encontrar no texto.

Natura é a única brasileira em *ranking* de empresas mais éticas do mundo

A Natura é a única brasileira a figurar no *ranking* de empresas mais éticas do mundo do Instituto Ethisphere. A companhia já havia figurado no levantamento no ano passado e em 2007.

A lista foi elaborada a partir de amostragens coletadas por meio de pesquisas qualitativas aplicadas nas companhias. As empresas foram avaliadas segundo os quesitos: ética, inovação, responsabilidade social e governança corporativa. O *ranking* deste ano contemplou 145 empresas de mais de 30 setores, do setor aeroespacial a produção de energia eólica.

O Instituto Ethisphere tem sede nos Estados Unidos e dedica-se a divulgar mundialmente práticas de responsabilidade social corporativa, sustentabilidade, ética no trabalho e anticorrupção empresarial, a partir de pesquisas qualitativas e quantitativas.

O *ranking* reconhece as empresas que aplicam a ética, além do exigido pela legislação, levando as melhores práticas para o dia a dia das organizações.

SOBRE A NATURA

A Natura é a maior fabricante brasileira de cosméticos e produtos de higiene e beleza e líder no setor de venda direta no Brasil, com uma receita anual superior a R$ 5,5 bilhões. Sediada em Cajamar, São Paulo, a companhia conta com quase 7 mil colaboradores, que atuam nas operações do Brasil, Argentina, Chile, México, Peru, Colômbia e França.

O desenvolvimento sustentável orienta a maneira de a empresa fazer negócios desde sua fundação em 1969. A paixão pelas relações fez a companhia adotar a venda direta como modelo de negócios e atualmente reúne mais de 1,421 milhão de consultoras, sendo 1,175 milhão no Brasil e cerca de 246 mil no exterior, que disseminam a proposta de valor da empresa aos consumidores.

Para a Natura, inovação é um dos pilares para o alcance deste desenvolvimento sustentável. No ano passado, destinou R$ 146,6 milhões e lançou 164 itens, atingindo um índice de inovação, percentual da receita proveniente de produtos lançados nos últimos 2 anos, de 64,8%.

(<http://primeiraedicao.com.br/noticia/2012/03/26/natura-e-a-unica-brasileira-em-ranking-de-empresas-mais-eticas-do-mundo>. Acesso em 13 jul. 2013.)

2 Leia o primeiro e o segundo parágrafos do texto anterior e encontre o vocabulário que tem o seguinte significado:

a. através de ____________________

b. lista ____________________

c. empresa ____________________

d. envolveu ____________________

e. critérios ____________________

f. aparecido ____________________

3 Leia todo o texto e observe as frases a seguir. Depois, marque a alternativa verdadeira.

I. O texto descreve a primeira ocasião em que a Natura figurou na lista de empresas mais éticas do mundo.
II. A pesquisa mencionada no texto envolveu mais de um critério e avaliou empresas de várias áreas.
III. A pesquisa avalia apenas se as empresas cumprem as leis relativas à ética.
IV. A Natura tem sede no Brasil, mas opera em vários países.
V. De acordo com a empresa, sustentabilidade está diretamente relacionada à inovação.

a. ☐ Todas as alternativas são corretas.
b. ☐ As alternativas I, II e III são falsas; as alternativas IV e V são corretas.
c. ☐ As alternativas I e III são falsas; as alternativas II, IV e V são corretas.
d. ☐ As alternativas II e V são falsas; as alternativas I, III e IV são corretas.

4 Pelo trecho "A paixão pelas relações fez a companhia adotar a venda direta como modelo de negócios" pode-se concluir que:

a. ☐ a Natura tem lojas em todos os grandes *shoppings* no Brasil.
b. ☐ a Natura só vende pela internet.
c. ☐ para comprar produtos da Natura é preciso contatar uma pessoa que faça essas vendas.

5 Relacione as frases da esquerda com os termos da direita.

a. Temos que fazer um ____ das nossas práticas para saber quais são mais sustentáveis.	☐ contemplar
b. A pesquisa pode ser realizada ____ questionários.	☐ elaborar
c. A pesquisa deve ___ todos os tipos de práticas.	☐ quesitos
d. Temos que analisar vários ___, inclusive reciclagem e investimento social.	☐ por meio de
e. Cada setor vai ___ a sua lista.	☐ levantamento

O TEXTO E VOCÊ

Responda oralmente.

- Qual é a empresa mais ética que você conhece?
- Descreva um comportamento não ético de uma empresa.
- Dê exemplos de comportamento ético de sua empresa.

PRODUÇÃO ESCRITA

1 **Observe a tela abaixo.**

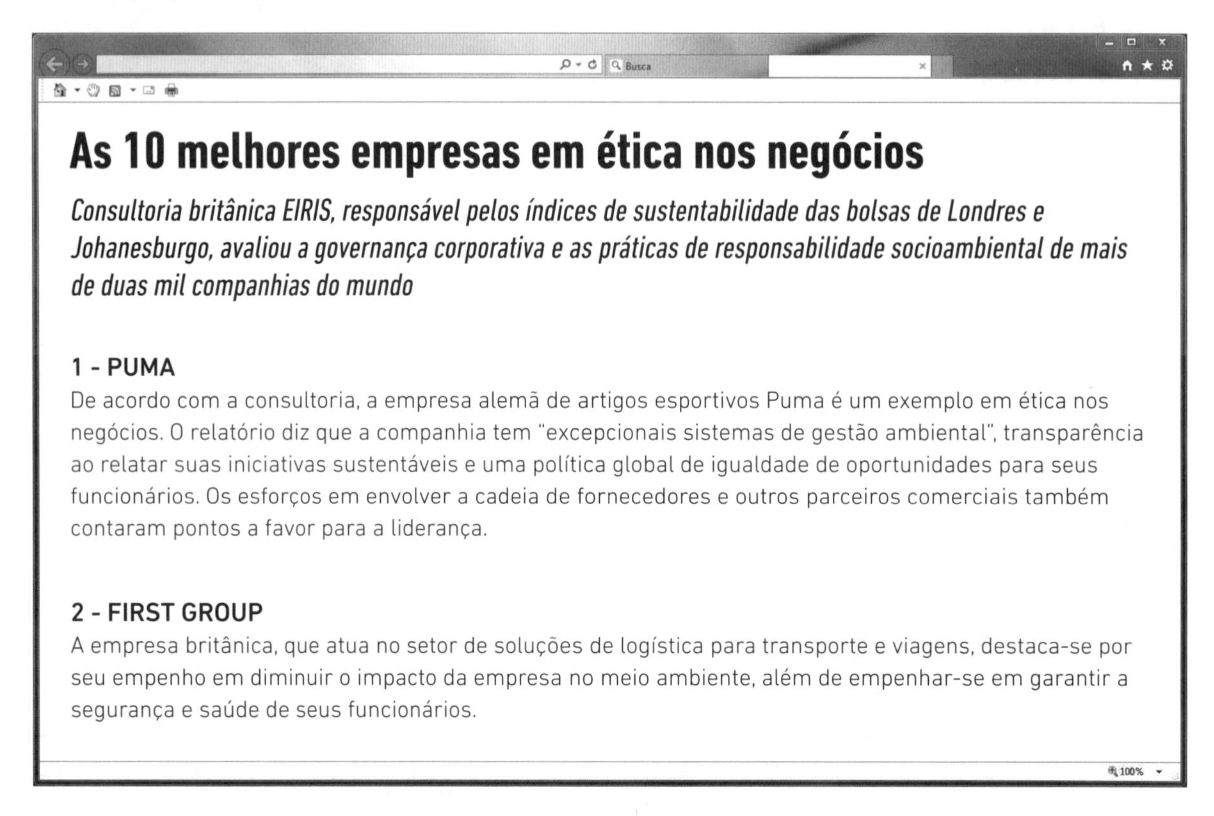

As 10 melhores empresas em ética nos negócios

Consultoria britânica EIRIS, responsável pelos índices de sustentabilidade das bolsas de Londres e Johanesburgo, avaliou a governança corporativa e as práticas de responsabilidade socioambiental de mais de duas mil companhias do mundo

1 - PUMA

De acordo com a consultoria, a empresa alemã de artigos esportivos Puma é um exemplo em ética nos negócios. O relatório diz que a companhia tem "excepcionais sistemas de gestão ambiental", transparência ao relatar suas iniciativas sustentáveis e uma política global de igualdade de oportunidades para seus funcionários. Os esforços em envolver a cadeia de fornecedores e outros parceiros comerciais também contaram pontos a favor para a liderança.

2 - FIRST GROUP

A empresa britânica, que atua no setor de soluções de logística para transporte e viagens, destaca-se por seu empenho em diminuir o impacto da empresa no meio ambiente, além de empenhar-se em garantir a segurança e saúde de seus funcionários.

(Adaptado de <http://exame.abril.com.br/meio-ambiente-e-energia/sustentabilidade/noticias/as-10-melhores-empresas-em-etica-nos-negocios>. Acesso em 3 fev. 2013.)

2 **De acordo com o texto acima, o que faz a empresa Puma ser uma das dez empresas mais éticas do mundo? Liste os pontos apresentados.**

____

____

____

____

3 **De acordo com o texto acima, o que faz a empresa First Group ser uma das dez empresas mais éticas do mundo? Liste os pontos apresentados.**

____

____

____

____

4 **Na tela a seguir, crie um texto como se fosse uma notícia veiculada na internet, descrevendo os pontos positivos com relação à ética em sua empresa. Use o texto da página anterior como inspiração.**

5 **Agora, crie um texto semelhante ao do Exercício 4, mas sobre outra empresa que você sabe que tem ações éticas.**

VOCABULÁRIO E PRONÚNCIA

2:51 1 Ouça e leia o diálogo.

Edite:	Você não vai acreditar, mas a empresa que alugou nossos equipamentos para o concerto disse que não vai pagar o conserto do projetor que alugaram e que quebraram!
Bruno:	É mesmo? Que absurdo! Bem, o jeito vai ser entrar na justiça contra eles.

GLOSSÁRIO

conserto: reparo

concerto: execução de música (no Brasil, costuma se referir a *performances* de música clássica)

Em português, algumas palavras têm a mesma pronúncia, mas são escritas de maneira diferente (por exemplo, *con**s**erto* / *con**c**erto*).

2:52 2 Ouça e repita as palavras da esquerda. Depois, tente correlacionar cada palavra a seu significado. Confira suas respostas na p. 314.

a. acento	☐ transferência de posse ou de direitos
b. assento	☐ preposição: indica falta
c. acender	☐ imperativo / presente do subjuntivo de "viajar"
d. ascender	☐ subir; aumentar
e. censo	☐ divisão de um estabelecimento; subdivisão de um livro
f. senso	☐ sinal gráfico sobre uma letra
g. cessão	☐ inflamar; queimar; ligar
h. sessão	☐ jornada
i. seção	☐ numeral: 100
j. viagem	☐ recenseamento
k. viajem	☐ lugar para sentar-se
l. cem	☐ sentido; percepção
m. sem	☐ reunião; conferência; tempo de consulta, espetáculo etc.

3 Em seu bloco de notas escreva pequenos diálogos usando os seguintes pares de palavras. Depois, leia-os em voz alta.

a. viagem/viajem
b. seção/sessão
c. cem/sem
d. censo/senso

INFORMAÇÕES CULTURAIS

1 Leia os textos abaixo e responda: O que eles têm em comum?

A falta de pontualidade é uma característica bastante conhecida do povo brasileiro, o que pode tornar um pouco mais difícil a vida nos Estados Unidos [...]. Há americanos que já estão acostumados. [...] Na opinião da americana Barbara Leite, dona de um escritório de abertura de firmas, a "cultura do atraso" do brasileiro será muito difícil de ser mudada. Ela disse que já está acostumada. "Marcam e não aparecem, ou não ligam avisando que chegarão 30 ou 40 minutos mais tarde". Barbara acha ainda que o brasileiro é desorganizado com outros compromissos. [...] O Padre Pedro Diniz, da Igreja de São Pedro em Danbury, Connecticut, também está acostumado a conviver com o típico atraso brasileiro, principalmente nos casamentos. "Já tive que suprimir uma cerimônia de casamento, por causa do atraso da noiva". O pároco disse que os americanos não suportam estes atrasos. "Os americanos já perguntam 'é no horário brasileiro ou americano?'".

(Adaptado de <http://www.comunidadenews.com/local/falta-de-pontualidade-faz-parte-da-cultura-brasileira-2928>. Acesso em 3 mar. 2013.)

As traduções são muito mais complexas do que se imagina. Não me refiro a locuções, expressões idiomáticas, palavras de gíria, flexões verbais, declinações e coisas assim. Isto dá para ser resolvido de uma maneira ou de outra, se bem que, muitas vezes, à custa de intenso sofrimento por parte do tradutor. Refiro-me à impossibilidade de encontrar equivalências entre palavras aparentemente sinônimas, unívocas e univalentes. Por exemplo, um alemão que saiba português responderá sem hesitação que a palavra portuguesa "amanhã" quer dizer "morgen". Mas coitado do alemão que vá para o Brasil acreditando que, quando um brasileiro diz "amanhã", está realmente querendo dizer "morgen". Raramente está. "Amanhã" é uma palavra riquíssima e tenho certeza de que, se o Grande Duden fosse brasileiro, pelo menos um volume teria de ser dedicado a ela e outras, que partilham da mesma condição.

"Amanhã" significa, entre outras coisas, "nunca", "talvez", "vou pensar", "vou desaparecer", "procure outro", "não quero", "no próximo ano", "assim que eu precisar", "um dia destes", "vamos mudar de assunto" etc. e, em casos excepcionalíssimos, "amanhã" mesmo. [...]

(Ribeiro, João Ubaldo. *Um brasileiro em Berlim*. Rio de Janeiro: Nova Fronteira, 1995. p. 51-52.)

CONEXÕES INTERCULTURAIS

Responda oralmente.

1 No seu país de origem, os horários são rígidos ou flexíveis? Que horários são respeitados? Que horários são flexíveis?

2 Você acha que alguns povos são mais pontuais que outros? Justifique sua opinião.

3 Fale sobre um/a brasileiro/a que você conhece que é muito pontual. Fale sobre outro/a brasileiro/a que não costuma ser pontual.

GRAMÁTICA

PÁGINA 276 CONSULTE A *MINIGRAMÁTICA* PARA MAIS INFORMAÇÕES.

1 Complete com o condicional dos verbos dados.

O/A diretor/a ideal ____________ (respeitar) todos os colaboradores e ____________ (ser) sempre educado/a com todos. O/A diretor/a ____________ (fazer) o possível para apoiar os colaboradores. Ele/Ela ____________ (dar) exemplos de atitudes profissionais e ____________ (ajudar) a entender o que a empresa pede dos funcionários. Por sua vez, os funcionários ____________ (ter) liberdade para conversar diretamente com o/a diretor/a sobre suas questões.

2 Complete com o imperfeito do subjuntivo dos verbos dados.

Embora o diretor ____________ (conseguir) excelentes resultados financeiros, os métodos que ele usava eram bastante incomuns. Se as autoridades ____________ (fazer) uma investigação, descobririam várias irregularidades. Mas o diretor continuava agindo irregularmente. Antes que a empresa ____________ (ter) problemas, ele foi demitido. Se ele ____________ (observar) as regras da empresa, ainda estaria trabalhando lá.

3 Elabore hipóteses como no exemplo.

Se / ele / ser ético / não ter problemas
Se ele fosse ético, não teria problemas.

a. Se / eu / fazer algo errado / eles / descobrir imediatamente.

____

b. Se / a empresa / investir em ações sociais / conseguir resultados positivos.

____

c. Se / o diretor geral / ter autoridade / exigir prestação de contas.

____

d. Se / nós / aderir à sustentabilidade / ajudar o meio ambiente.

____

e. Se / eles / querer bons lucros / investir em programas sociais.

____

UNIDADE 19 LIDERANÇA

COMEÇANDO O TRABALHO

2:53 ▶ LEIA E OUÇA.

A
Quando eu falo, meus colegas sempre me ouvem.
Quando eu compreendo algo, eu encontro formas de explicar a outras pessoas.
Quando eu assumo uma chefia, eu converso individualmente com todos os colaboradores.
Quando eu tenho tempo, eu leio estudos de caso sobre liderança.

B
Quando eu falar, meu chefe vai ficar espantado.
Quando eu compreender o problema, eu vou discutir sobre ele com minha equipe.
Quando eu assumir a chefia, eu vou conversar com todos os colaboradores.
Quando eu tiver tempo, eu vou comprar o novo livro sobre liderança nas empresas.

▶ REFLEXÕES INICIAIS.

1 Responda.

a. As frases da coluna A referem-se a:

☐ situações repetidas no presente, habituais, que acontecem repetidamente.

☐ eventos que ocorreram no passado. ☐ situações hipotéticas e/ou imaginárias no futuro.

b. As frases da coluna B referem-se a:

☐ situações habituais. ☐ eventos no passado. ☐ possibilidades no futuro.

c. Os trechos sublinhados na coluna A usam que tempo verbal? ____________________

d. Os trechos sublinhados na coluna B usam o futuro do subjuntivo. O que você pode concluir sobre a formação desse tempo verbal? ____________________

▶ SOBRE VOCÊ.

2 Complete as frases, lembrando que elas se referem a situações possíveis no futuro.

a. Quando eu chegar no trabalho amanhã, ____________________

b. Se eu tiver tempo na próxima semana, ____________________

COMPREENSÃO ORAL

2:54 1 Ouça algumas frases.

a. Escreva F se a frase se referir ao futuro; escreva P se a frase se referir ao presente.

1	2	3	4	5	6	7	8

b. Ouça de novo e escreva as frases em seu bloco de notas. Depois, compare o que escreveu com o *script* do áudio na p. 295.

O futuro do subjuntivo refere-se a situações possíveis no futuro. Este tempo verbal normalmente aparece:
(1) Depois de certas palavras quando elas expressam situações no futuro: **assim que**, **logo que**, **sempre que**, **quando**, **enquanto**, **se**.
(2) Depois de **que**, **onde**, **quem**, quando essas palavras se referem a situações no futuro.
Mais informações sobre este tempo verbal na p. 277.

2:55 2 Ouça mais algumas frases.

a. Escreva o número da frase que usa o verbo indicado no futuro do subjuntivo.

SABER	PODER	SER	FAZER	IR	TER	VER	VIR

b. Ouça de novo e escreva as frases em seu bloco de notas. Confira suas respostas no *script* do áudio na p. 295.

- Os verbos **ser** e **ir** têm a mesma forma no futuro do subjuntivo (**for**/**formos**/**forem**).
- O futuro do subjuntivo de **ver** é **vir**/**virmos**/**virem**.
- O futuro do subjuntivo de **vir** é **vier**/**viermos**/**vierem.**

2:56 3 Ouça o diálogo e preencha as lacunas.

Vanda:	Mauro, eu soube que você vai ____________ chefe do setor! Que legal! Parabéns!
Mauro:	Obrigado, Vanda. Eu ____________ um pouco surpreso com a promoção, ____________ eu estou muito contente.
Vanda:	É um reconhecimento do ____________ trabalho que você faz.
Mauro:	Muito obrigado. Mas eu ____________ conversar com você, que já é chefe ____________ bastante tempo. O meu setor é um ____________ difícil. Algumas pessoas não se dão ____________, outras sempre parecem resistir a ____________ orientação. Eu não sei muito bem como ____________. Você tem alguma dica?

Vanda:	Para começar, é importante ____________ a equipe. Numa reunião, você pode ____________ ideias e sugestões a respeito do ____________ do setor. Depois, você faz isso ____________, para o grupo não achar que você ____________ o interesse na opinião deles.
Mauro:	Ótima ____________. Vou convocar uma reunião esta semana ____________.
Vanda:	Outra coisa que eu considero importante: ____________ a equipe em decisões. Se alguma coisa ____________ os funcionários, eles devem fazer parte ____________ processo de decisão.
Mauro:	Eu concordo com ____________. Pretendo fazer exatamente isso e espero ____________ os diretores concordem.
Vanda:	Desde que o seu setor ____________ boa produtividade, eles não se importam e não ____________.
Mauro:	Bom saber. Mais alguma dica?
Vanda:	____________ mais uma, mas é fundamental. Você tem ____________ tentar criar um ambiente de ____________ aberto. Eu sei que o seu ____________ não foi sempre muito aberto. Os funcionários ____________ ter autoconfiança. Faça elogios ao trabalho ____________, reconheça o esforço que eles ____________. E deixe que o ambiente ____________ descontraído, que as pessoas se ____________ bem no setor. Todo mundo no seu setor é muito legal e, se você ____________ isso, tenho certeza que o grupo vai ____________.
Mauro:	Muito obrigado, Vanda. Você me ajudou muito!
Vanda:	Boa sorte!

ter que = ter de

2:57 **4 Ouça e responda.**

a. Qual é o argumento principal do falante? ____________________

b. Identifique 5 justificativas dadas pelo falante para apoiar seu argumento.

I. ____________________
II. ____________________
III. ____________________
IV. ____________________
V. ____________________

5 Ouça o áudio do Exercício 4 novamente e sublinhe a seguir as formas usadas pelo falante para reformular, esclarecer e/ou retificar o que é dito.

ou seja | isto é | quer dizer
ou melhor, | como se pode ver
isso significa que | em outras palavras

PRODUÇÃO ORAL

1 Combine partes dos dois quadros para formar frases e leia as frases feitas oralmente.

Assim que eu chegar no trabalho...
Quando os diretores tiverem uma notícia...
Vou mudar de escritório, mas sempre que puder...
Onde eu for...
Quem puder ajudar nessa tarefa...
Os colaboradores que participarem do projeto...
Quem quiser se juntar a mim...
Se você souber de alguma novidade...

... eu vou levar você comigo, não se preocupe.
... me avise imediatamente.
... eles vão comunicar os gerentes.
... vai ser largamente recompensado.
... vão receber alguns dias de folga.
... eu vou chamar o Paulo para uma reunião.
... eu venho te visitar aqui.
... não vai se arrepender.

2 Dois colegas de trabalho conversam sobre o futuro. Crie um diálogo entre eles e use as formas apresentadas a seguir.

Quando eu for gerente do departamento
Aconteça o que acontecer
Assim que eu tiver minha própria equipe
Logo que eu for promovido
Se eu perceber algo errado
Enquanto eu puder fazer mudanças

3 Em que pensam os líderes? Leia a tabela a seguir e oralmente:

a. faça um resumo dos pontos apresentados no texto.
b. comente sobre como os seus pensamentos comparam-se com os pensamentos descritos no texto.

COMO PENSA UM CEO BRASILEIRO (as porcentagens correspondem à presença dos itens nas respostas de líderes de empresas brasileiras)	
Pessoas estão no centro das preocupações	**Forças que impactam as organizações:** • qualificação profissional: 87% • fatores de mercado: 74% • tecnologia: 73% **Características mais importantes nos profissionais:** • colaborativo: 85% • flexível: 80% • criativo: 70%

As empresas precisam entender melhor o "novo consumidor" para prosperar	**Capital Humano e Relacionamento com o Cliente são as principais fontes de valor econômico sustentável:** • capital humano: 81% • relacionamento com os clientes: 69% • marcas: 50% • inovação em produtos e serviços: 48% **Áreas de investimento/mudança:** • conhecimento sobre clientes: 77% • operações: 63% • vendas: 60% • recursos humanos: 58%
Ética, valores e inspiração são a chave do sucesso profissional	**Qualidades de um líder:** • inspirador: 76% • obsessão pelo cliente: 60% • liderança em equipe: 49% • transparência: 48% • espírito competitivo: 46% **Fatores que mobilizam equipes:** • éticas e valores: 86% • recompensa financeira: 39%

(Adaptado de <http://vocesa.abril.com.br/desenvolva-sua-carreira/materia/pensam-lideres-697606.shtml>. Acesso em 13 jul. 2013.)

4 Preencha o quadro abaixo com algumas ideias.

Características de um bom líder	
Meus pontos fortes como líder	
O que preciso desenvolver para me tornar um líder mais forte	

5 Faça uma apresentação oral sobre as características de um bom líder e como você se vê no que se refere a liderança. Use as anotações do exercício anterior como base de sua apresentação. Grave sua fala e depois ouça o que gravou, preenchendo a ficha a seguir com os elementos que você utilizou.

COMO USEI...?	MUITO BEM ☺	BEM 😐	PRECISO MELHORAR ☹
Expressões faciais			
Gestos			
Expressões para reformulação e/ ou esclarecimento do que é dito			
Expressões para apresentação de exemplos			
Verbos para falar de possibilidades no futuro			
Expressões para mudar de assunto			
Outros: ____________________			

COMPREENSÃO ESCRITA

1 Antes de ler o texto, siga os passos sugeridos na coluna à esquerda e use a coluna à direita para responder gradativamente: Sobre o que você acha que é o texto?

	SOBRE O QUE VOCÊ ACHA QUE É O TEXTO?
a. Observe rapidamente o texto sem ler detalhes.	
b. Leia o título do texto.	
c. Leia a primeira parte (de "Assumi" até "Anônimo").	

2 O artigo a seguir contém uma situação-problema e uma resposta à tal situação-problema. Ainda antes de ler o resto do texto, use o espaço abaixo para escrever algumas previsões sobre a resposta dada à situação-problema apresentada.

O bom chefe sabe quando sair de cena

Assumi há cerca de dez dias a gestão de um departamento de 15 pessoas numa empresa que tem apresentado bons resultados. Meu antecessor se aposentou, mas ainda presta serviços de consultoria. O time claramente ainda joga no time dele — e não me reconhece como a nova líder. Como ganhar a equipe? Anônimo

Vicente Falconi, de Exame

É natural que as pessoas se acostumem ao estilo de um chefe ao longo dos anos. E, claro, quanto mais o tempo passa, mais apego tende a existir. É natural também que, quando esse profissional deixa o cargo, permaneçam a referência e eventualmente certa nostalgia, sobretudo se os resultados são bons.

A comparação imediata entre o antigo e o novo chefe é inevitável. As pessoas começam a fazer uma espécie de jogo dos sete erros entre o estilo de gestão do antecessor e o do sucessor. A razão é bem simples. As diferenças podem trazer mudanças — e as pessoas, em geral, são resistentes a mudanças.

No seu caso, o antigo chefe deve ser uma pessoa competente, mas o tempo passa e a fila tem de andar. Assim é a vida. Quando o executivo se aposenta, o preferível é afastá-lo para que o sucessor possa assumir de fato a nova posição. Um novo chefe já terá de conviver com a sombra do antecessor por algum tempo.

Lidar com a figura presente do antecessor só atrasa a passagem do comando. Se no seu caso ele tiver de ficar por perto por algum motivo, observe se ele é disciplinado o bastante para evitar contato direto com a equipe. Ele deve endereçar as pessoas que o procuram ao novo chefe, a quem ele deve dar o máximo apoio.

Você deve ser a principal interlocutora dele neste momento. E ele deve ajudá-la a conquistar o time. Afinal, se você foi colocada nessa posição, é porque ganhou a confiança de seu chefe, foi reconhecida como capaz de conduzir a equipe e tem possibilidades futuras na empresa.

Em minha opinião, de nada adianta tentar disputar poder com seu antecessor. Na verdade cabe exigir seu espaço já conquistado. Caso o chefe antigo esteja apegado à posição de liderança, melhor seria providenciar o afastamento físico dele imediatamente. Pelo que percebo de sua pergunta, a empresa está errando profundamente em deixá-lo por perto.

Ele poderia ainda continuar a trabalhar como consultor. Mas em casa ou em qualquer lugar fisicamente distante do escritório e à sua disposição. Ou seja, quando você precisasse dele por algum motivo, poderia chamá-lo. Se essa situação não for resolvida pela empresa, é melhor você procurar outro trabalho.

Tenho 71 anos e confesso que tenho pouca paciência com velhos que se apegam a posições de poder. É pura falta de ética profissional. É falta de percepção da sequência da vida.

(*Exame*. São Paulo: Abril, n. 5, 21 mar. 2012. p. 108.)

3 Leia o texto e reflita sobre suas previsões: Até que ponto elas facilitaram a leitura do texto?

4 Localize no texto o vocabulário que significa:

a. para de trabalhar depois de certa idade: ______________________________
b. afeto, amizade: ______________________________
c. levá-lo para longe: ______________________________
d. área escura causada por algo que bloqueia a luz: ______________________________
e. dirigir, encaminhar: ______________________________
f. demandar, requisitar: ______________________________

5 Leia o texto novamente e determine se as afirmativas abaixo são verdadeiras (V) ou falsas (F).

a. ☐ É normal comparar o/a chefe anterior ao/à chefe atual.
b. ☐ As pessoas apostam que o sucessor vai cometer erros.
c. ☐ Normalmente, nós não gostamos de mudanças.
d. ☐ Depois de deixar o cargo, um bom chefe deve permanecer conectado ao seu antigo setor.
e. ☐ Como novo/a chefe, é importante dominar o seu espaço.
f. ☐ É do interesse da empresa manter o/a antigo/a chefe em contato com a equipe.
g. ☐ O autor do artigo acha que deve haver renovação em liderança.

6 Agora complete as frases usando as palavras a seguir.

afastar | apego | compare | endereçar | quiser | presença

a. O antecessor de Anônimo tem ____________ à sua antiga posição. Ele adorava ser chefe!
b. É normal que uma equipe ____________ um/a chefe com outro/a.
c. A empresa deve ____________ um/a executivo/a que se aposenta.
d. A troca de comando é prejudicada pela ____________ do antecessor.
e. Se alguém procurar o antecessor, ele deve ____________ a pessoa ao chefe atual.
f. Se o antigo chefe ____________ trabalhar para a empresa, deve fazê-lo de outro local.

O TEXTO E VOCÊ

- Você concorda com as respostas dadas à situação-problema? Por quê (não)?
- Que outras respostas poderiam ser dadas à situação-problema?

PRODUÇÃO ESCRITA

1 Releia a resposta dada à situação-problema na p. 244. A que parágrafo se referem as descrições abaixo?

PARÁGRAFO	DESCRIÇÃO
	Apresenta comentários específicos sobre a situação em foco, com ênfase no que deve ocorrer para solucionar o problema. Comentários gerais também são feitos, mas eles servem para justificar as recomendações dadas ao caso específico.
	Contém a opinião e sentimentos do autor da resposta sobre a situação-problema.
	Apresenta comentários gerais, que se aplicam não apenas à situação em foco, mas a outras situações similares.

2 Localize no texto exemplos de formas usadas pelo autor para:

Apresentar comentários gerais	
Apresentar comentários específicos	
Apresentar opinião/sentimento pessoal	
Dar conselhos	

3 Você vai escrever uma resposta a uma situação-problema no trabalho. Siga os passos a seguir.

a. Leia as situações-problema a seguir e escolha uma para responder.

SITUAÇÃO 1

Eu era muito satisfeito com o meu emprego no começo, mas agora não sinto tanto entusiasmo como antes. Ainda gosto do que faço, mas atualmente considero o trabalho fácil. Está na hora de mudar de emprego?

SITUAÇÃO 2

Sou chefe de uma equipe boa em geral, mas nem todos colaboram da mesma maneira. O que devo fazer para que todos queiram suar a camisa?

Situação 3

Assumi há pouco tempo a chefia do meu setor e estou enfrentando problemas de administração de tempo. Chego no escritório antes das 7h00 todos os dias e só saio depois das 20h00. Além disso, levo trabalho para casa nos fins de semana e nunca sobra tempo para a minha família. Alguma ideia para organizar melhor o meu tempo?

b. Decida como vai organizar sua resposta.

PARÁGRAFO	Descrição do parágrafo: O que ele vai conter/como vai ser organizado	Formas linguísticas que vou usar no parágrafo (vocabulário, estruturas)
1		
2		
3		

c. Escreva sua resposta!

___

___

___

___

___

___

___

___

___

___

VOCABULÁRIO E PRONÚNCIA

1 No texto da p. 244, o autor da carta escreve: "O time claramente ainda joga no time dele". O que você acha que a expressão quer dizer? A que ela remete?

2:58 **2 Ouça e repita algumas expressões relacionadas a futebol. Depois, relacione-as a seus significados.**

a. dar bola a	☐ fazer algo forçosamente
b. pisar na bola	☐ acreditar; ser leal a alguma coisa
c. vestir a camisa	☐ dar atenção a alguém
d. chutar para escanteio	☐ aposentar-se; deixar de exercer uma função
e. entrar de sola	☐ fazer algo errado
f. pendurar as chuteiras	☐ retirar-se; sair de um lugar
g. tirar o time de campo	☐ trabalhar fortemente
h. suar a camisa	☐ eliminar (uma pessoa) de uma situação ou relação

3 Em seu bloco de notas, faça frases descrevendo bons e maus líderes usando as expressões acima. Veja o exemplo a seguir.

Um bom líder sempre veste a camisa de sua equipe.

4 No diálogo entre Vanda e Mauro (p. 240), Vanda diz: "Que legal!" e "Todo mundo no seu setor é muito legal". Nestes contextos, "legal" significa:

☐ legítimo ☐ regular ☐ bom, ótimo

Legal = bom, bacana. *Meu chefe é legal. / Meus colegas são legais. / Que sugestão legal!*
Legal = de acordo com a lei; legalizado. *Este documento é legal. / Eles exigem uma certidão legal.*

5 Relacione as palavras da primeira linha do quadro com os significados listados em seguida.

a. banco **b.** página **c.** manga **d.** planta **e.** são		
☐ parte da roupa que cobre o braço ☐ vegetal ☐ lugar para guardar dinheiro ☐ endereço da internet	☐ santo ☐ lugar para sentar ☐ mapa de prédio ou casa ☐ conjugação do verbo **ser**	☐ um lado de uma folha de livro ☐ fruta ☐ saudável

INFORMAÇÕES CULTURAIS

1 Leia.

ALGUNS LÍDERES BRASILEIROS

Zumbi dos Palmares (1655-1695)
Zumbi lutou incansavelmente pela liberdade de muitos escravos. Este líder fundou Palmares, uma comunidade composta por pessoas que conseguiram escapar da escravidão. Zumbi tornou-se um símbolo de resistência e da luta contra a escravidão. Atualmente, o dia 20 de novembro, Dia da Consciência Negra, é um feriado facultativo em homenagem a Zumbi dos Palmares.

Tiradentes (1746-1792)
Conhecido como Mártir da Independência, Tiradentes (Joaquim José da Silva Xavier) fazia parte de um grupo que lutava pela independência do Brasil. No entanto, o grupo foi denunciado antes que pudesse executar os planos de revolução. Tiradentes foi considerado o líder do grupo e foi enforcado e esquartejado no dia 21 de abril de 1792. O dia 21 de abril é feriado nacional no Brasil em homenagem a Tiradentes.

Princesa Isabel (1846-1921)
Filha do Imperador Pedro II, a princesa assinou a Lei Áurea, que aboliu a escravidão no Brasil, em 1888. Depois da proclamação da República, em 1889, a princesa exilou-se na França, onde permaneceu até a sua morte.

Juscelino Kubitschek (1902-1976)
O 21º Presidente da República foi responsável pela transferência da capital do país do Rio de Janeiro para Brasília em 1960. Com o lema "50 anos em 5", o governo de Juscelino construiu a nova capital no centro do país. Brasília foi planejada pelo urbanista Lúcio Costa e pelo arquiteto Oscar Niemeyer e é considerada um marco mundial de arquitetura e urbanismo.

2 Responda oralmente.

a. O que você já sabia sobre os líderes acima antes de ler o texto desta página?
b. O que aprendeu ao ler o texto?
c. Qual dos líderes acima lhe parece mais importante para a história brasileira? Por quê?

CONEXÕES INTERCULTURAIS

Responda oralmente.
1 Descreva oralmente um ou dois líderes famosos no seu país de origem.
2 O seu país tem feriados em homenagem a esse(s) líder(es)? Se tem, quando é (são)?

GRAMÁTICA

CONSULTE A *MINIGRAMÁTICA* PARA MAIS INFORMAÇÕES.

1 Complete as lacunas com o futuro do subjuntivo de um dos verbos dados a seguir.

dar poder ter

A equipe vai conseguir resultados quando o chefe ____________ a orientação necessária. Enquanto ele não ____________ contar com a colaboração dos subordinados, não vai atingir as metas estabelecidas. Por outro lado, assim que os funcionários ____________ confiança nele, o trabalho vai render muito mais.

2 Escolha as formas verbais mais adequadas para completar o texto.

Você (vai ser) (for) uma boa chefe. À medida que você (fazer) (fizer) mudanças, a equipe (vai ter) (tiver) oportunidade de conhecer o seu estilo. Quando (eles vão estar) (estiverem) acostumados, eles (vão colaborar) (colaborarem) sem restrições. Uma pequena resistência inicial (faz) (fizer) parte do processo. No entanto, depois que você (vai dar) (der) às pessoas a chance de participar em decisões, elas (vão jogar) (jogarem) no seu time!

3 Complete as frases usando a forma adequada dos verbos dados.

Nosso chefe foi promovido e __________ (ir) para outra filial no mês que vem. Nós __________ (sentir) falta dele. Nós ____________ (conhecer) o novo chefe quando ele ____________ (vir) aqui amanhã. Se ele ______________ (ser) simpático, a equipe ______________ (gostar) dele. Quando ele se ______________ (acostumar) com o setor, ele ______________ (ver) que nós queremos colaborar. Se ______________ (haver) alguma coisa que ele não entende, a equipe certamente ______________ (ajudar). Uma transição nunca é fácil, mas nós ______________ (fazer) tudo para colaborar com ele se ele ______________ (querer).

4 Selecione a alternativa que completa a lacuna.

a. Sempre que _____ a um congresso procuro assistir a palestras de líderes inspiradores.
☐ for ☐ vou ☐ vá ☐ fosse

b. Espero que um dia eu ___ me tornar um líder importante.
☐ conseguir ☐ consigo ☐ consiga ☐ conseguisse

c. Quando a empresa ____ as metas traçadas, todos os concorrentes irão traçar metas semelhantes.
☐ atingir ☐ atinge ☐ atinja ☐ atingisse

d. Se você ____ mais tempo na sua formação profissional, você seria promovido à gerência.
☐ investir ☐ investe ☐ invista ☐ investisse

UNIDADE 20 LIDANDO COM PROBLEMAS

COMEÇANDO O TRABALHO

2:59 ► LEIA E OUÇA.

Caros colegas, iniciamos hoje um novo ano em que teremos muitos desafios e precisaremos trabalhar juntos para ganhar da concorrência e vencer as dificuldades. Mas eu sou otimista. Ampliaremos nosso faturamento ao mesmo tempo em que reduziremos os nossos custos. Para tal, buscaremos fornecedores mais próximos de nossas fábricas e negociaremos contratos de longo prazo. Investiremos em treinamento interno para evitar custos de contratação de novos funcionários. Procuraremos parcerias com órgãos do governo para tornar a empresa mais sustentável. Estabeleceremos...

► REFLEXÕES INICIAIS.

1 Responda.

a. A que tempo se referem os verbos sublinhados acima: presente, passado ou futuro?

____

b. Observando os verbos acima, o que você pode concluir sobre sua formação com verbos regulares na 1ª pessoa do plural (nós)? __________________________

c. A situação acima poderia ser descrita como formal ou informal? __________________

d. No seu bloco de notas, responda: Como os verbos a seguir poderiam ser produzidos? Siga o exemplo.

FUTURO DO PRESENTE	FUTURO COM IR
teremos	vamos ter

precisaremos / ampliaremos / reduziremos / buscaremos / negociaremos / investiremos / procuraremos / estabeleceremos /

► SOBRE VOCÊ.

2 Responda.

a. O que sua empresa fará de diferente em um futuro próximo? Use o futuro do presente.

Nós ____

É importante notar a diferença na pronúncia de verbos no pretérito perfeito e no futuro do presente na 3ª pessoa do plural: a sílaba tônica no pretérito perfeito é a penúltima; no futuro, a última: Vocês che**ga**ram; vocês chega**rão**/Eles enten**de**ram; eles entende**rão**/Elas inves**ti**ram; elas investi**rão**

COMPREENSÃO ORAL

2:60 1 Ouça as frases e escreva o verbo na coluna certa. Veja o exemplo.

	PRETÉRITO PERFEITO	FUTURO DO PRESENTE
Exemplo:	resolveram	
a.		
b.		
c.		
d.		
e.		
f.		

2:61 2 Escolha a opção adequada. Depois, ouça para conferir suas respostas.

CRESCIMENTO FORA DE CONTROLE

- Até 2030, as cidades (ocuparam) (ocuparão) (ocupam) uma área adicional de 1 milhão e meio de quilômetros quadrados, o equivalente aos territórios de França, Alemanha e Espanha combinados.
- Até 2050, a população do planeta (chegará) (chega) (chegava) a 9 bilhões de habitantes, dos quais 6,3 bilhões viverão em cidades.
- Dos novos habitantes das cidades, 1 bilhão (vinham) (vieram) (virão) do campo.
- Hoje, as cidades (ocuparão) (ocupam) (ocuparam) 5% da Terra, mas 70% das emissões mundiais de CO_2 estão relacionadas às suas necessidades.
- Quinze bilhões de toneladas métricas de carbono (eram) (são) (serão) liberadas pelos centros urbanos em 1990. Em 2010, foram 25 bilhões.
- Há um século, menos de 20 cidades (terão) (tiveram) (tinham) um milhão de habitantes; hoje, são 450.

(*O Globo*. Rio de Janeiro, 23 mar. 2012. p. 32.)

2:62 3 Ouça e responda.

a. A que problema o texto se refere?

____

b. Que porcentagem dos empresários:

I. acha que as empresas funcionariam melhor com menos obrigações legais? __________

II. considera que as obrigações legais são muito complicadas? __________

III. não gosta do fato de que as regras mudam muito? __________

IV. acha que não têm recursos para cumprir as obrigações legais? __________

c. Por que os formulários hoje são mais complicados?

____

d. Como a burocracia afeta o uso de recursos?

____

2:63 ## 4 Ouça e responda.

a. O texto menciona dois fatores que afetam o preço de um produto importado. Quais são eles?

____

b. Complete o quadro.

Valor do vinho no produtor	R$
Impostos e taxa de importação	R$
	R$ 11,55
	R$ 15,59
Margem de lucro do restaurante	R$
Preço para o consumidor	R$

2:64 ## 5 Ouça e complete o texto.

A falta de recursos naturais ainda não ____________ os negócios. Segundo matéria publicada no *site* da revista *Exame* em 18 de dezembro de 2012, um estudo com executivos de vários países mostra que a maioria das empresas ____________ o problema que a falta de recursos naturais ____________ no futuro. Apenas ____________ dos executivos entrevistados já se preparam. A maioria ____________ começar a implementar mudanças em 3 a 15 anos. Na opinião dos executivos, as emissões de gás carbônico se ____________ críticas até o ano ____________. Já a água, para os executivos, só ____________ um problema crítico por volta do ano ____________, enquanto a energia elétrica, óleo e gás ____________ um ano a mais para ____________ uma situação grave. Para a maioria dos executivos, a falta de recursos naturais ____________ maior impacto no custo de produção e serviços. Por outro lado, apenas ____________ dos entrevistados acreditam que a escassez de recursos ____________ o processo produtivo de maneira significativa. A pesquisa revela que as empresas ____________ avançar em várias áreas para enfrentar a futura falta de recursos. ____________ das empresas que participaram da pesquisa não ____________ metas para redução das emissões de CO_2, uso de água e geração de resíduo, e apenas ____________ das empresas ____________ gestores por atingir metas de sustentabilidade.

PRODUÇÃO ORAL

1 **Dois colegas conversam sobre os problemas mais frequentes em suas empresas. Use as informações do quadro como referência e crie um diálogo entre eles.**

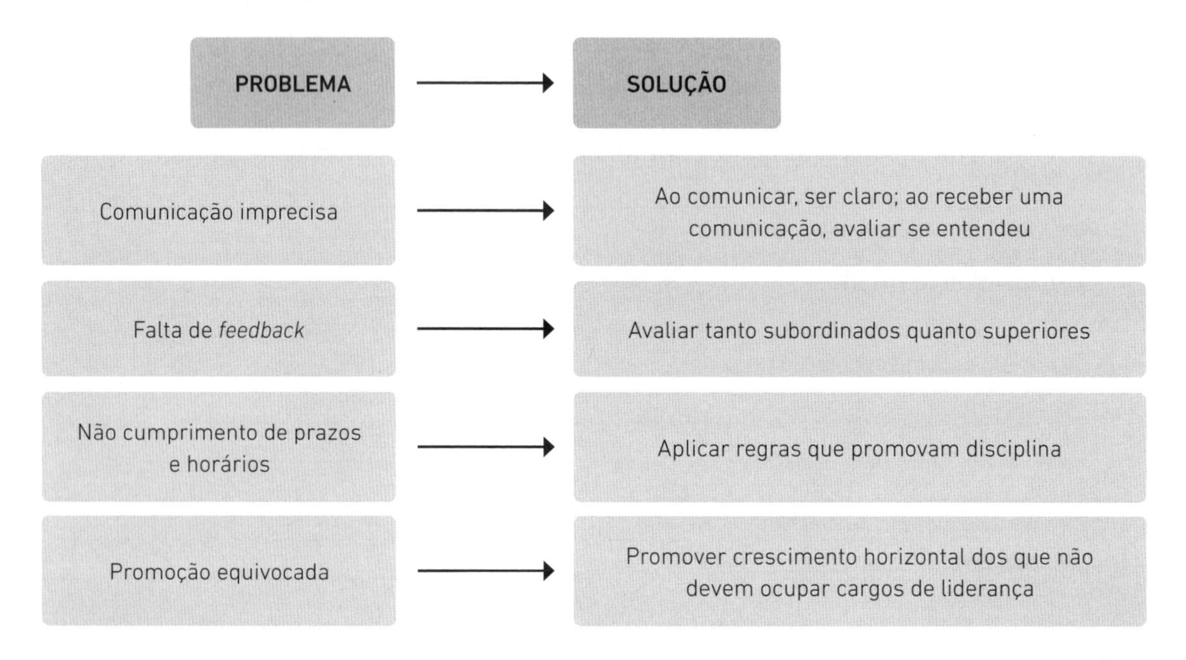

2 **Abaixo, liste 5 problemas que você encontra frequentemente na sua empresa. Depois, oralmente, faça frases dizendo o que você fará para tentar resolver tais problemas.**

3 **Crie pequenos diálogos em que A tem uma má notícia para dar a B, e B reage à má notícia. Use as expressões abaixo como referência.**

Dando más notícias	Reagindo a más notícias
Eu sinto muito, mas...	O quê?
Infelizmente eu tenho uma má notícia.	Nossa, por essa eu não esperava.
Tivemos de tomar uma decisão e resolvemos que...	Entendo a posição da empresa, mas...
Lamentamos informar que...	Se não tem mesmo jeito...
Temos um problema com...	Mas não é possível!
Infelizmente, precisamos...	Mal posso acreditar.
	O que eu vou fazer agora?

SITUAÇÃO 1:	Duas empresas se unificaram recentemente e algumas vagas estão sendo duplamente preenchidas. A diz a B que ela será demitida.

SITUAÇÃO 2:	Uma empresa reorganiza sua estrutura. A diz a B que o departamento que ela gerencia será cortado, incorporando-se a outro já existente.

SITUAÇÃO 3:	A diz a B que as verbas solicitadas para compra de novos equipamentos não foram liberadas, e que B terá de usar os velhos equipamentos por mais um ano, pelo menos.

4 **As respostas abaixo foram dadas por estrangeiros que moram e trabalham no Rio ao serem perguntados sobre o que menos gostam na cidade. Leia os depoimentos e responda oralmente.**

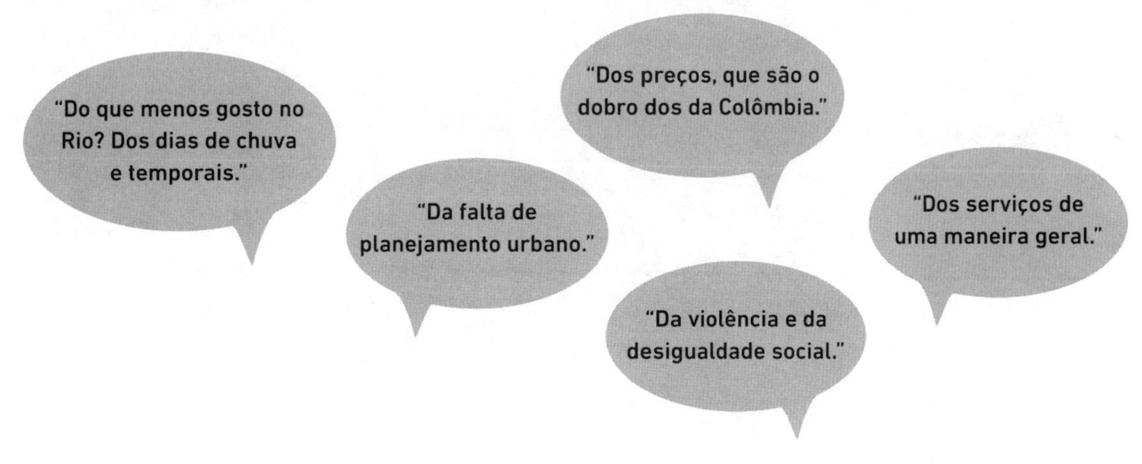

(*Veja Rio*. São Paulo: Abril, n. 25, 3 ago. 2011. p. 22.)

a. O que você acha dos depoimentos? Você concorda com eles? Outras cidades do Brasil têm problemas semelhantes?

b. Do que você menos gosta no Brasil?

c. O que pode ser feito para lidar com esses problemas?

COMPREENSÃO ESCRITA

1 Leia o texto e sublinhe os verbos no futuro.

Governo criará cadastro positivo para exportador

Medida integra pacote que visa a destravar burocracia. Brasil fica atrás de Ruanda em *ranking* de facilitação de negócios

Gabriela Valente
Eliane Oliveira

BRASÍLIA. Um sistema de comércio exterior à beira do colapso, devido à falta de investimentos e ao excesso de regulação, jogou o Brasil atrás de países como Ruanda, Tonga, Paraguai e Etiópia no *ranking* mundial dos que mais facilitam os negócios entre as nações. Para evitar um apagão no setor, o governo prepara um pacote de medidas, entre as quais a criação de uma espécie de cadastro positivo de importadores e exportadores.

O objetivo do cadastro, que faz parte do arcabouço de ações que está sobre a mesa da Câmara de Comércio Exterior (Camex) ao qual *O Globo* teve acesso, é que empresas de boa reputação pulem etapas do processo de desembaraço de mercadorias. Assim, muitas delas serão poupadas da verdadeira peregrinação em busca de carimbos de 17 órgãos diferentes.

Tempo de inspeções no Brasil é o dobro dos EUA

Enquanto na Bélgica são necessárias duas horas para liberar um carregamento, aqui, somente a Receita Federal demora pelo menos dois dias com a mercadoria. Com isso, o prazo médio, segundo o Ministério do Desenvolvimento, Indústria e Comércio Exterior (Mdic), é de dez dias. Um problema maior para quem negocia produtos perecíveis e depende de liminares na Justiça para fazer tudo isso antes de os produtos perderem a validade.

Aqui no Brasil, as inspeções duram muito mais tempo que na Rússia, na Índia, na China e na Argentina. Se a comparação for com Estados Unidos, Alemanha, Canadá e Reino Unido, este prazo chega a ser o dobro. E é um tempo caro e ineficiente: 70% dele são gastos para preparar documentos e conseguir liberação junto a órgãos de governo. Os 30% restantes são para transporte e movimentação portuária.

Foram quatro anos de estudo de um grupo de técnicos da Camex para analisar os processos mais modernos e propor um novo marco regulatório para o setor. O problema é que as propostas entram e saem da pauta das reuniões de um órgão enfraquecido depois de ter sido atropelado pelo Ministério da Fazenda no episódio do aumento do Imposto sobre Produtos Industrializados (IPI) para carros importados.

(*O Globo*. Rio de Janeiro, 17 nov. 2011. p. 29.)

2 Localize no texto o vocabulário que significa:

a. registro: ______________________________

b. soltar, afrouxar: ______________________________

c. objetiva, pretende: ______________________________

d. paralisação, *black-out*: ______
e. fases: ______
f. despacho: ______
g. produtos: ______
h. visto, selo: ______
i. desbloquear: ______
j. agenda, lista: ______

3 Leia o texto novamente e determine se as afirmativas abaixo são verdadeiras (V) ou falsas (F).

a. ☐ O governo brasileiro quer agilizar as importações e exportações.
b. ☐ O governo quer criar um registro de empresas com problemas.
c. ☐ As empresas com boa reputação acessarão as mercadorias mais facilmente.
d. ☐ Todas as empresas terão carimbos de 17 órgãos do governo.
e. ☐ A Receita Federal leva duas horas para liberar mercadorias.
f. ☐ A burocracia dificulta o comércio de produtos perecíveis.
g. ☐ No Brasil as inspeções são mais ágeis que na Índia.
h. ☐ A maior parte do tempo de inspeção é usada com documentos.
i. ☐ Um estudo propõe novas regulações.
j. ☐ A Câmara de Comércio Exterior tem menos força do que antes.

4 Complete as frases com a melhor alternativa.

a. O sistema de comércio exterior no Brasil ____ entrou em colapso.
☐ ainda ☐ quase ☐ sempre
b. O governo quer ___ importadores e exportadores de boa reputação.
☐ registrar ☐ multar ☐ pesquisar
c. Certas empresas poderão ___ etapas do processo de liberação de mercadorias.
☐ adicionar ☐ pagar ☐ saltar
d. As inspeções no Brasil ____ muito tempo.
☐ parecem ☐ levam ☐ há
e. Um grupo de técnicos sugere ___ mais eficientes.
☐ ações ☐ produtos ☐ ministérios

O TEXTO E VOCÊ

• Você acha que um "cadastro positivo" pode ajudar os importadores e exportadores? Que outras soluções você pode propor para o problema exposto no artigo?

PRODUÇÃO ESCRITA

1 Leia o texto abaixo e responda.

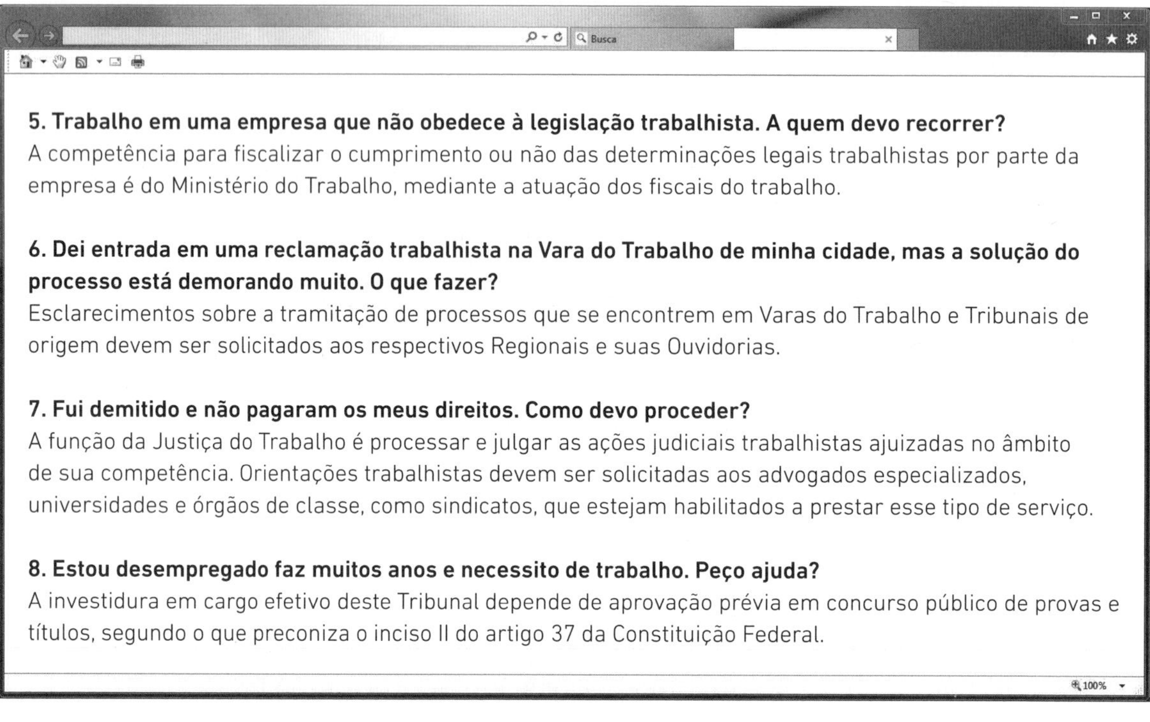

5. Trabalho em uma empresa que não obedece à legislação trabalhista. A quem devo recorrer?
A competência para fiscalizar o cumprimento ou não das determinações legais trabalhistas por parte da empresa é do Ministério do Trabalho, mediante a atuação dos fiscais do trabalho.

6. Dei entrada em uma reclamação trabalhista na Vara do Trabalho de minha cidade, mas a solução do processo está demorando muito. O que fazer?
Esclarecimentos sobre a tramitação de processos que se encontrem em Varas do Trabalho e Tribunais de origem devem ser solicitados aos respectivos Regionais e suas Ouvidorias.

7. Fui demitido e não pagaram os meus direitos. Como devo proceder?
A função da Justiça do Trabalho é processar e julgar as ações judiciais trabalhistas ajuizadas no âmbito de sua competência. Orientações trabalhistas devem ser solicitadas aos advogados especializados, universidades e órgãos de classe, como sindicatos, que estejam habilitados a prestar esse tipo de serviço.

8. Estou desempregado faz muitos anos e necessito de trabalho. Peço ajuda?
A investidura em cargo efetivo deste Tribunal depende de aprovação prévia em concurso público de provas e títulos, segundo o que preconiza o inciso II do artigo 37 da Constituição Federal.

(<http://www.tst.jus.br/perguntas-mais-frequentes>. Acesso em 15 jul. 2013.)

a. De onde o texto acima foi retirado?

___

b. Pelo url do *site* (http://www.tst.jus.br/perguntas-mais-frequentes), o que você pode concluir sobre o texto?

___

c. A quem a página de internet acima é potencialmente útil?

___

d. Que outras perguntas você acha que fazem parte da página de internet acima? Escreva abaixo algumas ideias. Depois, vá ao *site* original e compare suas respostas.

___

___

___

___

2 Você vai escrever um texto intitulado "Perguntas Frequentes" sobre algum aspecto do seu trabalho. Como preparação, faça uma busca na internet por "perguntas frequentes" "trabalho" e navegue por alguns *sites* relevantes. Use o espaço a seguir para registrar ideias que possam ser úteis no seu texto (vocabulário, estruturas, temas).

3 Escreva seu texto! Inclua perguntas e respostas.

VOCABULÁRIO E PRONÚNCIA

2:65 **1 Ouça e leia cada uma das histórias. Em seguida, numere as definições de acordo com as expressões usadas.**

a.

(1) Estou com a corda no pescoço. Meu chefe me pediu pra eu observar a rotina do Reinaldo porque ele vive **(2) enchendo linguiça** e **(3) fazendo tudo nas coxas**. Além disso, me pediu pra verificar o relatório com as contas **(4) tintim por tintim**. Olha só que **(5) abacaxi tenho que descascar**! O Reinaldo **(6) pisa na bola** e sou eu que tenho que **(7) pagar o pato**.

☐ levar a culpa de algo que não se cometeu
☐ passar o tempo fazendo coisas sem importância
☐ resolver um problema
☐ estar sob muita pressão
☐ fazer algo sem cuidado, malfeito
☐ não fazer o que se espera; decepcionar
☐ em detalhes

b.

Estou cansado de **(1) engolir sapo** no meu trabalho. Fui falar com a minha chefe sobre isso e foi uma **(2) lavação de roupa suja** danada. Ela me disse que eu estava **(3) procurando sarna pra me coçar** e que se continuasse a falar daquele jeito eu ia **(4) entrar pelo cano**. Cansei. Estou pensando em **(5) chutar o balde** e pedir demissão, mas meu medo é ir pra outra empresa e **(6) trocar seis por meia dúzia**.

☐ tentar uma mudança que não faz diferença
☐ tomar atitude que pode levar a problemas
☐ discutir e fazer acusações em voz alta
☐ desistir de tudo
☐ tolerar algo errado sem dizer nada
☐ ter problemas; sair-se mal em alguma coisa

c.

A auditoria **(1) acabou em pizza**. Eu estava otimista que os responsáveis iam ser punidos, mas estava errada. Foi um **(2) banho de água fria**. No final, o auditor também estava comprometido com denúncias e produziu um relatório **(3) pra inglês ver.** Quando soube do resultado eu **(4) rodei a baiana**, mas aquele **(5) mala sem alça** do Roberto me olhou vitorioso, como quem diz: "Viu? Você se deu mal!" Aí eu **(6) perdi a linha** e parti pra briga.

☐ que não relata a verdade; que não é cumprido/a
☐ pessoa chata, desagradável, inconveniente
☐ desilusão, decepção
☐ reclamar de forma veemente
☐ não resultar em nada
☐ perder a educação/a paciência

2 Em seu bloco de notas, faça algumas frases descrevendo problemas no trabalho e usando as expressões idiomáticas apresentadas acima.

INFORMAÇÕES CULTURAIS

1 Leia as informações a respeito do sistema governamental brasileiro.

AS CONSTITUIÇÕES BRASILEIRAS

Até hoje, o Brasil teve sete constituições. A primeira constituição seguiu a independência e data de 1824. A segunda foi promulgada em 1891, depois da proclamação da República, e refletia as mudanças no sistema político e econômico do país. A terceira constituição foi aprovada em 1934, no primeiro governo de Getúlio Vargas, e instituiu o voto obrigatório a partir dos 18 anos (que perdura até o presente). Em 1937, Getúlio Vargas revogou a constituição de 1934 e outorgou uma nova constituição, a quarta da história brasileira, que concentrava o poder nas mãos do presidente e suprimia a liberdade partidária e a liberdade de imprensa. Com o fim da Segunda Guerra Mundial, o governo ditatorial entrou em crise e Vargas foi deposto. Em 1946, promulgou-se a quinta constituição brasileira, que retomava a linha democrática. No entanto, o Brasil passou por mais um período de ditadura, e em 1967 o regime militar promulgou a sexta constituição brasileira. Com o fim da ditadura, convocou-se uma Assembleia Nacional Constituinte em 1985 com o fim de redigir uma nova constituição. A constituição atual data de 1988 e ampliou as liberdades civis, estabeleceu novos direitos trabalhistas, eliminou a censura em meios de comunicação e reformou o sistema tributário, entre outras medidas.

OS TRÊS PODERES

A organização política do Estado brasileiro comporta três poderes: o Executivo, o Legislativo e o Judiciário.

O Poder Judiciário garante os direitos individuais, coletivos e sociais, além de resolver conflitos entre cidadãos, entidades e Estado. O Supremo Tribunal Federal é o órgão máximo do Poder Judiciário. Sua principal função é o cumprimento da Constituição.

O Poder Legislativo é composto pela Câmara dos Deputados e pelo Senado. Essas duas Casas formam o Congresso Nacional. O Tribunal de Contas da União também faz parte do Poder Legislativo, sendo responsável pelo controle e fiscalização da administração pública.

O Poder Executivo coloca em prática os programas de governo e presta serviço público. O/A chefe do Executivo é o/a Presidente da República, que também é chefe de Estado e de Governo. O Poder Executivo engloba os órgãos de administração direta, como os ministérios, e os órgãos de administração indireta, como as empresas públicas.

2 Responda oralmente: O que você aprendeu sobre o sistema governamental brasileiro?

CONEXÕES INTERCULTURAIS

Responda oralmente.

1 Qual é o sistema governamental do seu país?

2 Como se divide o sistema de governo no seu país?

3 Compare o sistema governamental brasileiro com o do seu país. Em que se parecem? Em que são diferentes?

GRAMÁTICA

CONSULTE A *MINIGRAMÁTICA* PARA MAIS INFORMAÇÕES.

1 O diretor financeiro de uma empresa fala de planos para lidar com alguns problemas. Complete o parágrafo usando o futuro do presente (por exemplo, *cortarei, eliminará*).

Como sabem, a nossa empresa tem alguns problemas financeiros no momento. Por isso, nós não __________ (contratar) novos funcionários nos próximos meses. Antes de fazer novas contratações, nós __________ (ter) que analisar as funções e os salários de cada um. A partir de hoje, os executivos só __________ (fazer) viagens em caso de extrema necessidade. Nos outros casos, nós __________ (usar) a tecnologia e __________ (conversar) através de videoconferências. Outras medidas __________ (ser) anunciadas ao longo da semana.

2 A empresa Desil passa por problemas e está se reestruturando. Forme frases mostrando o futuro da empresa. Siga o exemplo.

A empresa / resolver / os problemas = A empresa resolverá os problemas.

a. A presidente / liderar / a reestruturação

____

b. Os contratos / ser / avaliados

____

c. Os diretores / dar assistência / a cada setor

____

d. A presidente / trazer / soluções inovadoras

____

3 Selecione a melhor alternativa para completar cada frase.

a. Os diretores ___ o orçamento amanhã.
☐ reviram ☐ vão rever ☐ revejam ☐ revirem

b. Ontem, eles ___ que a empresa tem que diminuir os gastos em 20%.
☐ decidiram ☐ decidirão ☐ decidem ☐ decidam

c. Antes de janeiro do ano que vem, cada setor ___ gastos que não são essenciais.
☐ cortar ☐ corte ☐ cortará ☐ cortava

d. Os diretores esperam que cada setor ___ seu problema orçamentário.
☐ resolverá ☐ resolva ☐ resolvesse ☐ resolve

e. Se todo mundo ___ sua parte, não será difícil implementar o novo orçamento.
☐ fizer ☐ fará ☐ fazer ☐ vai fazer

MINIGRAMÁTICA

Pronomes pessoais retos (sujeito) + Verbo *Ser*

Eu *sou* brasileira.
Você *é* canadense.
O senhor *é* alemão.
A senhora *é* chinesa.
Ela *é* alemã.
Ele *é* sul-africano.
Nós *somos* argentinos.
Vocês *são* indianos.
Elas *são* japonesas.
Eles *são* mexicanos.

> Alguns brasileiros usam **tu** além de **você**. O uso de **tu** está relacionado a fatores sociolinguísticos; **você** é a forma mais "neutra". Neste livro, usamos somente **você**.

Perguntas sim/não

João: Você é brasileiro/a?
Você: Não, não sou.

João: Oprah Winfrey é americana?
Você: É, sim.

João: Warren Buffet é canadense?
Você: Não, não é.

Resumo:
Respostas afirmativas: verbo + *sim*.
Respostas negativas: *não, não* + verbo.

> As respostas negativas também podem ser:
> *Não **verbo**, não. / Não, não **verbo**, não.*
> *Você é brasileiro?*
> *Não sou, não. / Não, não sou, não.*

Qual é...?

Para saber informações específicas (por exemplo, nome, *e-mail*, telefone, endereço etc.) use **qual é**:

Qual é o seu nome?
Qual é o seu telefone?
Qual é o seu endereço?
Qual é o seu e-mail?
Qual é o seu (web)site?

Substantivos: Gênero e número

<table>
<tr><th></th><th>MASCULINO</th><th>FEMININO</th></tr>
<tr><td rowspan="2">SINGULAR</td><td>o
engenheiro
diretor
juiz
tabelião</td><td>a
engenheira
diretora
juíza
tabeliã</td></tr>
<tr><td colspan="2">analista
agente</td></tr>
<tr><td rowspan="2">PLURAL</td><td>os
engenheiros
diretores
juízes
tabeliões</td><td>as
engenheiras
diretoras
juízas
tabeliãs</td></tr>
<tr><td colspan="2">analistas
agentes</td></tr>
</table>

Adjetivos: Gênero e número

<table>
<tr><th></th><th>MASCULINO</th><th>FEMININO</th></tr>
<tr><td rowspan="2">SINGULAR</td><td>sério
trabalhador</td><td>séria
trabalhadora</td></tr>
<tr><td colspan="2">otimista
competente
capaz
difícil
responsável</td></tr>
<tr><td rowspan="2">PLURAL</td><td>sérios
trabalhadores</td><td>sérias
trabalhadoras</td></tr>
<tr><td colspan="2">otimistas
competentes
capazes
difíceis
responsáveis</td></tr>
</table>

Alguns adjetivos especiais

	MASCULINO	FEMININO
SINGULAR	bom mau	boa má
	ruim	
PLURAL	bo**ns** mau**s**	boa**s** má**s**
	rui**ns**	

No Brasil, é comum usar **ruim** para coisas e **mau/má** para pessoas.
O filme é ruim. O vilão é mau.

Presente: Verbos de 1ª conjugação

TRABALH**AR**	
Eu	trabalh**o**
Você / Ele / Ela	trabalh**a**
Nós	trabalh**amos**
Vocês / Eles / Elas	trabalh**am**

Lembre-se:
O senhor/A senhora / Os senhores/As senhoras → usado em situações formais
*O senhor/A senhora trabalh**a***
*Os senhores/As senhoras trabalh**am***

Presente: Verbos de 2ª conjugação

APREND**ER**	
Eu	aprend**o**
Você / Ele / Ela	aprend**e**
Nós	aprend**emos**
Vocês / Eles / Elas	aprend**em**

Presente: Verbos de 3ª conjugação

ABR**IR**	
Eu	abr**o**
Você / Ele / Ela	abr**e**
Nós	abr**imos**
Vocês / Eles / Elas	abr**em**

Para os verbos terminados em **-cer** (conhe**cer**, ofere**cer** etc.) usa-se **ç** na 1ª pessoa do singular: *eu conhe**ço**, eu ofere**ço***. O uso de **ç** permite manter o som [s].

Para os verbos terminados em **-ger** ou **-gir** (prote**ger**, atin**gir** etc.) usa-se **j** na 1ª pessoa do singular: *eu prote**jo**, eu atin**jo***. O uso de **j** permite manter o som [ʒ].
Alguns verbos de 2ª e de 3ª conjugação apresentam irregularidade na 1ª pessoa do singular, como nos exemplos abaixo. Todas as outras formas desses verbos no presente são regulares.
cobrir = eu **cubro**
ouvir = eu **ouço**
pedir = eu **peço**
perder = eu **perco**
poder = eu **posso**
repetir = eu **repito**
saber = eu **sei**
seguir = eu **sigo**
sugerir = eu **sugiro**
vestir = eu **visto**

Pronomes possessivos

eu → **meu(s) / minha(s)**
você → **seu(s) / sua(s)**
ele → **dele**
ela → **dela**
nós → **nosso(s) / nossa(s)**
vocês → **seu(s) / sua(s)**
eles → **deles**
elas → **delas**

Os possessivos **meu(s)/minha(s)**, **seu(s)/sua(s)** e **nosso(s)/nossa(s)** aparecem antes do substantivo e concordam com o substantivo.

Exemplos:
*Eu organizo **meu** trabalho e cumpro **minhas** metas.*
*Você ouve **sua** supervisora e realiza **sua** tarefa.*
*Nós dirigimos **nossa** empresa pensando em **nossos** clientes.*
*Vocês dependem de **seus** colaboradores para dirigir **sua** empresa.*

No Brasil, é comum usar **de vocês**, que é invariável e aparece depois do substantivo:
*A empresa **de vocês** é líder no mercado.*
No Brasil, o uso do artigo definido antes do possessivo é opcional:
***(o)** meu trabalho / **(a)** nossa empresa / **(as)** suas tarefas*

Os possessivos **dele(s)/dela(s)** aparecem depois do substantivo e são invariáveis.

Exemplos:
*Ana recebe os clientes **dela**.*
*Eles falam das necessidades **deles**.*

Em linguagem formal e/ou escrita, é comum usar **seu(s)/sua(s)** com referência a **ele(s)/ela(s)**:
*O presidente do Conselho orienta **seus** assessores.*

Presente: Alguns verbos irregulares

	DAR	DIZER	FAZER	IR
Eu	dou	digo	faço	vou
Você / Ele / Ela	dá	diz	faz	vai
Nós	damos	dizemos	fazemos	vamos
Vocês / Eles / Elas	dão	dizem	fazem	vão

	LER	PÔR	QUERER	TER
Eu	leio	ponho	quero	tenho
Você / Ele / Ela	lê	põe	quer	tem
Nós	lemos	pomos	queremos	temos
Vocês / Eles / Elas	leem	põem	querem	têm

	TRAZER	VER	VIR
Eu	trago	vejo	venho
Você / Ele / Ela	traz	vê	vem
Nós	trazemos	vemos	vimos
Vocês / Eles / Elas	trazem	veem	vêm

haver → há

Haver = existir (conjugado somente na 3ª pessoa do singular: **há**)
Há muitas metas que temos que cumprir.

Pronomes oblíquos átonos

Os pronomes oblíquos são usados quando falamos de alguém ou de alguma coisa que já tem referência anterior no discurso. Em português temos dois tipos de pronomes oblíquos: os pronomes de objeto direto e os pronomes de objeto indireto. Observe os exemplos.

(1)
I. ***Ele** vai ao banco da Rua Bela porque a gerente **o** conhece.*
II. *O banco tem boas aplicações e a gerente **lhe** dá sugestões.*

(2)
I. ***Elas** são clientes porque os funcionários **as** atendem bem.*
II. *Eles **lhes** explicam o mercado financeiro.*

Nos exemplos acima, as frases (I) mostram objetos diretos e as frases (II) mostram objetos indiretos.

Pronomes oblíquos de objeto direto

(1) ***O diretor** é simpático e os funcionários **o** admiram.*
(2) ***A diretora** é eficiente e os gerentes **a** respeitam.*
(3) *A empresa tem **dois arquitetos**, mas eu não **os** conheço.*
(4) ***As engenheiras** visitam a fábrica e nós **as** vemos frequentemente.*
(5) ***Este candidato** é muito bom e eu quero entrevistá-**lo**.**
(6) ***A advogada** é muito ocupada, mas eu tenho que vê-**la*** hoje.*
(7) ***Os motoristas** não têm culpa. O juiz precisa ouvi-**los**.**
(8) ***As secretárias** são essenciais, e os chefes têm que respeitá-**las**.**

*Quando temos dois verbos, como nos exemplos (5), (6), (7) e (8), o pronome de objeto direto de 3ª pessoa aparece depois do verbo no infinitivo. Nesses casos, retira-se o **-r** do infinitivo e adiciona-se um **l-** ao pronome oblíquo.

PRONOMES PESSOAIS RETOS	PRONOMES OBLÍQUOS DE OBJETO DIRETO
eu	me
você	te (o/a)
ele	o / -lo
ela	a / -la
nós	nos
vocês	vocês (os/as)
eles	os / -los
elas	as / -las

Situações informais	Situações formais
você → te *Eu te vejo no escritório.*	**você → o/a** *Eu a vejo no escritório.*
vocês → vocês *Eu vejo vocês no escritório.*	**vocês → os/as** *Eu os vejo no escritório.*

Pronomes oblíquos de objeto indireto

(1) ***O estagiário*** *não conhece o setor e eu* ***lhe*** *explico tudo.*

(2) ***A gerente*** *quer informações e nós* ***lhe*** *damos os documentos.*

(3) ***Os engenheiros*** *não conhecem a cidade. Você pode* ***lhes*** *recomendar um restaurante?*

(4) ***As arquitetas*** *fazem um projeto espetacular, e o prefeito* ***lhes*** *dá um prêmio.*

PRONOMES PESSOAIS RETOS	PRONOMES OBLÍQUOS DE OBJETO INDIRETO
eu	me
você	te (lhe)
ele / ela	lhe
nós	nos
vocês	vocês (lhes)
eles /elas	lhes

Situações informais	Situações formais
você → te *Ele te explica o procedimento.*	**você → lhe** *Ele lhe explica o procedimento.*
vocês → vocês *Ele explica o procedimento a vocês.*	**vocês → lhes** *Ele lhes explica o procedimento.*

Em certas regiões do Brasil:
você(s) → lhe(s) é usado em situações formais e informais.

Verbo *Estar* (presente)

Eu	estou
Você / Ele / Ela	está
Nós	estamos
Vocês / Eles / Elas	estão

Ser x *Estar*

Ser: usado para definir coisas ou pessoas (lugar de origem, nacionalidade, profissão, identificação etc.).

Estar: usado para situar coisas ou pessoas (localização temporária, situação, estado etc.).

Exemplos:

Eu ***sou*** *do Rio. Eu* ***estou*** *em São Paulo agora.*
Ele ***é*** *engenheiro químico. Ele* ***está*** *na fábrica.*
Ele ***é*** *otimista. Ele* ***está*** *otimista em relação às vendas este mês.*

Interrogativas

Onde: localização.
Onde eles estão? No escritório?
Onde é a reunião? Na sala do diretor?

Quando: dia (semana, mês, ano, época do ano) e hora.
Quando você chega? Amanhã?
Quando é a reunião? Às 14 horas?

Como: maneira.
Como você vai à convenção? De carro ou de avião?
Como eles realizam o trabalho? De maneira eficiente?

Quem: pessoa.
Quem vai à convenção? O gerente ou o diretor?
Quem está em Salvador? O Alexandre?

O que: coisa (concreta ou não).
O que você estuda? Economia?
O que a empresa oferece? Bons benefícios?

Que: coisa (ou pessoa) específica.
Que dia você viaja? Terça-feira?
Que benefícios a empresa oferece? Plano de saúde e aposentadoria?

Quanto(s)/Quanta(s): quantidade.
Quantos laptops você tem? Dois?
Quantas pessoas trabalham no escritório? Vinte?

Quanto: quantia de dinheiro.
Quanto custa este computador? Mil reais?
Quanto você deposita normalmente? Quinhentos reais?

Por que: motivo.
Por que você não vai ao seminário? Você está ocupada?
Por que faz frio amanhã? Por causa de uma frente fria?

Por que → em perguntas
Porque → em respostas
Por que ela está pessimista?
Porque ela não encontra emprego.

A palavra **que** aparece:
- em interrogativas: ***Que*** *línguas você fala?*
- na interrogativa *por que*: *Por* ***que*** *você estuda português?*
- em exclamações: ***Que*** *pena!*, ***Que*** *chato!*
- ligando partes da frase: *Eu pago os cursos* ***que*** *eu faço.*
- significando "*próximo*" em *que vem*: *... no mês* ***que vem****, ... no semestre* ***que vem****.*

Presente contínuo

Eu	estou	trabalhando / comendo / saindo
Você / Ele / Ela	está	
Nós	estamos	
Vocês / Eles / Elas	estão	

Verbos reflexivos

Os verbos reflexivos expressam algo que uma pessoa faz a/para si mesma. Em termos gramaticais, o sujeito e o objeto do verbo são a mesma pessoa.

Exemplo: candidatar-se

Eu	**me**	candidato
Você / Ele / Ela	**se**	candidata
Nós	**nos**	candidatamos
Vocês / Eles / Elas	**se**	candidatam

No presente contínuo, o pronome reflexivo (*me, se, nos*) normalmente aparece entre o verbo ***estar*** e o verbo principal:
Eu ***estou me esforçando*** *para entender os contratos.*
Ela ***está se especializando*** *em direito trabalhista.*
Nós ***estamos nos candidatando*** *às vagas na Prefeitura.*
Outros verbos reflexivos:
cadastrar-se / comportar-se / dedicar-se / divertir-se / encaixar-se / machucar-se / preocupar-se / recuperar-se / recusar-se

Pronomes demonstrativos

Este(e)/Esta(s) → algo/alguém que está perto de quem fala (ou no texto); formal.
Esse(s)/Essa(s) → algo/alguém que está perto de quem ouve; no Brasil, é usado também no lugar de **este(s)/esta(s).**
Aquele(s)/Aquela(s) → algo/alguém que está longe de quem fala e de quem ouve.
Isso → algo que está perto de quem ouve; no Brasil, é usado também no lugar de **isto.**
Aquilo → algo que está longe de quem fala e de quem ouve.

Lembre-se: **isto**, **isso** e **aquilo** são invariáveis, isto é, não mudam em gênero (masculino, feminino) ou número (singular, plural).

Futuro: ir + infinitivo

*Eu **vou comprar** ações de companhias de petróleo no mês que vem.*
*Você **vai fazer** a apresentação para os diretores amanhã.*
*Ele **vai contratar** cinco trainees semana que vem.*
*Ela **vai assumir** a diretoria em junho.*
*Nós **vamos discutir** o planejamento financeiro na próxima reunião.*
*Eles **vão abrir** uma sucursal em Palmas.*
*Elas **vão aprender** outras funções.*

O futuro de **ir** normalmente é igual ao presente:
*Eu **vou** a Palmas no dia 23.*
*Nós **vamos** à convenção no ano que vem.*
Além do futuro com **ir**, também podemos usar o futuro simples (também chamado futuro do presente), como nos seguintes exemplos:
*Ela **assumirá** a diretoria em junho.*
*Elas **aprenderão** novas funções.*
Mais informações sobre o futuro do presente na p. 278.

Pronomes demonstrativos invariáveis

Isto / Isso / Aquilo: nunca são seguidos de substantivo.
Isto → algo que está perto de quem fala (ou no texto); formal.

Pretérito perfeito: Verbos regulares

	1ª conjugação	2ª conjugação	3ª conjugação
	COMPRAR	**VENDER**	**DECIDIR**
Eu	compr**ei**	vend**i**	decid**i**
Você / Ele / Ela	compr**ou**	vend**eu**	decid**iu**
Nós	compr**amos**	vend**emos**	decid**imos**
Vocês / Eles / Elas	compr**aram**	vend**eram**	decid**iram**

Em português brasileiro, a pronúncia do verbo na 1ª pessoa plural (*nós*) no presente e no pretérito perfeito de verbos regulares é igual (*compramos, vendemos, decidimos*). O contexto esclarece se o verbo está no presente ou no passado.

O contexto do pretérito perfeito muitas vezes inclui advérbios de tempo, como *ontem, (na) semana passada, (no) mês passado, (no) ano passado, há (uma semana/dois meses/três anos)*, entre outros. Veja os exemplos:
*Ele atualizou o sistema operacional **ontem**.*
*Eu comprei um tablet **semana passada**.*
*Eles venderam muitos celulares **ano passado**.*
*A empresa terceirizou a assistência técnica **há cinco meses**.*

Certos verbos regulares têm uma pequena alteração na escrita na 1ª pessoa do singular (*eu*) no pretérito perfeito. Essa alteração mantém o som original e **não** constitui irregularidade. Alguns exemplos são: *começar/eu comecei; chegar/eu cheguei; ficar/eu fiquei.*

Diminutivo

Formação:

Adiciona-se **-inho/a** quando a palavra termina em vogal não acentuada.
program~~a~~ → program**inha**
livr~~o~~ → livr**inho**

Adiciona-se **-zinho/a** quando a palavra termina em consoante, vogal acentuada ou ditongo.
computador → computador**zinho**
café → cafe**zinho**
escritório → escritorio**zinho**

Quando uma palavra termina em **-co/a**, **-go/a**, **-ço/a**, a grafia é adaptada para manter a pronúncia.
pouco → pou**qu**inho
formiga → formi**gu**inha
começo → come**c**inho

O diminutivo pode expressar:
Tamanho pequeno / pouca quantidade
telinha = tela pequena
pouquinho = muito pouco

Afetividade
telefone bonitinho

Intensidade
novinho/a = muito novo/a
bacaninha = muito bacana

Tudo / Todo(s) / Toda(s)

Tudo e **todo(s)/toda(s)** são pronomes indefinidos. **Tudo** é invariável (ou seja, não muda); **todo** varia em número (singular ou plural) e gênero (masculino ou feminino).
*Eu vendi **tudo**.* (computadores + impressoras)
*Eu vendi **todos** os computadores.*
*Eu vendi **todas** as impressoras.*

Todo/a = inteiro/a, completo/a (quando o substantivo aparece com o artigo [o/a/um/uma]):
*Eu já preparei o projeto **todo** / **todo** o projeto.*

Todo/a = todos/as (quando o substantivo aparece sem artigo):
*Nós trabalhamos **todo** dia. (= todos os dias)*
*Ele tem conta em **toda** rede social. (= em todas as redes sociais)*

Pretérito perfeito: Verbos irregulares

Alguns verbos são irregulares no pretérito perfeito. Veja as conjugações abaixo.

	DAR	**DIZER**	**ESTAR**
Eu	dei	disse	estive
Você / Ele / Ela	deu	disse	esteve
Nós	demos	dissemos	estivemos
Vocês / Eles / Elas	deram	disseram	estiveram

	FAZER	**IR**	**PODER**	**PÔR**
Eu	fiz	fui	pude	pus
Você / Ele / Ela	fez	foi	pôde	pôs
Nós	fizemos	fomos	pudemos	pusemos
Vocês / Eles / Elas	fizeram	foram	puderam	puseram

	QUERER	**SABER**	**SER**
Eu	quis	soube	fui
Você / Ele / Ela	quis	soube	foi
Nós	quisemos	soubemos	fomos
Vocês / Eles / Elas	quiseram	souberam	foram

	TER	**TRAZER**	**VER**	**VIR**
Eu	tive	trouxe	vi	vim
Você / Ele / Ela	teve	trouxe	viu	veio
Nós	tivemos	trouxemos	vimos	viemos
Vocês / Eles / Elas	tiveram	trouxeram	viram	vieram

haver → houve.

Como se vê acima, os verbos **ser** e **ir** têm a mesma forma de pretérito perfeito.
No pretérito perfeito, o verbo **saber** se refere ao momento em que alguém descobriu (soube) alguma coisa: *Eu soube (ontem) que o salário mínimo vai aumentar.*

Comparativos

COMPARATIVOS DE SUPERIORIDADE E INFERIORIDADE

mais	[*substantivo/adjetivo*] (do) que
menos	

[*verbo*]	mais (do) que
	menos (do) que

Exemplos:

O jato AV-12 é ***mais*** *confortável* ***(do) que*** *o AV-11.*
O jato AV-11 é ***menos*** *confortável* ***(do) que*** *o AV-12.*

O Brasil exporta ***mais*** *minérios* ***(do) que*** *café.*
O Brasil exporta ***menos*** *soja* ***(do) que*** *petróleo.*

O Brasil exporta ***mais (do) que*** *importa.*
O Brasil importa ***menos (do) que*** *exporta.*

O Brasil exporta ***mais (do) que*** *a Bolívia.*
A Bolívia exporta ***menos (do) que*** *o Brasil.*

Alguns adjetivos têm forma comparativa irregular:

ADJETIVO	COMPARATIVO
bom (boa)	melhor
ruim/mau (má)	pior
grande	maior
pequeno/a	menor

Exemplos:

Este carro é ***melhor (do) que*** *aquele.*
O café importado é ***pior (do) que*** *o nacional?*
O Brasil é ***maior (do) que*** *o Uruguai.*
O Uruguai é ***menor (do) que*** *o Brasil.*

COMPARATIVOS DE IGUALDADE

tão	[*adjetivo/advérbio*]	quanto/como
tanto(s)/tanta(s)	[*substantivo*]	

[*verbo*]	tanto quanto/como

Exemplos:

O Brasil é ***tão*** *protecionista* ***quanto*** *a Argentina.*
O Mercosul negocia ***tão*** *rapidamente* ***quanto*** *outros blocos.*

O Brasil tem ***tantos*** *parceiros comerciais* ***quanto*** *outros países.*
O Brasil aprovou ***tantas*** *medidas protecionistas* ***quanto*** *os Estados Unidos.*

O Brasil exporta ***tanto quanto*** *a Austrália.*

Superlativos

O superlativo é usado para expressar o grau mais alto ou mais baixo de alguma coisa.

Exemplos:

O *produto* ***mais*** *exportado pelo Brasil é o minério de ferro.*
Aquele produto é ***o menos*** *exportado.*
O Brasil é ***o maior*** *país da América do Sul.*
O Suriname é ***o menor*** *país da América do Sul.*

Pretérito imperfeito: Usos

Usamos o pretérito imperfeito quando não queremos ou não podemos marcar o ponto inicial nem o ponto final de um evento no passado. Portanto, quando usamos o pretérito imperfeito, não "vemos" nem o começo nem o fim do evento. Por isso, normalmente usamos essa forma verbal (simples ou progressiva, dependendo do caso) para expressar o seguinte:

Hábitos ou rotinas:

Quando ***trabalhava*** *na Soft Informática, Dilma* ***fazia*** *a divulgação da empresa.*

Continuidade de estados ou eventos/ações:
No começo, ela ***estava*** *satisfeita na empresa.*
Eles ***estavam*** *entrevistando os candidatos e eu não pude falar com eles.*

Características:
Quando eu ***era*** *adolescente eu* ***era*** *muito tímida, mas agora sou mais aberta.*

O pretérito imperfeito também é usado para dizer as horas (***Eram*** *4 horas quando eu cheguei*) e a idade no passado (*Quando eu* ***tinha*** *20 anos...*).

Pretérito imperfeito: Verbos regulares

	ESTUDAR	APRENDER	CUMPRIR
Eu	estud**ava**	aprend**ia**	cumpr**ia**
Você / Ele / Ela	estud**ava**	aprend**ia**	cumpr**ia**
Nós	estud**ávamos**	aprend**íamos**	cumpr**íamos**
Vocês / Eles / Elas	estud**avam**	aprend**iam**	cumpr**iam**

Pretérito imperfeito: Verbos irregulares

Há quatro verbos irregulares no pretérito imperfeito:

	PÔR	SER	TER	VIR
Eu	punha	era	tinha	vinha
Você / Ele / Ela	punha	era	tinha	vinha
Nós	púnhamos	éramos	tínhamos	vínhamos
Vocês / Eles / Elas	punham	eram	tinham	vinham

Pretérito perfeito e pretérito imperfeito

A diferença entre esses dois pretéritos se relaciona ao aspecto, ou seja, ao **ponto de vista** do falante. Se o/a falante vê uma situação ou um evento no passado de maneira fechada (completa), ele/a usa o pretérito perfeito. Se o/a falante vê uma situação ou um evento no passado de maneira aberta, ou seja, sem referência ao ponto inicial nem ao ponto final, ele/a usa o pretérito imperfeito.

Exemplos:
(1) *A diretora* ***se reuniu*** *com os supervisores (ontem).*
(2) *A diretora* ***se reunia*** *com os supervisores (antigamente).*

O exemplo (1) delimita o começo e o fim do evento: a reunião aconteceu ontem. No exemplo (2), não temos começo nem fim do evento. Ao contrário, indica-se um evento com certa regularidade no passado (e que possivelmente não acontece na atualidade).

Por não indicar o início nem o fim de uma situação ou evento, o pretérito imperfeito é usado para expressar hábitos, continuidade e características no passado. Também usamos o pretérito imperfeito para descrever o segundo plano numa narrativa, enquanto o pretérito perfeito é usado para descrever o primeiro plano. Veja o exemplo abaixo:

(3) ***Eram*** *3 horas da tarde e a diretora* ***estava*** *numa reunião. Ela* ***estava discutindo*** *as funções de cada supervisor quando um dos supervisores a interrompeu. Ela ficou surpresa e pediu para continuar sem interrupções.*

No exemplo (3), os verbos no pretérito imperfeito (**eram, estava, estava discutindo**) mostram o segundo plano da situação, ou seja, eles definem o "cenário" da narrativa. Os verbos no pretérito perfeito (**interrompeu, ficou, pediu**) são pontuais, e portanto são usados para o primeiro plano da narrativa, mostrando a sequência da narrativa.

Imperativo

O imperativo é usado quando queremos dizer a outras pessoas o que elas devem fazer. Essa forma verbal é derivada da 1ª pessoa do singular (**eu**) do presente (exceto nos verbos irregulares, que vamos ver adiante). Para a maioria dos verbos de 1ª conjugação, substitui-se a letra **-o** do final por **-e**. Para a maioria dos verbos de 2ª e 3ª conjugação, substitui-se a letra **-o** do final por **-a**.

IMPERATIVO				
trabalhar	→	trabalh~~o~~	→	trabalh**e**
entender	→	entend~~o~~	→	entend**a**
abrir	→	abr~~o~~	→	abr**a**

Muitos verbos que são irregulares no presente mantêm o mesmo processo de formação do imperativo. Veja os exemplos:

IMPERATIVO				
fazer	→	faç~~o~~	→	faç**a**
ver	→	vej~~o~~	→	vej**a**
ouvir	→	ouç~~o~~	→	ouç**a**

Note que certos verbos podem sofrer uma alteração ortográfica para manter o som da consoante original no verbo. Veja os exemplos:

IMPERATIVO				
chegar	→	cheg~~o~~	→	che**gue**
começar	→	começ~~o~~	→	come**ce**
ficar	→	fic~~o~~	→	fi**que**

Em todos esses casos, o imperativo plural (usado quando se dá uma sugestão ou ordem a mais de uma pessoa) é formado com o acréscimo de **-m**:

*trabalhe**m**, entenda**m**, abra**m**, faça**m**, veja**m**, ouça**m**, chegue**m**, comece**m**, fique**m**.*

Imperativo: Formas irregulares

Há seis verbos que não seguem a regra acima para formação do imperativo:

Dar:	dê / deem
Estar:	esteja / estejam
Ir:	vá / vão
Querer:	queira / queiram
Saber:	saiba / saibam
Ser:	seja / sejam

Para dar uma ordem negativa, acrescente ***não*** antes do verbo:
Não fale muito depressa.
Não chegue tarde.

As formas do imperativo dadas acima são formais. Em ambientes informais (em casa, entre amigos) é comum usar a 3ª pessoa do singular (*ele / ela*) do presente para dar sugestões ou ordens. Veja os exemplos a seguir:
*Marta, **fecha** a janela, por favor?*
*Ana, **abre** a geladeira e **pega** o leite.*
*Paulinho, **faz** o dever de casa.*
*Paulinho, não **faz** isso!*

Essa forma tem origem no imperativo para *tu*, ainda usado em Portugal. Em Portugal, o imperativo informal tem formas diferentes para ordens afirmativas e negativas. No Brasil, usa-se a mesma forma para as ordens afirmativas e negativas em contextos informais, como se vê nos exemplos acima.

Particípio passado

O particípio passado de um verbo pode ser usado como adjetivo (na voz passiva ou em outras construções) e em formas verbais compostas (veja Unidade 15). Quando é usado como adjetivo, o particípio passado concorda em gênero e número com o sujeito; em formas verbais compostas, o particípio passado é invariável. O particípio passado dos verbos de 1ª conjugação termina em **-ado**; o partícípio passado dos verbos de 2ª e 3ª conjugações termina em **-ido**.

comprar → compr**ado**
vender → vend**ido**
decidir → decid**ido**

Os particípios passados de alguns verbos de 2ª e 3ª conjugações são irregulares:

abrir → aberto
cobrir → coberto
dizer → dito
escrever → escrito
fazer → feito
pôr → posto
ver → visto
vir → vindo

Alguns verbos apresentam duas formas para o particípio passado. A forma regular é usada em tempos verbais compostos, com **ter** ou **haver** como verbo auxiliar (ou seja, na voz ativa). A forma irregular é usada como adjetivo, inclusive na voz passiva.

VERBO	PART. PASSADO REGULAR	PART. PASSADO IRREGULAR
aceitar	aceitado	aceito
acender	acendido	aceso
eleger	elegido	eleito
entregar	entregado	entregue
expressar	expressado	expresso
ganhar	ganhado	ganho*
gastar	gastado	gasto*
imprimir	imprimido	impresso
isentar	isentado	isento
limpar	limpado	limpo
matar	matado	morto
morrer	morrido	morto
pagar	pagado	pago*
pegar	pegado	pego
prender	prendido	preso
salvar	salvado	salvo
suspender	suspendido	suspenso

No Brasil, os particípios marcados com asterisco (*) – **ganho**, **gasto**, **pago** – são comumente usados, em linguagem falada, tanto como adjetivo quanto em tempos verbais compostos (com **ter** ou **haver** como verbo auxiliar).

Voz passiva

Na voz passiva, o sujeito da frase é o recipiente da ação do verbo (e não quem realiza a ação). A voz passiva pode ser usada quando não queremos identificar quem realiza uma ação. Observe os exemplos:

(1) *Os funcionários* ***foram avaliados*** *semana passada.*
(2) *As metas* ***foram estabelecidas*** *no começo do ano.*

Nos dois exemplos acima, não sabemos quem avaliou os funcionários nem quem estabeleceu as metas. Quando queremos especificar o agente (ou seja, quem realiza a ação), usamos a preposição **por** (**pelo(s)**, **pela(s)**):

(3) *Os funcionários* ***foram avaliados pelos*** *diretores.*
(4) *As metas* ***foram estabelecidas por*** *todos os gerentes.*

por + o(s) = pelo(s)
por + a(s) = pela(s)

Formação da voz passiva

A voz passiva é formada pelo verbo **ser** conjugado em qualquer tempo, seguido do particípio passado do verbo principal. O particípio passado concorda em gênero e número com o sujeito da frase. Observe os exemplos a seguir e os exemplos dados anteriormente.

(5) *A empresa* ***foi fundada*** *há 20 anos.*
(6) *O desempenho* ***é avaliado*** *anualmente.*

Pretérito perfeito composto

O pretérito perfeito composto é formado pelo verbo **ter** conjugado no presente do indicativo, seguido do particípio passado (invariável) do verbo principal. Observe os exemplos:

(1) *A empresa* ***tem negociado*** *os salários dos supervisores.*
(2) *Os supervisores* ***têm recebido*** *aumento todos os anos.*
(3) *Eu* ***tenho feito*** *algum progresso nas negociações.*

O pretérito perfeito composto é usado para expressar uma ação, evento ou estado que começou no passado e continua até o presente.

O pretérito perfeito composto **não** é usado para expressar ações/eventos/estados já concluídos. Nesses casos, usa-se o pretérito perfeito simples, como nos exemplos:
Eu não negociei o meu salário ano passado.
As últimas negociações foram difíceis.

Pretérito mais-que-perfeito composto

O pretérito mais-que-perfeito composto expressa ações/eventos/estados que ocorreram antes de outro ponto no passado. Veja o exemplo:

O diretor já ***tinha decidido*** *o salário antes de entrevistar os candidatos.*

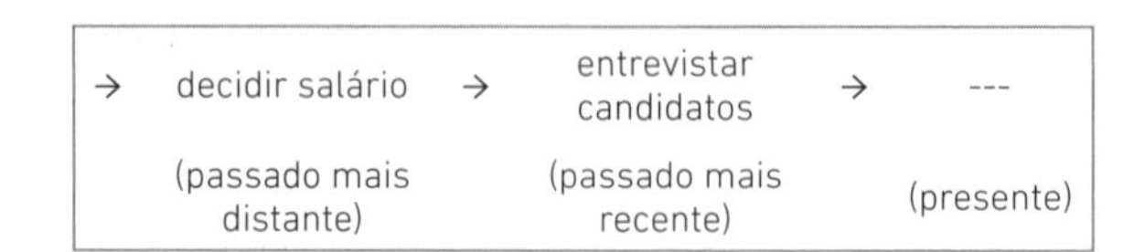

→	decidir salário	→	entrevistar candidatos	→	---
	(passado mais distante)		(passado mais recente)		(presente)

O pretérito mais-que-perfeito composto é formado pelo verbo **ter** conjugado no pretérito imperfeito, seguido do particípio passado (invariável) do verbo principal.

Em linguagem formal e/ou culta, pode-se usar o verbo **haver** no lugar do verbo **ter**:
Nós ***havíamos*** *negociado com vários fornecedores antes de encontrar o melhor preço.*
O diretor ***havia*** *feito concessões, mas decidiu voltar atrás na decisão.*

Infinitivo impessoal

O infinitivo é a forma "pura" do verbo. Em português, usa-se o infinitivo depois de preposições (p.ex.: **a**, **em**, **para**, **sem**, **antes de**, **depois de** etc.), depois de certas expressões (p.ex.: **é importante**, **é fácil/difícil** etc.), depois de certos verbos conjugados e como sujeito de uma frase. Observe os exemplos.

(1) *A empresa faz publicidade para* ***atrair*** *clientes.*
(2) *É muito importante* ***elaborar*** *uma boa estratégia de marketing.*
(3) *Os clientes querem* ***ver*** *a campanha publicitária.*
(4) ***Vender*** *é o objetivo de todos.*

O infinitivo também pode ser usado no lugar do imperativo para expressar ordens, recomendações ou sugestões (o que se deve fazer), especialmente em linguagem escrita. O texto "A vez do lugar", p. 208, contém um exemplo desse tipo: *Dar preferência... e usar...*

Infinitivo pessoal

TER	
Eu	ter
Você / Ele / Ela	ter
Nós	termos
Vocês / Eles / Elas	terem

Em português, o infinitivo pode ser conjugado para concordar com o sujeito. Normalmente, usa-se o infinitivo pessoal quando o sujeito do infinitivo é diferente do sujeito da oração principal. Observe os exemplos:

(1) *É importante nós **elaborarmos** uma boa estratégia de marketing.*
(2) *O chefe mandou os funcionários **terminarem** a campanha publicitária hoje.*

No exemplo (1), a terminação **-mos** em **elaborarmos** mostra a concordância com o sujeito **nós.** No exemplo (2), o sujeito **os funcionários** concorda com a terminação **-em** de **terminarem**.
Essas são as duas únicas terminações usadas em português brasileiro, já que as pessoas do singular (**eu**, **você** / **ele** / **ela**) não são marcadas no infinitivo pessoal. Observe os exemplos:

(3) *O publicitário pediu para eu **dar** a minha opinião sobre a campanha.*
(4) *Os diretores ouviram você **criticar** a campanha publicitária.*

O infinitivo pessoal é usado depois de preposições (**para**, **com**, **sem** etc.), verbos de percepção (**ver**, **ouvir**), verbos causativos (**deixar**, **fazer**, **mandar**) e expressões impessoais (**é bom**, **é fundamental**, **é necessário** etc.).

Presente do subjuntivo

FORMAÇÃO DO PRESENTE DO SUBJUNTIVO
O presente do subjuntivo é formado a partir da 1ª pessoa singular (**eu**) do presente do indicativo.

	COMPRAR	ATENDER	INSISTIR
Eu	compr**e**	atend**a**	insist**a**
Você / Ele / Ela	compr**e**	atend**a**	insist**a**
Nós	compr**emos**	atend**amos**	insist**amos**
Vocês / Eles / Elas	compr**em**	atend**am**	insist**am**

Os verbos que são irregulares na 1ª pessoa do presente do indicativo mantêm essa forma no presente do subjuntivo, como exemplificado com o verbo **fazer**:

Fazer	Pres. indicativo		Pres. subjuntivo
	eu faço	→	faça, façamos, façam

Os verbos irregulares no presente do subjuntivo são:

	DAR	ESTAR	IR	QUERER	SABER	SER
Eu	dê	esteja	vá	queira	saiba	seja
Você Ele Ela	dê	esteja	vá	queira	saiba	seja
Nós	demos	estejamos	vamos	queiramos	saibamos	sejamos
Vocês Eles Elas	deem	estejam	vão	queiram	saibam	sejam

haver → haja

USOS DO SUBJUNTIVO
O subjuntivo é o modo verbal associado a ideias de dúvida, probabilidade ou situação não realizada (como nos casos de desejo, vontade). A palavra **talvez** é seguida do presente do subjuntivo em frases que indicam incerteza (*Talvez a empresa responda à minha reclamação.*). Além disso, o subjuntivo aparece quase sempre em orações dependentes - ou seja, em frases onde existe uma oração principal em que o verbo não está no subjuntivo.

(1) *A cliente **quer** que o gerente **devolva** o dinheiro.*

No exemplo (1), o verbo da oração principal é **querer**, que aparece no presente do indicativo. O verbo da oração dependente, **devolver**, aparece no subjuntivo, expressando a ideia de desejo/situação não realizada: o gerente ainda não devolveu o dinheiro. O subjuntivo é usado com vários verbos, expressões e conjunções/locuções conjuntivas que denotam desejo, esperança, dúvida, probabilidade, eventos não realizados.

Verbos: querer, esperar, preferir, recomendar, duvidar, não acreditar etc.

Expressões: é importante que, é fundamental que, é essencial que, é difícil que, é possível que, tomara que etc.

Conjunções/Locuções:

ainda que / embora / mesmo que = *even though*

a menos que = *unless*

antes que = *before*

caso = *in case*

desde que = *provided that, as long as*

para que = *so that*

por mais que = *however much*

(2) *Eu **espero que** eles me devolvam o dinheiro.*

(3) ***É possível que** o atendimento melhore.*

(4) *Os clientes não vão ficar satisfeitos **a menos que** eles sejam bem atendidos.*

Futuro do Pretérito (Condicional)

O futuro do pretérito (ou "condicional") é formado a partir do infinitivo somado aos sufixos **-ia**, **-íamos** e **-iam**.

	GANHAR	ENTENDER	DECIDIR
Eu	ganhar**ia**	entender**ia**	decidir**ia**
Você / Ele / Ela	ganhar**ia**	entender**ia**	decidir**ia**
Nós	ganhar**íamos**	entender**íamos**	decidir**íamos**
Vocês / Eles / Elas	ganhar**iam**	entender**iam**	decidir**iam**

Há três verbos irregulares no futuro do pretérito. No entanto, as terminações são iguais às dos outros verbos.

	DIZER	FAZER	TRAZER
Eu	dir**ia**	far**ia**	trar**ia**
Você / Ele / Ela	dir**ia**	far**ia**	trar**ia**
Nós	dir**íamos**	far**íamos**	trar**íamos**
Vocês / Eles / Elas	dir**iam**	far**iam**	trar**iam**

Normalmente se usa esta forma verbal para expressar uma situação ou evento que não faz parte da realidade do falante no momento da fala e que depende de uma condição. A condição normalmente aparece na forma de **se** + verbo no imperfeito do subjuntivo.

Imperfeito do subjuntivo

Forma-se o imperfeito do subjuntivo a partir da 3ª pessoa do plural (**eles/elas**) do pretérito perfeito.

VERBO	PRETÉRITO PERFEITO	IMPERFEITO DO SUBJUNTIVO
trabalhar	trabalha~~ram~~	trabalha**sse** / trabalha**sse** / trabalhá**ssemos** / trabalha**ssem**
vender	vende~~ram~~	vende**sse** / vende**sse** / vendê**ssemos** /vende**ssem**
abrir	abri~~ram~~	abri**sse** / abri**sse** / abrí**ssemos** / abri**ssem**

Os verbos que são irregulares no pretérito perfeito mantêm a irregularidade no imperfeito do subjuntivo. No entanto, as terminações são iguais às dos outros verbos. Veja os exemplos.

VERBO	PRETÉRITO PERFEITO	IMPERFEITO DO SUBJUNTIVO
dar	de~~ram~~	de**sse** / de**sse** / dé**ssemos** / de**ssem**
fazer	fize~~ram~~	fize**sse** / fize**sse** / fizé**ssemos** / fize**ssem**
ir/ser	fo~~ram~~	fo**sse** / fo**sse** / fô**ssemos** / fo**ssem**
saber	soube~~ram~~	soube**sse** / soube**sse** / soubé**ssemos** / soube**ssem**
ter	tive~~ram~~	tive**sse** / tive**sse**/ tivé**ssemos** / tive**ssem**

haver → houvesse

USOS DO IMPERFEITO DO SUBJUNTIVO

Usa-se esta forma verbal em situações no passado, nos mesmos contextos gramaticais usados para o presente e futuro do subjuntivo (veja Unidade 17 e Unidade 19):

(1) *Eu esperava que eles **fossem** honestos.*
(2) *A ética do gerente era inquestionável, embora o diretor **usasse** métodos incomuns.*

Também se usa o imperfeito do subjuntivo em hipóteses:

(3) *Se todos **cumprissem** os seus deveres, não teríamos tantos problemas.*
(4) *Ele ocuparia um cargo melhor se **demonstrasse** interesse pela empresa.*

Futuro do subjuntivo

O futuro do subjuntivo é formado a partir da 3ª pessoa do plural do pretérito perfeito. As terminações do futuro do subjuntivo são **-r/-rmos/-rem**. Observe os exemplos.

VERBO	PRET. PERF.	FUT. SUBJUNTIVO
liderar	lidera~~ram~~	lidera**r**/lidera**rmos**/lidera**rem**
ceder	cede~~ram~~	cede**r**/cede**rmos**/cede**rem**
partir	parti~~ram~~	parti**r**/parti**rmos**/parti**rem**

O futuro do subjuntivo de verbos irregulares é formado da mesma maneira. Veja os exemplos.

VERBO	PRET. PERF.	FUT. SUBJUNTIVO
estar	estive~~ram~~	estive**r**/estive**rmos**/estive**rem**
fazer	fize~~ram~~	fize**r**/fize**rmos**/fize**rem**
vir	vie~~ram~~	vie**r**/vie**rmos**/vie**rem**

haver → houver

Como se pode notar nos exemplos acima, o futuro do subjuntivo dos verbos regulares apresenta a mesma forma que o infinitivo pessoal. No entanto, isso não acontece com os verbos irregulares.

USOS DO FUTURO DO SUBJUNTIVO

O futuro do subjuntivo é normalmente usado em orações dependentes para fazer referência a possibilidades no futuro. O verbo principal costuma aparecer no futuro do indicativo (mas pode aparecer no presente do indicativo, fazendo referência ao futuro, ou no imperativo). Essa forma verbal normalmente acompanha as seguintes palavras/expressões quando fazem referência ao futuro:

à medida que = *as*
assim que = *as soon as*
como = *as*
conforme = *as, according to*
depois que = *after*
enquanto = *while*
logo que = *as soon as*
onde = *where(ver)*
quando = *when*
quem = *who(ever)*
se = *if*
sempre que = *whenever*

Exemplos:

(1) *O funcionário vai completar as tarefas à medida que o chefe **der** as ordens.*
(2) *Assim que o líder **der** orientações, ele vai conseguir resultados.*
(3) *Faça como **quiser**.*
(4) *Ele vai agir conforme o chefe **determinar**.*
(5) *Depois que eles **tiverem** a orientação, os membros da equipe vão completar o projeto.*
(6) *Enquanto ele **for** chefe, você vai ter que ouvi-lo.*
(7) *Logo que você **assumir** a chefia, vai poder fazer mudanças.*
(8) *O diretor vai guiar a equipe onde eles **estiverem**.*

(9) *O chefe vai convocar uma reunião quando **tiver** tempo.*
(10) *Quem **for** o chefe vai ter que resolver esse problema.*
(11) *Se nós **participarmos** das decisões, vamos nos sentir valorizados.*
(12) *Sempre que ela **quiser** fazer mudanças, ela vai ter que envolver a equipe.*

Note que as situações nos exemplos acima se referem a possibilidades no futuro. As mesmas conjunções podem fazer referência a situações (relativamente) habituais. Nesse caso, usamos o presente do indicativo tanto para o verbo dependente quanto para o verbo principal:

(13) *Assim que o líder **dá** orientações, ele **consegue** resultados.*
(14) *O chefe **convoca** reuniões quando **tem** tempo.*
(15) *Sempre que ela **quer** fazer mudanças, ela **envolve** a equipe.*

Futuro do presente

O futuro do presente (ou futuro simples) é formado acrescentando as terminações **-ei**, **-á**, **-emos** e **-ão** ao infinitivo do verbo. Veja os exemplos:

	NEGOCIAR	RESOLVER	REDUZIR
Eu	negociar**ei**	resolver**ei**	reduzir**ei**
Você / Ele / Ela	negociar**á**	resolver**á**	reduzir**á**
Nós	negociar**emos**	resolver**emos**	reduzir**emos**
Vocês / Eles / Elas	negociar**ão**	resolver**ão**	reduzir**ão**

Só há três exceções: os verbos **dizer**, **fazer** e **trazer**:

	DIZER	FAZER	TRAZER
Eu	dir**ei**	far**ei**	trar**ei**
Você / Ele / Ela	dir**á**	far**á**	trar**á**
Nós	dir**emos**	far**emos**	trar**emos**
Vocês / Eles / Elas	dir**ão**	far**ão**	trar**ão**

O futuro do presente (futuro simples) é usado em situações formais e em linguagem escrita. Em outros contextos, o futuro com **ir** (*vou fazer, vai resolver*) é usado normalmente.

TRANSCRIÇÃO DOS ÁUDIOS

Nesta seção, consta a transcrição dos áudios do livro, com exceção apenas das transcrições dos áudios encontradas dentro das unidades.

UNIDADE 2

1:16 Compreensão Oral – Exercícios 3 e 4

De acordo com uma reportagem na revista *Você S/A* de agosto de 2012, um analista de *marketing* que trabalha em uma grande empresa ganha entre 2.500 e 8.500 reais por mês, dependendo do tempo de experiência no cargo. Já o salário dos executivos de vendas de pequenas ou médias empresas começa em 5 mil reais e chega a no máximo 17 mil reais por mês para os que têm mais experiência. Os diretores comerciais de grandes empresas ganham entre 21 mil e 55 mil reais por mês. Em uma média empresa o gerente geral ganha até 70 mil reais por mês e é um dos profissionais mais bem remunerados no setor de vendas.

1:17 Compreensão Oral – Exercício 5

Segundo o Censo de 2010, a população brasileira tem mais instrução hoje do que em 2000. Hoje, quase 8% dos brasileiros têm curso superior completo. Em 2000, essa porcentagem era 4,4%. O Censo também mostra que hoje em dia os brasileiros ganham mais do que em 2000: os salários hoje são 5,5% mais altos. O rendimento real das mulheres, por exemplo, passa de 982 reais em 2000 para 1.115 reais em 2010, o que representa um aumento de mais de 13%.

1:18 Produção Oral – Exercício 1

a. Alberto é diretor de *marketing*.
b. Ele não é gerente geral.
c. Helena trabalha numa pequena empresa.
d. João e Augusto estudam alemão?
e. Eles não moram em São Paulo.
f. Nós falamos português.
g. Ela fala chinês?
h. Eu não estudo à noite.

1:19 Produção Oral – Exercício 2

a. A empresa paga os cursos.
b. As funcionárias ativas começam o trabalho.
c. A diretora competente ganha bem.
d. O arquiteto simpático gosta dos colegas.
e. Os professores novos preparam as aulas.
f. As executivas sérias precisam de bons assistentes.
g. O analista preocupado termina o trabalho a tempo.
h. O fotógrafo estrangeiro usa a câmera apropriada.

1:20 Produção Oral – Exercício 3

a. O aluno organizado prepara o projeto.
b. O gerente competente planeja o trabalho.
c. A chefe dedicada envia os *e-mails*.
d. O executivo inteligente começa a reunião.
e. A secretária preparada fala três línguas.
f. A assistente simpática ganha 2 mil reais.
h. O engenheiro comunicativo fala ao telefone.

UNIDADE 3

1:25 Compreensão Oral – Exercício 2

O trabalho em equipe é fundamental para muitos tipos de atividades. O funcionamento das equipes depende do tipo de trabalho. Por exemplo, um time de futebol e uma orquestra sinfônica só cumprem os seus objetivos quando trabalham bem em equipe. No time de futebol, os membros do grupo possuem habilidades diferentes e objetivos comuns. As funções dos jogadores não são específicas e alguns jogadores assumem a coordenação da equipe na realização de uma tarefa. Dessa maneira, o time atinge o objetivo. Numa orquestra sinfônica, os componentes também possuem habilidades diferentes e um objetivo comum. Mas nesse caso as funções são específicas. O maestro dirige o trabalho da equipe e é responsável pela execução da tarefa. Os insetos também trabalham em equipe, e as formigas são o melhor exemplo. As formigas são organizadas e não recebem ordens: elas entendem o trabalho e vivem em sincronia perfeita. Juntas, elas cumprem um trabalho que é impossível para uma formiga.

1:26 Compreensão Oral – Exercício 3

Na nossa empresa há quatro diretores. O diretor geral exerce a direção da empresa e coordena o trabalho dos outros três diretores: o diretor de produção, o diretor comercial e o diretor administrativo-financeiro. Esses três diretores, por sua vez, são responsáveis por outras áreas. O diretor de produção é responsável pela área de produção e de logística, e essas áreas têm seus próprios gerentes. O mesmo acontece com o diretor comercial: este é responsável pelas áreas de *marketing* e de vendas, que também têm seus próprios gerentes. O diretor administrativo-financeiro coordena a gerência de recursos humanos e a gerência financeira. Ao todo há seis gerentes na empresa.

UNIDADE 4

1:32 Compreensão Oral – Exercício 2

Existem vários tipos de empresas. Uma única pessoa pode constituir uma empresa. Esse é o caso da empresa individual. Nesse caso, o nome da empresa deve ter o nome do empresário. O empresário individual é responsável pela empresa e pode usar os bens pessoais, inclusive casas e carros, para pagar as dívidas da empresa.

Há, também, as empresas em sociedade, que são aquelas que têm dois ou mais de dois sócios. As empresas em sociedade podem ser de sociedade anônima (S/A) ou de sociedade limitada. Nas de sociedade limitada os sócios têm uma responsabilidade limitada ao valor das quotas investidas na empresa, e cada sócio é responsável pela quota investida.

As empresas de sociedade anônima dividem o capital em ações, e a responsabilidade dos sócios está relacionada ao preço das ações. As empresas de sociedade anônima podem ser de capital aberto (quando as ações são negociadas no mercado de capitais) ou podem ser de capital fechado (quando a empresa é restrita a um grupo de sócios).

1:33 Compreensão Oral – Exercício 3

Mulher:	Você tem uma boa relação com os seus colegas de trabalho?
Homem:	Tenho, sim. Meus colegas são excelentes. Eles são simpáticos e organizados. Nós sempre trocamos ideias sobre o trabalho.

Mulher:	Que sorte a sua! Eu não tenho bons colegas. O ambiente na minha empresa é muito ruim.
Homem:	Que chato! Mas o chefe não vê essa situação?
Mulher:	Vê, sim, mas meus colegas não o respeitam. Ele dá ordens, mas as pessoas não fazem o que ele diz.
Homem:	Mas você gosta do que faz, não?
Mulher:	Não, não gosto, não. Meu chefe me dá tarefas muito chatas. Eu lhe digo que quero fazer outras coisas, mas ele não me ouve.
Homem:	A minha chefe é o oposto. Ela é dedicada ao setor e quer ver os funcionários felizes. Eu a admiro.
Mulher:	Pois é, vocês trabalham em equipe. Nós não. Nós fazemos tarefas individuais, e o resultado não é muito bom.

UNIDADE 5

1:40 Compreensão Oral – Exercício 2

Marcos:	Cadê a minha agenda? Carla, você tem toda a informação sobre seminários e convenções pra mim e pra Júlia, não tem?
Carla:	Tenho, sim. No dia 5 de março você participa do seminário sobre liderança e trabalho em equipe.
Marcos:	Esse seminário parece ser importante pra empresa. Onde é?
Carla:	É em Goiânia.
Júlia:	Eu sei que eu tenho um congresso nos Estados Unidos, mas não sei se o Marcos também vai.
Carla:	Não, ele não vai porque tem outros compromissos. Você vai sozinha.
Júlia:	Quando é o congresso?
Carla:	O seu congresso é do dia 10 a 13 de abril.
Júlia:	É em Boston, não?
Carla:	É, sim. Além disso, você e o Marcos vão à convenção anual.
Marcos:	Onde é a convenção?
Carla:	Em Salvador, nos dias 8 e 9 de junho.
Júlia:	Que bom! Podemos ficar mais um dia pra ir à praia e comer acarajé!

1:41 Compreensão Oral – Exercício 3

Diálogo 1:

Passageiros do voo XF 123 para Manaus, favor dirigir-se ao Portão 16 para embarque imediato. Voo XF 123 para Manaus, embarque imediato no Portão 16.

Homem:	É o nosso voo, esse?
Mulher:	Ela falou XF 123 ou 126?
Homem:	123, acho.
Mulher:	Então é o nosso voo! É, acho que ouvi "Manaus".
Homem:	Vamos pro portão 6, então.
Mulher:	Acho que é 16.
Homem:	Ih, que confusão. É melhor perguntar pra alguém, então. Por favor, senhor, o voo...

Diálogo 2

Mulher:	Bom dia. Estou indo pra Buenos Aires no voo 427.
Homem:	Obrigado. Posso fazer seu *check-in*, mas o voo está atrasado e ainda não temos previsão de horário para a decolagem.
Mulher:	Ah, é? Qual é o problema?
Homem:	O aeroporto em Buenos Aires está fechado por causa de mau tempo.
Mulher:	Hm... Que chato, isso! Mas, OK, vamos fazer o *check-in* e eu aguardo as notícias...

1:42 Compreensão Oral – Exercício 4

Júlia:	Marcos, nós vamos a Salvador este fim de semana, não vamos?
Marcos:	Vamos, sim, a convenção anual é lá.
Júlia:	Você sabe qual é a previsão do tempo?
Marcos:	Não, não sei, mas em Salvador sempre faz sol.
Júlia:	Não nos próximos dias. Amanhã chega uma frente fria, e a previsão é de muita chuva e ventos fortes.
Marcos:	Que azar! A convenção é num *resort* porque as pessoas querem ir à praia.
Júlia:	Com chuva, muita gente não vai a Salvador, tenho certeza.
Marcos:	Eu também acho. Vai ser uma convenção com poucos participantes.

1:43 Compreensão Oral – Exercício 5

Há vários tipos de hospedagem para o turista que quer viajar pelo Brasil. Talvez o hotel seja o tipo de hospedagem mais comum. O hotel é um estabelecimento com serviço de recepção, com ou sem alimentação. No hotel, o hóspede tem um quarto individual. Há dois tipos especiais de hotel: o hotel fazenda e o hotel histórico. O hotel fazenda fica num ambiente rural, explora a agropecuária e oferece atividades no campo. O hotel histórico ocupa uma casa ou um edifício em forma original ou restaurado. O local também pode ser considerado histórico por causa de fatos importantes. Outro tipo de hospedagem importante é o *resort*. O *resort* é um hotel com lazer e entretenimento. O *resort* oferece também serviços de estética, atividades físicas, recreação e contato com a natureza. Mas se o turista escolhe um cama e café, ele fica em uma residência com no máximo três quartos para hospedagem e com serviço de café da manhã e de limpeza. Já a pousada tem no máximo 30 quartos e oferece serviço de alimentação. Finalmente, o *flat* ou *apart-hotel* são apartamentos com sala, quarto, cozinha e banheiro, num edifício que tem serviço de recepção, limpeza e arrumação.

UNIDADE 6

1:54 Compreensão Oral – Exercício 6

Mário:	Elza, o que você acha dos *trainees* recentemente contratados?
Elza:	A maioria está fazendo um bom trabalho, mas alguns têm um perfil... digamos... interessante.
Mário:	Eu também acho. O Ricardo, por exemplo, tem um perfil dominador. Ele é arrogante e sempre acha que tem razão.
Elza:	É verdade. A Ana, por outro lado, tem o típico perfil passivo. Ela é muito boazinha, mas é hesitante.
Mário:	Já o Sílvio tem o perfil de vítima. Ele é negativo e pessimista.
Elza:	Pior é o Jorge, que é autoritário e agressivo, um caso típico de perfil impositivo.
Mário:	Não, eu acho que o pior é o Antônio, que demonstra um perfil dissimulado. Ele é desonesto e desleal. Eu acho que ele não fica aqui muito tempo.
Elza:	Melhor pra nós!

UNIDADE 7

1:57 Compreensão Oral – Exercício 1

Homem: Eu trabalho com planejamento empresarial, que é muito importante para o bom funcionamento administrativo da empresa. O meu trabalho envolve diversos ângulos. Nos próximos dias, por exemplo, eu vou analisar novos nichos de mercados para atender as necessidades que se revelam. Desse modo, a empresa vai se antecipar aos concorrentes. Depois, eu vou classificar os clientes quanto ao valor das compras e quanto à região geográfica. Em seguida, eu vou avaliar o potencial de venda dos representantes comerciais. Eu também vou avaliar o potencial de compra dos clientes já existentes e de novos clientes. Até o mês que vem, eu vou contratar novos colaboradores para o desenvolvimento comercial. Naturalmente, vou treiná-los e integrá-los da melhor maneira possível à equipe. Como se vê, vou ter muito pouco tempo livre nas próximas semanas.

Mulher: O planejamento empresarial me fascina porque é imprescindível para atingir as metas de uma empresa. E como trabalho nessa área, gosto de planejar principalmente as minhas atividades. Por exemplo, no dia 21 eu vou ter uma reunião com outros membros da minha equipe para estar em dia com a rotina do setor administrativo. Na semana seguinte, nós vamos analisar a possibilidade de a empresa atuar em novos mercados. Para essa análise, vamos dividir o mercado de acordo com o produto de consumo e analisar as nossas atividades em diferentes regiões geográficas. Desse modo, vamos entender melhor como podemos entrar em mercados ainda não explorados. Mas não vamos planejar apenas como desenvolver novos mercados. Nós também vamos reunir todas as informações dos clientes já existentes, representantes, produtos e áreas de atuação para desenvolver estratégias mais eficientes de atendimento e vendas. Fica claro que a empresa não pode sobreviver sem planejar a sua atuação.

1:58 Compreensão Oral – Exercícios 2 e 3

Patricia:	Cristina, você está planejando a sua carreira?
Cristina:	Estou, sim, mas não a longo prazo. Eu vou avaliar as áreas em que posso atuar e vou me preparar.
Patricia:	Isso é uma boa ideia. Hoje em dia é bom ter um olhar estratégico em relação à carreira.
Cristina:	Eu também acho. E você, o que vai fazer?
Patricia:	Bem, eu estou trabalhando numa grande empresa que tem escritórios em todo o mundo. Acho que eu vou seguir a carreira corporativa.
Cristina:	Ah, Patricia, eu não sei se você deve fazer isso. Você é economista e há muitas possibilidades diferentes na sua área. Eu acho que você não deve pensar de maneira convencional.
Patricia:	Mas você não acha que eu posso me estabelecer na empresa?
Cristina:	Pode, claro, mas eu não sei se isso é a melhor opção pra você. Sinceramente, eu acho que você deve ter experiências variadas.
Patricia:	Não sei. Eu gosto da minha empresa, acho que vou ter oportunidades muito boas. Acho que vale a pena ficar lá por enquanto, você não acha?
Cristina:	Não, não acho. Acho que você vai ter muito mais oportunidades pensando de outra maneira. Por exemplo, eu vou planejar minha carreira para os próximos cinco anos. Eu vou pensar nas experiências que eu quero ter e no que eu quero aprender e vou procurar as oportunidades que se encaixam no que eu quero fazer.
Patricia:	Eu vou pensar no que você está dizendo. Vou avaliar se devo ser mais flexível no meu planejamento.
Cristina:	Eu acho que você deve. A flexibilidade pode abrir muitas portas.

1:60 Compreensão Oral – Exercícios 5 e 6

Diálogo 1

Alzira:	Alô?
Edson:	Alô, eu poderia falar com a Sandra?
Alzira:	No momento ela não pode atender. Quer deixar recado?
Edson:	Não, obrigado, eu ligo mais tarde.

Diálogo 2

Ana:	Escritório de advocacia, boa tarde.
Paulo:	Boa tarde. A Marta está?
Ana:	Está, sim. Quem deseja falar com ela?
Paulo:	O meu nome é Paulo.
Ana:	Aguarde um instante, por favor.
Paulo:	Pois não.
Marta:	Alô, Paulo?
Paulo:	Oi, Marta. Eu queria falar com você um instante...

Diálogo 3

Ronaldo:	Lavanderia Tudo Limpo, bom dia.
Sérgio:	Ronaldo? Aqui é o Sérgio.
Ronaldo:	Oi, Sérgio, tudo bem?
Sérgio:	Tudo. Escuta, o Carlos tá por aí?
Ronaldo:	Não, não está, não. É só com ele?
Sérgio:	É, sim. Você pode dar um recado a ele?
Ronaldo:	Claro!
Sérgio:	Diz que a fatura tem um probleminha. Ele pode me ligar a qualquer hora.
Ronaldo:	Tá bem. Mais alguma coisa?

Sérgio:	Não, é só isso. Obrigado, Ronaldo.
Ronaldo:	De nada, até logo.
Sérgio:	Até logo.

Diálogo 4

Sandra:	Alô?
Edson:	Alô. Eu gostaria de falar com a Sandra?
Sandra:	É ela.
Edson:	Oi, Sandra, aqui é o Edson.
Sandra:	Oi, Edson, tudo bem?
Edson:	Tudo, e você?
Sandra:	Tudo bem.
Edson:	Eu estou ligando pra saber se você vai à convenção este ano.
Sandra:	Vou, sim. E você?
Edson:	Eu também vou! A gente pode conversar lá? Eu quero falar com você sobre umas oportunidades.
Sandra:	Claro, vamos conversar sim.
Edson:	Ótimo! A gente se encontra no *lobby* do hotel antes da primeira palestra.
Sandra:	Combinado. Até quinta-feira, então!
Edson:	Então tá, até quinta! Um abraço.
Sandra:	Outro, tchau, tchau.

1:61 Vocabulário e Pronúncia – Exercício 1

Ir de carro
Ir de táxi
Ir de ônibus
Ir de trem
Ir de avião
Ir de metrô
Pegar um táxi
Tomar um táxi
Pegar o ônibus
Tomar o ônibus
Pegar o trem
Tomar o trem
Pegar a barca
Tomar a barca
Pegar o metrô
Tomar o metrô
Saltar do ônibus
Embarcar no avião
Desembarcar do avião

UNIDADE 8

1:66 Compreensão Oral – Exercício 3

a.

A: Ih, caramba! A tela do computador ficou preta! Será que eu perdi tudo?
B: Não, acho que não. Você deve ficar calma.

b.

A: Eu esperei o seu telefonema ontem o dia todo!
B: Desculpe, meu celular quebrou.

c.

A: Estou tão chateada hoje...
B: Por quê?
A: Meu *tablet* novinho desapareceu.

d.

A: E aí, correu tudo bem na apresentação?
B: Não, não correu nada bem.
A: O que aconteceu?
B: O projetor não funcionou na hora da apresentação!

e.

A: O César te ligou ontem?
B: Não, por quê?
A: Ele comprou um *smartphone* e ligou pra todo mundo!

f.

A: Por que você ainda não mandou aquele *e-mail*?
B: Não posso, a internet caiu!

1:67 Compreensão Oral – Exercício 4

De acordo com uma pesquisa divulgada na revista *Exame* de março de 2012, os brasileiros são grandes consumidores de novas tecnologias. Naquele ano, 90% dos brasileiros que participaram da pesquisa tinham computador em casa e 53% tinham *smartphone*. O Brasil também estava à frente de outros países em intenção de compra: 30% dos brasileiros declararam intenção de comprar um *tablet* naquele ano, mais do que 26% dos chineses e 22% dos norte-americanos. O Brasil também estava à frente em intenção de compra de *netbooks*, empatando com a Rússia: 22% dos brasileiros e dos russos declararam querer comprar um *netbook*, contra 15% dos chineses e 10% dos norte-americanos. Em *smartphones*, os brasileiros apareceram à frente de franceses e russos, mas atrás de chineses e norte-americanos. Trinta e três por cento dos brasileiros pesquisados mostraram intenção de adquirir um *smartphone* em 2012, enquanto 43% dos chineses e 35% dos norte-americanos declararam a mesma intenção.

1:68 Compreensão Oral – Exercício 5

Os técnicos estão instalando um novo sistema na empresa. Com esse sistema, as operações vão ficar muito mais eficientes já na semana que vem. Como é um sistema fácil, os empregados vão aprender muito rápido. Semana passada, os diretores explicaram o sistema e as vantagens que ele traz. Alguns funcionários ficaram um pouco preocupados no início, mas depois da apresentação eles perceberam que esse tipo de mudança é fundamental para manter a competitividade da empresa. Eles são muito dedicados e sempre entendem que o sucesso da empresa depende de atualizações tecnológicas e que os colegas da TI fazem tudo para ajudá-los quando é necessário.

UNIDADE 9

1:73 Compreensão Oral – Exercício 3

Diálogo 1

Homem:	Restaurante Sabores do Brasil, aqui é o Renato. Em que posso ajudar?
Mulher:	Oi, Renato. Meu nome é Soraya e eu estou organizando o almoço de final de ano do meu departamento. Vocês teriam disponibilidade para atender vinte e três pessoas no dia 18 de dezembro?
Homem:	18 de dezembro...? Pro almoço? Tenho, sim.
Mulher:	Ótimo. E quanto sairia por pessoa?
Homem:	O almoço-Natal custa 85 reais por pessoa e inclui entrada, prato principal e sobremesa. Não inclui bebidas.
Mulher:	O pagamento pode ser feito no dia?
Homem:	Pode, claro.
Mulher:	Vocês aceitam cheques?
Homem:	Se for da conta da empresa, aceitamos, sim.
Mulher:	Ótimo. Vou conversar aqui na empresa e te dou um retorno ainda hoje para confirmar os detalhes.
Homem:	Sem problema. Fico aguardando.
Mulher:	Até logo e obrigada.
Homem:	De nada, tchau.

Diálogo 2

Mulher:	Bom, então a convenção fica definida pro fim de semana de 17 e 18 de outubro, em Campos do Jordão, é isso?
Homem:	Isso mesmo. Você pode verificar com o hotel se o orçamento que nos deram mês passado ainda está valendo?
Mulher:	Eu fiz isso agora de manhã, antes de vir conversar com você.
Homem:	Ah, ótimo, e então, o que eles disseram?
Mulher:	São 250 reais por dia, por pessoa.
Homem:	E podemos parcelar o pagamento?
Mulher:	Podemos usar o cartão de crédito da empresa e parcelar em até três vezes.
Homem:	Ótimo. Vamos então pagar com cartão em três parcelas.

Diálogo 3

Homem:	Esse jantar foi excelente, você não acha?
Mulher:	Foi, sim. Que camarão maravilhoso! E a sobremesa, hmm, uma delícia!
Homem:	Depois de um dia duro de trabalho, a gente merecia mesmo este jantar.
Mulher:	É, mas não se esqueça de que ainda temos trabalho pra fazer hoje antes de ir dormir. É melhor a gente pedir a conta logo.
Homem:	É verdade... Garçom, a conta, por favor.
Garçom:	Pois não.
Homem:	Vocês aceitam cartão?
Garçom:	Não, senhor, não aceitamos cartão.
Homem:	Ah, não? E cheque?
Garçom:	Também não. Só aceitamos pagamento em dinheiro.
Homem:	Ah, eu não sabia. Eu não estou com muito dinheiro aqui. Vou ter que passar num caixa eletrônico.
Mulher:	Vamos ver quanto dá. Se for menos de cem reais, eu tenho aqui comigo.
Homem:	Ah, ok, mas depois eu te pago o valor da conta. Você é minha cliente, e hoje quem paga o jantar sou eu!

1:74 Compreensão Oral – Exercício 4

Situação 1:

Ontem eu fui ao centro da cidade para abrir uma conta num banco. Escolhi a Caixa Para Todos porque eu tenho pouco dinheiro. A Caixa Para Todos é um banco que não cobra taxas altas. Para abrir a conta, eu fiz um depósito de cem reais.

Situação 2:

Eu precisei fazer uma retirada no caixa eletrônico antes de ir para o cinema porque eu tive que ajudar meu namorado a pagar a conta no restaurante. Eu queria umas notas de 10 reais para comprar pipoca no cinema, mas o caixa eletrônico me deu três notas de cinquenta reais.

Situação 3:

Hoje eu precisei comprar uns envelopes tamanho A4 e esqueci de pegar o recibo. Agora não posso pedir reembolso na empresa. E tem mais. Os envelopes custaram doze reais, eu dei vinte e recebi o troco em moedas. Agora tenho oito reais em moedas no bolso!

1:75 Compreensão Oral – Exercício 5

Renato:	O que você acha de fundos de investimento?
Cristina:	Eu gosto muito. Alguns fundos têm uma rentabilidade muito boa.
Renato:	É verdade, mas se temos informações sobre a *performance* das empresas, podemos comprar ações de cada uma e ter um rendimento ainda melhor.
Cristina:	Sem dúvida, mas com as ações você precisa monitorar cada empresa para ver se deve vender ou comprar.
Renato:	Mas eu gosto de comprar e vender e de acompanhar cada empresa.
Cristina:	Quanto você investe em ações por mês?
Renato:	Eu invisto cerca de mil reais por mês, é o que o meu orçamento permite. Eu sou um pouco agressivo e às vezes perco dinheiro, mas posso ganhar bastante. E você?
Cristina:	Eu coloco seiscentos reais num fundo que rende juros baixos, mas é muito seguro. Eu gosto da segurança. Eu não ganho muito, mas também não perco dinheiro.

UNIDADE 10

1:80 Compreensão Oral – Exercícios 1 e 2

O Brasil exporta uma grande variedade de produtos e tem uma balança comercial favorável, pois exporta mais do que importa. Em anos recentes, o produto que o Brasil mais exportou foi o minério de ferro. Outros produtos muito vendidos são petróleo bruto, açúcar de cana, soja, café, carne de frango e automóveis, entre outros. Os maiores parceiros comerciais do Brasil nos últimos anos foram a China, os Estados Unidos e a Argentina. O Brasil também importa produtos desses países e de outros, inclusive eletrônicos, mas o volume de exportação mantém a balança comercial favorável.

1:81 Compreensão Oral – Exercícios 3 e 4

De acordo com uma matéria na revista *Exame* de 22 de agosto de 2012, a valorização do dólar e uma economia menos aquecida não foram suficientes para diminuir os gastos do turista brasileiro no exterior. Entre janeiro e junho de 2012, os turistas brasileiros nos Estados Unidos gastaram 12% a mais do que no mesmo período em 2011. Em contrapartida, o consumo dos ingleses nos Estados Unidos aumentou apenas 2% nesse período. Segundo um estudo obtido pela revista, o turista brasileiro gasta mais do que quase todos os outros turistas nos Estados Unidos. Os únicos que gastam mais do que os brasileiros nos Estados Unidos são os turistas canadenses. No entanto, segundo a revista, os gastos dos turistas estrangeiros no Brasil também foram maiores em 2011 do que em 2010. Entre 2010 e 2011, os gastos desses turistas no Brasil cresceram em 12%.

UNIDADE 11

2:4 Compreensão Oral – Exercício 3

Homem:	Quem você entrevistou hoje?
Mulher:	Entrevistei um candidato que tinha diplomas de universidades de primeira linha.
Homem:	Como foi?
Mulher:	Pra dizer a verdade, estou na dúvida. No papel, ele parecia ser o candidato ideal. Mas durante a entrevista parecia haver alguma coisa errada. Não sei se era a linguagem corporal dele.
Homem:	Como assim? Ele fazia gestos que não eram adequados?
Mulher:	Não eram só os gestos, mas como ele se comportava também. Por exemplo, ele ficou quase o tempo todo de braços cruzados. Eu nunca vi isso num candidato. Parecia que ele queria se defender de alguma coisa.
Homem:	Realmente, é estranho. Que mais?
Mulher:	Ele também franzia as sobrancelhas o tempo todo. Dava a impressão que ele não estava de acordo com alguma coisa que eu dizia.
Homem:	Eu nunca vi um candidato fazer isso!
Mulher:	E tem mais. Quando ele descruzava os braços, fazia uns gestos enormes, tão grandes que ele quase encostava em mim do outro lado da mesa!
Homem:	Mas e as respostas dele? Foram boas?
Mulher:	As respostas foram normais. Não houve nada brilhante, ao contrário do que nós esperávamos.
Homem:	Bem, ainda tem mais dois candidatos, não é?
Mulher:	É, eu vou entrevistar os dois amanhã. Depois eu te conto.

UNIDADE 12

2:9 Compreensão Oral – Exercícios 2 e 3

Renata:	Então você acha que a gente deve aumentar esses preços, Tadeu?
Tadeu:	Acho sim. Este ano os custos de produção subiram muito. A gente precisa repassar pelo menos uma parte desses custos.
Renata:	Bem, se não tem outra solução... O importante é manter as vendas num nível...
Joana:	Desculpe, gente, o trânsito estava impossível. Tinha um engarrafamento enorme antes do túnel.
Renata:	Joana, não é a primeira vez que você se atrasa. Você sabe que o trânsito é difícil numa cidade grande, ainda mais a essa hora. Você precisa se organizar e sair mais cedo.
Joana:	Desculpe, Renata. Eu perdi a hora. Não vai acontecer mais, pode ficar tranquila.
Renata:	Espero que não. Bom, nós estávamos falando de um aumento nos preços de alguns produtos...

2:10 Compreensão Oral – Exercício 4

Diálogo 1

Ivan:	Vocês todos já se conhecem? Não? Então vamos fazer uma rápida apresentação. Eu sou o Ivan, mas acho que vocês todos me conhecem.
João:	Meu nome é João, eu trabalho no setor de contabilidade.
Paula:	Meu nome é Paula, sou a gerente de TI.
Iracema:	Eu me chamo Iracema, sou a supervisora de vendas.

Diálogo 2

Branca:	Bom, então vamos agendar a próxima reunião. Vocês estão livres no dia 27 a essa hora?
César:	Eu estou.
Lívia:	Por mim, tudo bem.

Diálogo 3

Iara:	Bom, como vocês sabem, eu convoquei essa reunião porque a administração não está satisfeita com os nossos números. Nós precisamos recrutar mais alunos. Eu queria trocar ideias com vocês sobre o que podemos fazer.
Carlos:	Antigamente a gente fazia divulgação nas escolas e sempre dava resultado.

Diálogo 4

Geraldo:	Bom, alguém tem mais algum assunto para discutir hoje?
Telma:	Temos que falar do calendário pro ano que vem, mas é melhor deixar pra próxima reunião.
Geraldo:	Tudo bem. Então, obrigado a todos vocês.

2:11 Compreensão Oral – Exercício 5

Miguel:	Bom, já são 10h10, vamos começar? Eu queria agradecer a presença de vocês. Antes de começar, eu queria apresentar a vocês o Otávio Magalhães, que está visitando a nossa sucursal.
Otávio:	Bom dia, pessoal. Obrigado, Miguel, por me permitir participar da reunião.
Miguel:	Para nós é um prazer. Bem, hoje nós precisamos conversar sobre o relatório para a matriz, os números do último trimestre e as metas para os próximos trimestres. Cecília, como anda o relatório?
Cecília:	Estamos quase terminando. Ontem fechei a terceira parte, mas não pude continuar porque o André não estava no escritório. Mas eu vou me encontrar com ele hoje. Eu mando o relatório pra você antes do final da semana.
Miguel:	Ótimo, obrigado, era isso que eu queria saber. Se não tem mais nada sobre o relatório, vamos passar adiante. Os números do último trimestre não foram muito bons. A gente tem que melhorar isso. Temos que fazer um esforço maior.
Clara:	Ah, mas esse período é sempre problemático.
Miguel:	Então a gente tem que dar um jeito de melhorar a *performance* nesse período.
Clara:	Eu não sei se dá para melhorar, é assim todo ano. A gente trabalha, mas esses números...
Cecília:	Ah, eu acho. Desculpe, Clara. Eu acho que isso tem a ver com o acesso aos bairros.
Heitor:	Eu não acho, não, Cecília. Eu acho que esse período é problemático por outros motivos. As pessoas ainda estão pagando as compras de Natal. Além disso, tem muita coisa em fevereiro: carnaval, volta às aulas. Quando chega março ninguém mais tem dinheiro. Eu mesmo não comprei nada em março, uma pobreza só!
Clara:	É, eu também não. Meus filhos estavam reclamando porque a gente teve que apertar o cinto.
Cecília:	É assim mesmo, né? A gente tem que fazer milagre com o dinheiro.
Miguel:	Gente, vamos voltar à agenda? Os números do último trimestre. Eu quero sugerir um estudo para entender essa tendência. Heitor, você se encarrega disso?
Heitor:	Tudo bem.
Miguel:	Mais alguma coisa sobre esses números? Não? Então vamos para o próximo item: as metas para os próximos trimestres.

UNIDADE 13

2:14 Compreensão Oral – Exercício 2

Uma apresentação eficaz envolve várias etapas, começando pelo planejamento. Aqui vão algumas dicas para fazer uma boa apresentação:

- Defina as mensagens que você quer enviar.
- Coloque as informações em ordem fácil de compreender.
- Evite *slides* com dados que não são essenciais.
- Não coloque informação demais nos *slides*.
- Use fontes e cores fáceis de ler.
- Insira imagens e vídeos, mas não em excesso.
- Revise o texto.
- Conheça o tema a fundo.
- Treine a apresentação.
- Durante a apresentação, demonstre confiança.

2:16 Compreensão Oral – Exercício 4

Boa tarde. Obrigada pela presença de todos. Meu nome é Alice Vieira e eu vou falar sobre motivação no trabalho. Eu vou começar falando sobre o que é motivação. Depois, vou falar dos tipos de motivação. Para terminar, vou falar de como motivar os funcionários. Bom, então, o que é motivação? Motivação é definida como o impulso que leva à ação. Há dois tipos básicos de motivação: a motivação intrínseca e a motivação extrínseca. Como o nome sugere, a motivação intrínseca vem da própria pessoa, de suas próprias necessidades e razões. Por outro lado, a motivação extrínseca é gerada por processos de reforço e recompensa, tais como salário, promoções etc. Bem, isso é tudo sobre os tipos de motivação. Agora, vamos passar para como motivar a equipe. Para motivar a sua equipe, comece acompanhando o trabalho. Isso é importante porque a equipe precisa saber que o que faz é relevante. Além disso, invista na sua equipe. Por exemplo, faça treinamentos, forneça oportunidades de desenvolvimento profissional, dê apoio ao trabalho da equipe. Sem recursos desse tipo, a equipe pode ficar desmotivada. Um exemplo disso é quando os funcionários não podem fazer cursos durante o horário de trabalho. Se os cursos vão beneficiar a empresa, incentive o crescimento profissional. Também é importante valorizar as pessoas. Em outras palavras, elogie o trabalho da equipe e dos indivíduos. Mostre claramente o valor desse trabalho para a empresa. Reconheça avanços e ofereça incentivos. A ideia principal é que é importante buscar maneiras de incentivar e apoiar a equipe, sempre de modo positivo. Então, resumindo: a motivação pode ser intrínseca ou extrínseca, mas você pode contribuir para a motivação extrínseca da sua equipe. Alguém tem alguma pergunta?

2:17 Compreensão Oral – Exercício 6

Luiz Fernando:	Oi, Carina, como foi sua apresentação?
Carina:	Foi mais ou menos. Teve umas coisas boas e outras nem tanto.
Luiz Fernando:	O que aconteceu?
Carina:	No começo eu não conseguia projetar a apresentação. Tive que chamar o técnico pra me ajudar. Ele conseguiu conectar tudo, mas a essa altura eu estava um pouco nervosa.
Luiz Fernando:	Mas depois você continuou sem problemas?
Carina:	Mais ou menos. Eu acho que as pessoas estavam interessadas, o que é bom. Mas eu passei um pouco do tempo, o que não é muito bom. De qualquer modo, no final o meu chefe me deu os parabéns.
Luiz Fernando:	Isso é ótimo!
Carina:	É, eu fiquei muito contente. E a sua apresentação do outro dia? Como foi?

Luiz Fernando:	Também teve uns pontos positivos e outros negativos. Eu tive problemas de conexão com a internet e não pude apresentar um vídeo. E enquanto eu estava apresentando, o gerente interrompeu várias vezes para fazer perguntas.
Carina:	Que chato! Você ficou nervoso?
Luiz Fernando:	Não, eu fico sempre calmo nessas apresentações. Eu respondi a umas duas perguntas e depois pedi pra ele esperar até o final. Mas com tudo isso eu consegui concluir a apresentação com tempo sobrando. No final, houve várias perguntas, todas muito boas, e eu pude dar mais exemplos. Em geral, acho que as pessoas gostaram.

2:18 Gramática – Exercício 4

1.

a. Grave sua apresentação e depois a ouça.

b. A situação é grave.

2.

a. Esta é uma escolha difícil.

b. Escolha a melhor opção.

3.

a. Este arquivo é leve e cabe no *pen-drive.*

b. Ao sair do trabalho, não leve nenhum documento para casa.

4.

a. Ao fazer uma apresentação, não passe os *slides* muito rápido.

b. Para passar os *slides,* você precisa apertar este botão.

UNIDADE 14

2:20 Compreensão Oral – Exercício 1

Carla:	Augusto, eu queria saber a respeito das metas que foram estabelecidas na convenção. Elas foram cumpridas?
Augusto:	Algumas sim, outras ainda não. Um dos nossos objetivos globais é facilitar a jornada de trabalho dos nossos funcionários. Para isso, o refeitório foi expandido em 20% este ano. Além disso, foi contratada uma nova empresa de *catering,* e os funcionários dizem que a comida está muito melhor agora.
Carla:	Excelente. Nós queríamos estabelecer parcerias com grupos comunitários. O que você me diz a respeito disso?
Augusto:	Não tenho boas notícias, Carla. Nós tentamos negociar uma parceria mas infelizmente a parceria não foi estabelecida.
Carla:	Bem, vamos continuar tentando. Já entramos em contato com outros grupos?
Augusto:	Já, sim. Três grupos já foram contatados, estamos esperando respostas.
Carla:	Certo. Essa parceria pode ser relacionada à reciclagem, para nos ajudar a alcançar as metas direcionadas a isso.
Augusto:	Sem dúvida. Mas uma das nossas metas de reciclagem foi atingida: a reciclagem na fábrica já aumentou em 10%.
Carla:	E pode aumentar mais. O que conseguimos com as embalagens?
Augusto:	Neste momento, as embalagens são feitas com 50% de material reciclado.
Carla:	Ótimo! Ainda no âmbito de conservação, como está o consumo de energia?
Augusto:	Não está tão alto como antes, mas o consumo foi reduzido somente em certos setores. Os gerentes de todos os setores sabem da meta e vão prestar contas sobre o consumo no próximo trimestre.
Carla:	Bem, vamos às outras metas. Em relação a vendas, o que conseguimos?
Augusto:	O nosso objetivo foi ultrapassado. As vendas aumentaram em 15%! O novo produto foi lançado em maio e desde então as vendas subiram bastante. Também queríamos cadastrar cinco clientes novos, mas já foram cadastrados oito clientes!
Carla:	E como está a distribuição?
Augusto:	Os produtos ainda são distribuídos no sistema antigo porque o sistema novo ainda está em fase de testes. Mas os testes vão ser concluídos no mês que vem. Depois disso, os produtos vão ser entregues com mais eficiência.
Carla:	Está bem. E quanto às avaliações?

Augusto:	Encontramos alguma resistência às avaliações mensais. Por enquanto, as avaliações ainda são feitas semestralmente, mas isso vai ser revisto.
Carla:	Obrigada, Augusto!

2:22 Compreensão Oral – Exercício 3

Simone:	Precisamos falar da avaliação sobre o Francisco Mendes, o gerente de informática.
Henrique:	Bem, de modo geral a função do Francisco é suprir as necessidades da empresa em termos de sistemas de informação e automação de tarefas. Parece que as informações foram bem gerenciadas e que os relatórios foram produzidos.
Simone:	Por outro lado, os custos não foram reduzidos pelo uso da tecnologia da informação.
Henrique:	É verdade. Mas os sistemas funcionam como foram projetados.
Simone:	Você tem razão. Acho que o mais importante é saber se as necessidades da empresa foram atendidas.
Henrique:	De acordo com o nosso levantamento, os diretores e os funcionários acham que a maior parte das necessidades deles com relação à informática foi atendida. No entanto, os diretores apontam os custos altos como ponto negativo. Outro ponto negativo: a tecnologia não é atualizada regularmente.
Simone:	Bem, então no âmbito geral o Francisco teve um bom desempenho, mas há pontos a melhorar.

UNIDADE 15

2:25 Compreensão Oral – Exercício 1

De acordo com uma pesquisa realizada por uma companhia norte-americana, publicada no *site* brasileiro Computerworld, é importante negociar um acordo antes de aceitar a oferta de emprego. Segundo a pesquisa, a maioria dos profissionais faz uma contraproposta antes de assinar o contrato de trabalho, e a maioria dos empregadores oferece pelo menos uma parte da contraproposta. Como era de se esperar, o item mais negociado foi o salário: 83% dos entrevistados responderam que tinham negociado o salário no último emprego. Outros itens muito citados foram bônus, com 56%, e férias extras, com 48%. Os gastos com mudança também entraram na negociação de 28% dos entrevistados, enquanto 27% dos participantes disseram que tinham negociado horários de trabalho flexíveis. Tanto o pagamento em ações quanto os custos com educação fizeram parte da negociação de 24% dos entrevistados, acima do item planos de saúde, que foi negociado por 20% dos participantes.

(*Script* baseado em <http://computerworld.uol.com.br/carreira/2008/08/26/assinatura-de-contrato-de-trabalho-exige-negociacao-criteriosa/>. Acesso 9 jul. 2013.)

2:26 Compreensão Oral – Exercícios 2 e 3

Laura:	Bom dia, Armando. Obrigada por voltar pra conversar com a gente.
Armando:	Eu é que agradeço a oportunidade, Laura.
Laura:	Armando, nós gostaríamos de oferecer a você a vaga de analista de TI.
Armando:	Obrigado! Fico muito lisonjeado com a oferta.
Laura:	O salário inicial é de 2.200 reais por mês. Nós oferecemos plano de saúde para assistência médica e odontológica e seguro de vida, além de todos os benefícios previstos por lei.
Armando:	Esse pacote é realmente muito bom para quem está começando na carreira, mas eu já tenho bastante experiência. Com a minha experiência, normalmente o salário é mais alto.
Laura:	Entendo o seu ponto de vista, mas o que estamos oferecendo já leva em consideração a sua experiência.
Armando:	Acho que nós dois concordamos que a vaga se encaixa muito bem no meu perfil profissional e que vocês valorizam os bons profissionais.
Laura:	Sem dúvida.
Armando:	Então, pra mim faz mais sentido ter um salário melhor do que, por exemplo, ter seguro de vida.

Laura:	O que você está propondo é receber mais por mês e não receber o seguro de vida.
Armando:	Exatamente.
Laura:	Acho que podemos chegar a um acordo, mas o seguro de vida é barato, portanto não vai afetar muito o salário.
Armando:	Entendo o seu ponto de vista, mas o salário não precisa aumentar muito se o horário de trabalho for flexível.
Laura:	Não tem problema. Você pode trabalhar em casa dois dias por semana. O que nos interessa é o resultado.
Armando:	Essa é uma boa sugestão. E o salário?
Laura:	Podemos chegar a 2.400.
Armando:	Hum!... Não sei. Acho que 2.800 seria muito justo. Outras empresas chegam a pagar 3.000.
Laura:	Infelizmente não podemos oferecer mais do que R$ 2.600.
Armando:	Certo. E férias?
Laura:	Como a lei prevê, 30 dias.
Armando:	Posso tirar só 10 dias e receber o resto?
Laura:	Deixa ver se entendi: você quer remuneração extra por férias não tiradas. É isso?
Armando:	Isso mesmo.
Laura:	Tudo bem. Então o salário vai ser 2.600 reais por mês, mais plano de saúde e remuneração extra quando não tirar férias. Bem-vindo à nossa equipe!

UNIDADE 16

2:34 Compreensão Oral – Exercícios 3 e 4

Os vídeos publicitários *on-line* oferecem muitas vantagens para quem anuncia. Em agosto de 2012, um artigo da revista *Exame* mostrou que várias empresas lançam vídeos *on-line* e têm excelente retorno. Uma das vantagens dos vídeos *on-line* é a duração. Na televisão, os comerciais normalmente duram 30 segundos, mas a internet permite lançar vídeos mais longos. Por exemplo, o McDonald's usou no *site* canadense um vídeo com três minutos e meio para mostrar por que o sanduíche da loja não se parece com o dos anúncios. Outra vantagem da internet é a capacidade de testar o público. Após alcançar sucesso em pouco tempo, um vídeo *on-line* pode mudar de veículo. Por exemplo, com o sucesso de um vídeo de 5 minutos *on-line*, a Pepsi decidiu reduzir o vídeo para 30 segundos e levar o comercial para a televisão americana. A amplitude também constitui uma grande vantagem dos vídeos publicitários *on-line*. Depois de ter um efeito viral, o alcance é ilimitado. Um bom exemplo é uma campanha da Gillette brasileira, que conseguiu atingir 20 milhões de pessoas em um mês, o dobro do que a empresa tinha projetado inicialmente. Uma vantagem inquestionável é o baixo custo de veiculação de vídeos *on-line*, que pode ficar perto de zero. Um exemplo disso foi um vídeo publicitário lançado pela Nokia numa conta real de Facebook. O vídeo foi visto 150 mil vezes nas primeiras 24 horas, apesar de não custar nada para veicular.

(*Script* baseado em matéria da revista *Exame*. São Paulo: Abril, 22 ago. 2012. p. 79.)

2:35 Compreensão Oral – Exercícios 5 e 6

Com o telefone celular Fala Mais você pode fazer o que os outros celulares fazem: falar, enviar mensagens, navegar na internet, abrir aplicativos, ouvir música, tirar fotografia, ver vídeos, entrar em redes sociais. Mas só o celular Fala Mais deixa os usuários fazerem quase tudo isso ao mesmo tempo! Com um Fala Mais, é possível usar até cinco funções simultaneamente! Compre hoje o seu Fala Mais e comece a se conectar de verdade!

Finalmente, um carro que respeita a natureza. Chegou o Aqua, o primeiro carro movido a água. Chega de poluição. Aqua: para nós mantermos a saúde do planeta.

O novo computador da Contas é o mais rápido e o mais leve do mercado. Pesando apenas setecentos gramas, o ContasLeve pode ser levado para qualquer lugar. Para trabalho ou lazer, o ContasLeve é a sua melhor opção.

2:36 Compreensão Oral – Exercícios 7 e 8

Luís:	Eu acho que precisamos contratar um matemático para trabalhar com o setor de *marketing*.
Carlos:	Um matemático, Luís? Pra quê? O setor tem seis publicitários, e eles estão fazendo um bom trabalho. Não entendo por que contratar um matemático.
Luís:	Por exemplo, para aumentar as vendas em 10%, quanto vamos gastar em publicidade? Os publicitários não conseguem responder a essa pergunta.
Carlos:	Mas o pessoal da contabilidade é que tem que dizer qual é a verba disponível para publicidade!
Luís:	E isso é um exemplo de onde a nossa estratégia pode melhorar. Em vez de termos uma verba fixa ou usarmos alguma verba que sobrou de outro setor, podemos saber quanto devemos aplicar em publicidade para obter os resultados que queremos. Isso só um matemático pode calcular.
Carlos:	E o que mais esse profissional faria?
Luís:	Um bom exemplo é a criação de um sistema para acompanhar o desempenho de uma propaganda em redes sociais. Poderíamos saber quantas pessoas clicaram no nosso anúncio e se os cliques resultaram em vendas. Assim, podemos substituir o anúncio se necessário.
Carlos:	É, isso seria boa ideia.
Luís:	Outro exemplo do que o matemático faria é identificar promoções mais eficientes para atrairmos mais clientes. E podíamos filtrar as informações fornecidas pelos clientes, para podermos dirigir melhor as nossas promoções e vender mais.
Carlos:	Está bem, vamos contratar um matemático para o setor de *marketing*.

(*Script* baseado em matéria da revista *Exame PME*. São Paulo: Abril, ago. de 2012. p. 26.)

UNIDADE 17

2:43 Compreensão Oral – Exercício 5

Diálogo 1

Paula:	CDE Comunicações, boa tarde, meu nome é Paula, em que posso ajudar?
Ivan:	Boa tarde, Paula. Eu estou tendo problemas com a televisão a cabo.
Paula:	Pois não. Qual é o nome do titular da conta?
Ivan:	A conta está no meu nome, Ivan Soares.
Paula:	Muito obrigada, Sr. Ivan. E qual é o problema que o senhor está tendo?
Ivan:	Alguns canais estão aparecendo com a imagem cheia de chuviscos.
Paula:	Isso acontece com todos os canais, ou só alguns?
Ivan:	Só alguns.
Paula:	O senhor pode aguardar na linha um momento?
Ivan:	Posso.
Paula:	Obrigada. Só um minuto, por favor.
[pausa]	
Paula:	Alô, Sr. Ivan?
Ivan:	Alô?
Paula:	Sr. Ivan, é possível que o problema seja localizado, mas talvez seja um problema com a instalação do prédio. Nós temos que enviar um técnico para averiguar. Nós podemos agendar para quarta, dia 23, entre 8 e 10 horas?
Ivan:	OK, obrigado.
Paula:	Obrigada por ligar para a CDE Comunicações, boa tarde.

Diálogo 2

Nelson:	Bom dia, posso ajudar?
Daniel:	Espero que sim. Eu comprei este barbeador, mas não está funcionando.
Nelson:	É possível que a tomada não esteja bem conectada.
Daniel:	Eu já tentei de tudo, não funciona de jeito nenhum.
Nelson:	O senhor tem a nota?
Daniel:	Tenho, está aqui.

Nelson:	Então podemos efetuar a troca. Márcia, você pode pegar um barbeador da marca Boa Aparência, modelo B34, para este senhor?
Daniel:	Obrigado. Tomara que este funcione!

Diálogo 3

Vendedora:	Olá!
Cliente:	Bom dia. Olha só, eu comprei dois biquínis ontem, mas queria trocar um deles por um maiô. A nota está aqui.
Vendedora:	Ah, desculpe, mas nós estamos liquidando o estoque e não estamos trocando peças.
Cliente:	Como assim? Eu quero falar com o gerente.
Gerente:	Pois não?
Cliente:	Eu quero fazer uma troca.
Gerente:	Nós não estamos trocando nada porque vamos fechar a loja. Além disso, não podemos fazer nenhuma troca a menos que tenhamos o código e essas peças não têm o código.
Cliente:	Isso é um absurdo! Não é à toa que vocês vão fechar a loja! Vocês não sabem atender!

Diálogo 4

Jorge:	Pois não?
Silas:	Eu comprei esse *netbook* no mês passado e ontem a tela ficou completamente branca.
Jorge:	Infelizmente nós não podemos consertar aqui.
Silas:	Então eu quero trocar por um novo.
Jorge:	Bem, nós não temos mais esse modelo. Podemos trocar por outra marca, mas há uma pequena diferença de preço.
Silas:	Eu não acredito. Eu pago extra para ter a assistência técnica, vocês não consertam e ainda querem que eu pague mais por outro modelo?
Jorge:	É, infelizmente não há outra solução. Mas o plano de assistência técnica que o senhor comprou continua valendo para o *netbook* novo.
Silas:	Mas é claro! Ora, não é possível que o plano perca a validade, isso não faria sentido.
Jorge:	Então, nós temos estes dois outros modelos. Qual o senhor prefere?
Silas:	Bem, já que não tem outro jeito, vou levar o mais barato, embora não seja o meu preferido.

2:44 Compreensão Oral – Exercício 6

Segundo matéria publicada no *site* da revista *Exame* em 19 de outubro de 2012, os vendedores devem estar preparados para responder às perguntas dos clientes e para atendê-los bem. No entanto, caso o vendedor se encontre numa situação delicada, pode usar algumas frases que os clientes gostam de ouvir. Dessa maneira, mesmo que o desejo do cliente não seja realizado, ele vai gostar de ser bem tratado. Essas frases vêm de um livro do autor Robert Bacal, traduzido e publicado no Brasil em 2012. A primeira frase recomendada é "Sinto muito pela espera". Antes que o cliente reclame da espera, peça desculpas pela demora. Também é bom dar uma estimativa do tempo de espera quando há atraso no atendimento. A segunda frase mencionada é "Quero me certificar de que não vou lhe dar uma informação errada". Para que o cliente não desanime da compra, o vendedor deve ser honesto e, caso não saiba a resposta, deve mostrar que se interessa pela dúvida e procurar a informação. Caso precise deixar o cliente esperando enquanto procura a resposta, o vendedor deve oferecer um cafezinho ou uma água enquanto o cliente aguarda. A terceira frase que os clientes gostam de ouvir é "Sei que você está infeliz com esta situação". Caso o cliente fique chateado, o vendedor deve mostrar que reconhece e entende a situação. A quarta frase referida é "Vamos garantir que estamos em sintonia". Quando se estabelece um acordo com o cliente, é importante deixar as coisas claras. Portanto, o vendedor deve fazer um resumo do acordo para que o cliente entenda os detalhes. A última coisa que os clientes gostam de ouvir é muito simples: o próprio nome. Ao lidar com um cliente, trate a ele ou a ela por Senhor Fulano ou Senhora Beltrana. Usar o nome da pessoa é uma cortesia básica e indica um serviço personalizado.

(*Script* baseado em <http://exame.abril.com.br/pme/noticias/5-frases-que-os-clientes-gostam-de-ouvir?page=2>. Acesso em 11 jul. 2013.)

UNIDADE 19

2:54 Compreensão Oral – Exercício 1

1. Sempre que o chefe dá uma ordem, todos atendem.
2. Eles vão participar do seminário se a gerente recomendar.
3. Quando os funcionários têm problemas, o diretor tenta ajudar.
4. Quando os funcionários tiverem problemas, o diretor vai tentar ajudar.
5. O gerente vai explicar esse procedimento assim que for possível.
6. O gerente explica os procedimentos quando é possível.
7. Você vai poder falar com a diretora logo que ela sair da reunião.
8. Nós vamos continuar produzindo muito enquanto tivermos incentivos.

2:55 Compreensão Oral – Exercício 2

1. Quando eu for diretora, vou exercer uma liderança que inclui a todos.
2. O líder do grupo não vai gostar se souber que você não está participando.
3. Assim que vocês fizerem um bom trabalho, o chefe vai agradecer.
4. O diretor geral vai explicar as novas diretrizes logo que vier ao nosso setor.
5. Se ele for à fábrica, vai ficar surpreso com a liderança do supervisor.
6. Nós vamos promover o Carlos assim que pudermos.
7. Os diretores vão ficar satisfeitos quando virem o projeto de vocês.
8. Quem tiver mais características de liderança vai coordenar o trabalho.

2:57 Compreensão Oral – Exercícios 4 e 5

Existem algumas características que podemos encontrar num líder natural. Eu acho que tenho várias dessas características. Por exemplo, eu costumo ser o centro da conversa. Quando faço parte de uma conversa de grupo, normalmente eu sou a referência do grupo, ou seja, as pessoas param para me ouvir. Além disso, eu nunca sou interrompido. No horário de almoço, eu sempre saio com os meus colegas. Ou melhor, eles sempre me chamam para almoçar com eles. Outra coisa: os meus colegas me consultam com frequência em relação a assuntos profissionais. Isso significa que eles confiam em mim e no que eu tenho pra dizer. Em termos de chefia, eu me considero uma pessoa com forte autoridade, mas que sabe usar bem essa autoridade. Como se pode ver, eu acho que tenho motivos para me considerar um líder natural.

UNIDADE 20

2:60 Compreensão Oral – Exercício 1

Exemplo: Os diretores resolveram rever o orçamento para o próximo ano.

a. Os fornecedores negociarão o prazo de pagamento.

b. Os investidores aplicaram o capital de giro da empresa.
c. Os funcionários entenderam as instruções do chefe.
d. Os líderes ouvirão o que a equipe tem a dizer.
e. Os executivos distribuirão os recursos entre a equipe.
f. Os clientes pagaram todas as contas antes do fim do ano.

2:62 Compreensão Oral – Exercício 3

Empresários brasileiros acreditam que a burocracia dificulta a competitividade. Uma matéria publicada no *site* do jornal *Folha de S.Paulo* em 9 de setembro de 2012 relata um estudo da Confederação Nacional da Indústria. Segundo o estudo, muitas empresas brasileiras consideram que a burocracia é parcialmente responsável pela perda de competitividade. Oitenta e cinco por cento dos empresários entrevistados afirmam que o desempenho das empresas seria melhor se não houvesse tantas obrigações legais. Os empresários apontaram outras dificuldades também. A complexidade das obrigações legais foi mencionada por 56% dos entrevistados, enquanto 41% dos empresários reclamaram da mudança frequente das normas. Outro problema apontado por 36% dos empresários entrevistados é a falta de recursos para cumprir com as obrigações impostas pelo governo. A introdução de sistemas informatizados não diminuiu a dificuldade e a lentidão dos processos. Segundo especialistas, a burocracia conseguiu crescer e hoje os formulários são mais complexos e detalhados. O estudo revela que a burocracia causa aumento do uso de recursos em atividades não ligadas à produção e atraso ou dificuldade na realização de investimentos, entre outros problemas. Com isso, as empresas se tornam menos competitivas.

(*Script* baseado em <http://www1.folha.uol.com.br/mercado/1150598-papelada-e-entrave-para-9-entre-10-industriais.shtml>. Acesso em 15 jul. 2013.)

2:63 Compreensão Oral – Exercício 4

Os brasileiros pagam caro pelo vinho que consomem. Os impostos e as margens de lucro podem aumentar em mais de cinco vezes o custo de um vinho importado da Europa. Por exemplo, se o valor do vinho no produtor é 15 reais, os impostos e taxas de importação serão 18 reais. A margem de lucro média do importador será 11 reais e 55 centavos, enquanto o imposto sobre a venda chegará a 15 reais e 59 centavos. Se o vinho for consumido num restaurante, a margem de lucro do restaurante será 22 reais e 25 centavos, o que significa que o consumidor pagará 82 reais e 39 centavos pelo vinho, ou seja, mais de cinco vezes o valor inicial de 15 reais cobrado pelo produtor.

(*Script* baseado em *Veja Rio*. São Paulo: Abril, 3 ago. 2011. p. 19.)

RESPOSTAS DOS EXERCÍCIOS

WHAT YOU NEED TO KNOW

The Alphabet

2

a. TI = Tecnologias de Informação
b. RH = Recursos Humanos
c. OAB = Ordem dos Advogados do Brasil
d. FGTS = Fundo de Garantia do Tempo de Serviço
e. NF = Nota Fiscal
f. CNPJ = Cadastro Nacional da Pessoa Jurídica
g. CLT = Consolidação das Leis do Trabalho
h. PME = Pequenas e Médias Empresas
i. INSS = Instituto Nacional do Seguro Social
j. DDD = Discagem Direta à Distância
k. CEP = Código de Endereçamento Postal
l. CPF = Cadastro de Pessoas Físicas
m. IBGE = Instituto Brasileiro de Geografia e Estatística
n. IPTU = Imposto Predial e Territorial Urbano
o. UF = Unidade da Federação (Estado)

UNIDADE 1

Começando o Trabalho

1

a. = **b.** = **c.** ≠

2 Respostas pessoais

Compreensão Oral

1

Diálogo 1: Eu me chamo; Meu nome é
Diálogo 2: Muito prazer; prazer
Diálogo 3: eu me chamo; Muito prazer
Diálogo 4: meu nome é; Boa tarde; De onde
Diálogo 5: Bom dia; como vai

2

a. Ela é inglesa. **b.** Você é sueco?
c. Ele é do Japão. **d.** Nós somos americanos.
e. Eu sou brasileiro. **f.** Vocês são da China?
g. Elas são mexicanas. **h.** Eles são da Índia.

Produção Oral

1

a. O nome dele é Eike Batista. Ele é brasileiro. / Ele é do Brasil.
b. O nome dela é Kiran Mazumdar-Shaw. Ela é indiana. / Ela é da Índia.
c. O nome dele é Bill Gates. Ele é americano. / Ele é dos Estados Unidos.

2

Respostas possíveis:
a. O nome dele é Bill Gates.
b. Oi, tudo bem.
c. Meu nome é...
d. Muito prazer!
e. Eu sou...

4

a. É, sim.
b. Não, não é.
c. Resposta pessoal
d. São, sim.
e. Não, não é.
f. Não, não somos.
g. Não, não é.
h. É, sim.
i. É, sim.
j. Não, não é.

5 Respostas pessoais

Compreensão Escrita

2 cartão de visita 2

3

a. telefone celular
b. *e-mail*
c. Qual é
d. Qual é
e. Qual é o *website* de Perfeição Cosméticos

Produção Escrita

1

a. Currículo 1: Nome completo, nacionalidade, estado civil, idade, endereço, telefone, *e-mail*, número de filhos, objetivo, formação acadêmica, experiência profissional.
Currículo 2: Nome completo, data de nascimento, estado civil, endereço, telefones, *e-mail*, áreas de interesse, formação acadêmica, idiomas, experiência internacional, informática, cursos complementares.
b. Respostas pessoais

Gramática

1

a. Eu **b.** é **c.** Nós **d.** Ele **e.** são
f. são **g.** somos **h.** Eles **i.** é **j.** sou

2

a. Não, não sou. **b.** Não, não é.
c. São, sim. **d.** Não, não é. **e.** É, sim.

3

a. Qual é o seu nome? **b.** Qual é o seu telefone?
c. Qual é o seu *e-mail*? **d.** Qual é o seu endereço?

UNIDADE 2

Começando o Trabalho

1
a. Eu moro
b. Eu trabalho
c. Eu falo

2 Respostas pessoais

Compreensão Oral

1
Diálogo 1: trabalha; trabalho; estudo; começo
Diálogo 2: paga; pago; ganho; precisamos; procura; manda
Diálogo 3: estuda; gosta; gosto; falamos; falam; fala
Diálogo 4: terminam; termino; termina

2
a. Moro, sim.
b. Não, não trabalham.
c. Falamos, sim.
d. Estuda, sim.
e. Não, não moramos.
f. Gosta, sim.

3
a. 8.500 **b.** experiência
c. executivo **d.** grandes empresas
e. 70.000

4 trabalha, ganha, começa, chega, ganham, ganha

5
a. que completam **b.** ganham
c. 5,5% **d.** 1.115 reais

Produção Oral

1
a. A **b.** N **c.** A **d.** I
e. N **f.** A **g.** I **h.** N

2
a. A empresa não paga os cursos. / A empresa paga os cursos?
b. As funcionárias ativas não começam o trabalho. / As funcionárias ativas começam o trabalho?
c. A diretora competente não ganha bem. / A diretora competente ganha bem?
d. O arquiteto simpático não gosta dos colegas. / O arquiteto simpático gosta dos colegas?
e. Os professores novos não preparam as aulas. / Os professores novos preparam as aulas?
f. As executivas sérias não precisam de bons assistentes. / As executivas sérias precisam de bons assistentes?
g. O analista preocupado não termina o trabalho a tempo. / O analista preocupado termina o trabalho a tempo?
h. O fotógrafo estrangeiro não usa a câmera apropriada. / O fotógrafo estrangeiro usa a câmera apropriada?

3
a. Os alunos organizados preparam o projeto.
b. Os gerentes competentes planejam o trabalho.
c. As chefes dedicadas enviam os *e-mails*.
d. Os executivos inteligentes começam a reunião.
e. As secretárias preparadas falam três línguas.
f. As assistentes simpáticas ganham 2 mil reais.
h. Os engenheiros comunicativos falam ao telefone.

4
Diálogo 1: trabalha; Trabalho, compradores; compram; compramos; preços
Diálogo 2: precisamos; Os, planejam; analisam, metas; Analisam

6 Respostas pessoais

7
a. II. criativo; III. criativos, interessantes
b. II. organizados, inteligentes; III. organizadas, inteligentes
c. II. funcionária, complicadas; III. funcionários, complicadas

8 Várias respostas possíveis, por exemplo:
a. ganham mais do que os profissionais do setor comercial
b. não ganham mais do que os profissionais de vendas
c. ganha mais do que um profissional de remuneração e benefícios

Compreensão Escrita

2 Respostas pessoais

3
a. professional development cycle
b. application fee
c. spaces
d. free courses
e. level
f. financial aid
g. unemployed students

4
a. inscrições em cursos de diferentes níveis.
b. os preços das taxas de inscrição.
c. quando os cursos começam.

5
a. petróleo e gás **b.** 300, 900
c. 7/3/12, 12/4/12 **d.** nível técnico
e. 63 reais **f.** 0800 7012028
g. mais de 11 mil vagas

Produção Escrita

1
a. Os títulos de arquivos no computador.
b. Compilar/organizar vocabulário na área de petróleo e gás.
c. Um/a aprendiz de português e/ou profissional que atua na área de petróleo e gás.

2
a. Português = Inglês
b. Profissionais
c. Lugares
d. Equipamentos
e. Geologia
f. Verbos
g. Siglas importantes

3 Respostas pessoais

Vocabulário e Pronúncia
Respostas pessoais

Gramática
1
a. preparadas
b. publicitária
c. supervisores
d. cuidadoso
e. dedicada
f. sistemáticos
g. contador

2
a. chega
b. conversa
c. usam
d. trabalhamos
e. ganho
f. estuda

3
a. de trabalhar com funcionários competentes.
b. diretoras criativas.
c. R$ 5.000,00 por mês.
d. contratar um advogado experiente.
e. em uma praia perto de Florianópolis.
f. o orçamento para o chefe.
g. inglês, espanhol e francês.

UNIDADE 3

Começando o Trabalho
1
a. ar, er, ir
b. **-ar:** focar; **-er:** aprender, estabelecer, entender, compreender; **-ir:** dividir, abrir, assumir, ouvir
2 Respostas pessoais

Compreensão Oral
1 dividem, entendem, dependem, compreende, abre, atendem, cumprem, devem, discutem, decidem

2
Time de futebol: possuem, comuns, específicas, assumem, atinge
Orquestra sinfônica: possuem, específicas, dirige
Formigas: organizadas, recebem, entendem, vivem, perfeita, cumprem, impossível

3

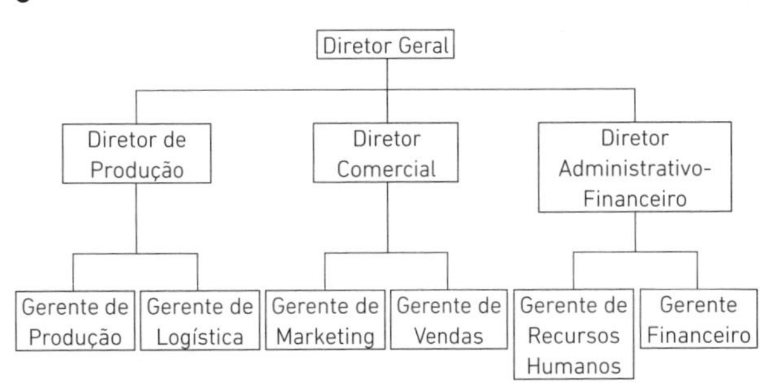

Produção Oral
2 Respostas pessoais

3 discutem, sempre, dele, cumpre, dela, às vezes, clientes, divide, meu, aprendo

4 a 6 Respostas pessoais

Compreensão Escrita
2 Respostas pessoais

3
a. seleção
b. fundamental
c. a seguir
d. equipe
e. selecionar
f. focadas

4
a. conseguem trabalhar num grupo.
b. é importante se relacionar bem com os colegas.
c. identifica problemas de cooperação.
d. identifica os aspectos mais importantes a trabalhar.

5 anotar perguntas, fazer pesquisas

6
Facilidades: Eu compreendo as motivações de outras pessoas; Eu reconheço as qualidades de meus colegas; Eu respeito a diversidade.
Dificuldades: Eu sou tímido; Eu me expresso mal oralmente; Eu não identifico a hora certa de interromper o colega.

Produção Escrita
1 b

2
a. 1 **b.** 2

3
Verbos no presente: investem; contam; trabalham; conseguem; utiliza; sofrem; é; retornam; transformam; compra
Vocabulário que indica tempo: Desde 2011; hoje; em tempos de seca
Palavra que indica maneira/forma: Assim

Palavra que apresenta exemplos: como

4 Respostas pessoais

Vocabulário e Pronúncia

2

a. É uma e dez / São treze e dez.
b. São quatro e vinte / São dezesseis e vinte.
c. São nove e meia / São vinte e uma e trinta.
d. São quinze para as três / São duas e quarenta e cinco.

3

a. É às quinze para as três. / É às duas e quarenta e cinco.
b. É ao meio-dia e meia.
c. É às dez (horas).
d. É às duas (horas).

Gramática

1

a. o trabalho entre todos.
b. que o trabalho em equipe é importante.
c. seguir os regulamentos.
d. bem os clientes.
e. os clientes às duas horas.
f. salmão com batatas.

2 entende, discutem, divide, dependemos, cumpre

3

a. Minha diretora é competente.
b. O relatório dela é importante.
c. Suas metas são fundamentais.
d. Nossos estagiários são inteligentes.
e. Os superiores delas são exigentes.

UNIDADE 4

Começando o Trabalho

1

a. Nós não temos, Eu não faço, Eu não vejo
b. Não

2 Respostas possíveis:
a. Tenho, sim. / Não, não tenho.
b. Faço, sim. / Não, não faço.
c. Vejo, sim. / Não, não vejo.

Compreensão Oral

1

Diálogo 1: oferece, temos, tenho, tem
Diálogo 2: trabalha, trabalho, faz, sou, faço
Diálogo 3: diz, dá, lê, dão
Diálogo 4: vê, distribui, vejo, posso
Diálogo 5: vou, leem, dizem, fazem, querem

2

a. 1 **b.** 2 **c.** 3 **d.** 1 **e.** 2 **f.** 3 **g.** 1

3

a. H **b.** M **c.** H **d.** M
e. H **f.** M **g.** H **h.** M

Produção Oral

1 Respostas pessoais

2 Respostas pessoais

3 Respostas possíveis:
a. Meu/Minha colega o procura.
b. Ele os ouve quando...
c. Meu/Minha colega a conhece.
d. Ele a procura porque...
e. Ela as entrevista...

4

a. Algumas respostas possíveis: Numa grande empresa os funcionários têm muitos benefícios; Numa pequena empresa as decisões são mais ágeis; Numa pequena empresa as pessoas aprendem mais coisas de áreas diferentes; Numa pequena empresa o profissional pode subir mais rapidamente.
b. Respostas pessoais

Compreensão Escrita

1

a. De um *website*.
b. Várias respostas possíveis, por exemplo: notícias de uma empresa; cosméticos e maquiagem; compras pela internet.

2

a. 10 **b.** 8 **c.** 7 **d.** 3 **e.** 2
f. 1 **g.** 5 **h.** 4 **i.** 9 **j.** 6

3 a; c; e; f

4

a. consumidores **b.** anual
c. bela **d.** visualizar
e. localize **f.** minhas compras
g. sala de imprensa

Produção Escrita

1 Elas mostram verbos no presente.

2

a. entrega **b.** adquire
c. propõe **d.** chega, cria
e. ganha **f.** inclui
g. usam, têm

3 Respostas pessoais

Vocabulário e Pronúncia

2

a. atinge
b. margem, junho

c. gerentes
d. jogam, engenheiros
e. agenda, Geraldo, hoje
f. vejo
g. projetos, julho
h. energia, estagiários

3 Respostas pessoais

Informações Culturais
2 Respostas pessoais

3 f; e; g; a; b; d; c

Gramática
1 d; c; e; a; b

2 têm, querem, dão, dizemos, vou

3 lhe, lo, me, lhe, os, nos

UNIDADE 5

Começando o Trabalho
1
a. Respostas pessoais
b. Respostas pessoais
c. SER, ESTAR

2 Respostas pessoais

Compreensão Oral
1
a. é, é, está, está, está
b. são, estou, sou, estou, é
c. somos, está, está, está, estamos, estão
d. é, sou, estou, é

2

	Onde é	Quando é
Seminário sobre liderança e trabalho em equipe	Goiânia	5 de março
Congresso internacional	Estados Unidos (Boston)	10 a 13 de abril
Convenção anual	Salvador	8 e 9 de junho

3
a. No aeroporto.
b. Palavras-chaves, por exemplo: passageiros, voo, portão, embarque, *check-in*, decolagem.

	Destino	Número do voo	Número do portão de embarque	Voo está no horário?
Diálogo 1	Manaus	XF 123	16	-
Diálogo 2	Buenos Aires	427	-	Não

4
a. V **b.** F **c.** V **d.** V **e.** F **f.** F

5
a. 3 **b.** 1 **c.** 2 **d.** 4 **e.** 5 **f.** 7 **g.** 6

6
a. Quanto **b.** Quantos **c.** Quanto
d. Quantas **e.** Quantos **f.** Quantas

Produção Oral
1
Qualidades positivas: dedicado, preparado, simpático, honesto, competente, atencioso, comunicativo, otimista, pontual, disponível, meticuloso, inteligente, leal, trabalhador
Qualidades negativas: antipático, egoísta, pessimista, hesitante, arrogante, desleal, inflexível, desonesto

2 Respostas pessoais

3 Respostas possíveis:
a. Sou, sim. / Não, não sou.
b. São, sim. / Não, não são.
c. Estou, sim. / Não, não estou.
d. Está, sim. / Não, não está.
e. É, sim. / Não, não é.
f. Tenho, sim. / Não, não tenho.
g. Trabalho, sim. / Não, não trabalho.
h. Vão, sim. / Não, não vão.
i. Fazem, sim. / Não, não fazem.
j. Faz, sim. / Não, não faz.

4 Respostas pessoais

5 Ordem correta das frases: c, f, a, d, g, j, i, b, e, h, k

Compreensão Escrita
2
a. Texto 2 **b.** Texto 1

3 Respostas pessoais

4

	Texto 1	Texto 2
Nome dos proprietários do hotel	x	x
Opções de lazer oferecidas no hotel		x
Descrição de atração geográfica		x
Qualificação do serviço e das acomodações	x	

5
a. refinamento, luxo **b.** impressionante
c. perfeito/a, sem defeitos **d.** acomodar
e. famoso **f.** usufruir, aproveitar
g. momento de abrir **h.** excursão

6
a. hospedo **b.** passeio **c.** de tirar o fôlego
d. impecáveis **e.** desfrutam

f. requinte **g.** renomado

Produção Escrita
1 Listas sobre objetos e tarefas relacionadas a uma viagem.

2 Respostas pessoais

3 Respostas pessoais

4 Respostas pessoais

Vocabulário e Pronúncia
2 Respostas pessoais

3 Respostas pessoais

4
a. Quando **b.** Qual **c.** O que
d. Quantos **e.** Como **f.** Onde
g. Qual; Por quê **h.** A que horas

Gramática
1
a. é, está, está, estão, está, está
b. é, é, é, são

2
a. Em agosto.
b. Em São Paulo.
c. As vendas não estão satisfatórias.
d. Até agora, muito bem.
e. Às dez e meia.
f. De Maceió.
g. Cento e cinquenta, mais ou menos.

3
a. Por que os funcionários não terminam o trabalho?
b. Como vocês estão?
c. Onde é Diadema?
d. Quando é a reunião?
e. Quantos funcionários sua empresa tem?
f. Quem vai à convenção anual?

UNIDADE 6
Começando o Trabalho
1
a. Presente **b.** Respostas pessoais **c.** estar, ndo

2 Respostas pessoais

Compreensão Oral
1
a. está, inovando, estamos contratando
b. está terceirizando, está otimizando
c. está adotando, estão trabalhando
d. está expandindo, estamos recrutando
e. está mudando, estão negociando
f. estamos entrevistando
g. estou participando

2
a. Está fazendo muito frio
b. Está chovendo
c. Está fazendo muito calor
d. Está ventando muito

3
I. b **II.** d **III.** a **IV.** c

4
a. muito **b.** muitos
c. muito, muitos **d.** Muitas

5 empregado, também, contrato de trabalho, sindicato, está pagando, vê, hora, salário, recomenda, direitos

6

Nome	Perfil	Características
Ricardo	dominador	arrogante
Ana	passivo	boazinha, hesitante
Sílvio	vítima	negativo, pessimista
Jorge	impositivo	autoritário, agressivo
Antônio	dissimulado	desonesto, desleal

Produção Oral
Respostas pessoais

Compreensão Escrita
2
a. O trabalhador pode não estar disponível para realizar o trabalho.
b. O contratado não precisa ir à empresa.
c. As empresas determinam que dias e quantas horas cada empregado trabalha.
d. Modelo original dos Estados Unidos, usado em alguns países europeus também.
e. Para certos tipos de companhia isto pode causar problemas na Justiça.

3
a. Acordos individuais que ajustam tipo de compensação e benefícios para cada caso.
b. Número de horas em que se trabalha (por dia, por semana ou por mês).
c. Quanto se paga a um funcionário.
d. Contratação de outras empresas para prestar serviços em nome da empresa contratadora.
e. Disputa relacionada com as leis.

4
a. V **b.** F **c.** V **d.** F
e. V **f.** V **g.** F **h.** V **i.** F

Produção Escrita
1 Os dois textos tratam de contratações.

2 a, c, d

3

	Texto 1	**Texto 2**
Verbos no presente contínuo	estamos contratando está contratando	Estamos iniciando
Verbos no presente	devem	é procuramos ofertamos trabalha

4 Respostas pessoais

Vocabulário e Pronúncia

1

Verbos	**Substantivos**	**Adjetivos**
terceirizar	terceirização	terceirizado/a
contratar	contratação	contratado/a
recrutar	recrutamento	recrutado/a
dominar	dominação	dominador/a
hesitar	hesitação	hesitante
organizar	organização	organizado/a
especializar	especialização, especialidade	especializado/a
definir	definição	definido/a
assistir	assistência, assistente	assistido/a
inovar	inovação	inovador/a
programar	programação, programador	programado/a
compensar	compensação	compensado/a
ampliar	ampliação	ampliado/a
expandir	expansão	expandido/a

2
a. contratação **b.** recrutamento
c. programação **d.** definição
e. inovação **f.** expansão
g. terceirização

Gramática

1
Diálogo 1: está estudando, estou trabalhando
Diálogo 2: estamos nos esforçando, estão refletindo
Diálogo 3: está verificando, estão discutindo

2
a. me esforço, se especializa, nos divertimos, se candidata
b. se dedica, se prepara, me preocupo, se recusa, se recupera

3
a. Aquela **b.** Esses **c.** este **d.** essa

UNIDADE 7

Começando o Trabalho

1
a. Futuro.
b. ir, r

2 Respostas pessoais

Compreensão Oral

1
a. H **b.** M **c.** H **d.** M
e. H **f.** H **g.** M **h.** M

2
a. F **b.** V **c.** F **d.** F **e.** F
f. V **g.** F **h.** F **i.** V

3
a. é uma boa **b.** sei, deve, isso
c. não deve **d.** não sei, isso, acho que, deve ter
e. Acho que, não acha **f.** Não acho

4 Tudo, ligando, que, boa tarde, vamos apresentar, vai entrevistar, acha, vai fazer, vamos preparar, vai apresentar, isso

5

	Diálogo 1	**Diálogo 2**	**Diálogo 3**	**Diálogo 4**
A pessoa que liga consegue falar com quem procura.		x		x
A pessoa que liga não consegue falar com quem procura.	x		x	
A pessoa que atende o telefone chama seu colega para falar.		x		
A pessoa que atende o telefone vai dar o recado ao seu colega.			x	

Produção Oral
Respostas pessoais

Compreensão Escrita

1
Verbos no presente: despencam, crescem, fecha, diz, avalia, têm, anuncia, aprova, adia, contrata, deve, propõe, protestam, cai, capta, tenta
Verbos no futuro: vão deixar, vai regular, vão recorrer, assinará, cairá

2
a. elevado **b.** lojistas **c.** funcionários
d. despencam **e.** desembolsos **f.** crescem
g. gerir **h.** recorrer **i.** superar
j. greve

3
a. cresce **b.** elevado **c.** greve
d. gerir **e.** lojistas **f.** superam

4
a. MP **b.** BNDES **c.** EUA **d.** Procon
e. SP **f.** ICMS **g.** TCU

Produção Escrita
1 Uma conversa em um *chat*.

2 a, b, c, d, e

3
a. pf **b.** vc **c.** qq **d.** qd(o) **e.** qt(o)
f. abs **g.** bjs **h.** tb **i.** hj **j.** msg
k. mt(o) **l.** psi

4 Respostas pessoais

Vocabulário e Pronúncia
1 Respostas possíveis:
Ir de carro / táxi / trem / metrô / ônibus / avião; **Pegar/Tomar** o trem / o ônibus / a barca / um táxi / o metrô; **Saltar** do ônibus; **Embarcar** no avião; **Desembarcar** do avião.

3
a. animais **b.** atores **c.** ônibus
d. objetos de arte ou históricos
e. comidas e bebidas **f.** livros e CDs

4 Respostas pessoais

Gramática
1
a. Glória vai fazer uma entrevista (na) semana que vem.
b. Os diretores vão demitir funcionários (no) mês que vem.
c. Vocês vão decidir (seus) planos de carreira agora?
d. Nós vamos vender mais nos próximos meses.
e. Eu vou revisar meus planos (no) ano que vem.

2
a. faço **b.** vou fazer **c.** têm
d. vão preparar **e.** vamos avaliar

3 Respostas pessoais

4
a. isto **b.** aquilo
c. Isso **d.** Aquilo

UNIDADE 8
Começando o Trabalho
1
a. mora, quero
b. comprou, recebeu, chegou, entregou-a, aconteceu, ofereceram, optei
c. Os verbos regulares de 1ª conjugação, na 3ª pessoa do singular, terminam em *-ou*; os de 3ª conjugação, em *-eu*.

2 Respostas pessoais

Compreensão Oral
1 comprei, duas, tem, 46HJ, comprou, recebeu, ver, um, muitas, recebemos, sua, você, amanhã, resolveu

2
a. A tecnologia tornou os negócios mais rápidos.
b. A internet reduziu os custos para as empresas.
c. As intranets facilitaram a comunicação entre os funcionários.
d. O *e-learning* reduziu os custos de treinamento.
e. O telefone celular mudou a maneira de realizar atividades.
f. As videoconferências permitiram contato instantâneo.

3
a. ficou **b.** quebrou **c.** desapareceu
d. funcionou **e.** comprou **f.** caiu

4

Intenção de compra	brasileiros	chineses	norte-americanos
tablet	30%	26%	22%
netbook	22%	15%	10%
smartphone	33%	43%	35%

5
a. estão instalando **b.** vão aprender
c. vão ficar **d.** explicaram **e.** perceberam
f. entendem **g.** fazem

Produção Oral
1 Respostas pessoais

2 Ordem correta do diálogo: e, j, a, d, g, f, i, b, c, h

3 Não, não acho, não; Eu ainda não entendi; Tudo bem, posso ajudar, sim; o sistema automaticamente atualizou a folha de pagamento; Você não precisou fazer isso manualmente então?; A minha produtividade aumentou muito.

4 Respostas pessoais

Compreensão Escrita
1 aderiu, adotou, amargou, aplicou, avançaram, dobrou, chegou, cresceram, determinou, entraram, entrou, entregou, evitou, evoluímos, ficou, ganharam, gastaram, passou, recebeu, vendeu

2
a. V **b.** F **c.** V **d.** V **e.** F **f.** F **g.** V

3
a. a empresa recebeu mais de 6 mil queixas (em relação a atrasos na entrega de produtos)
b. as suas operações de logística
c. avançaram no comércio de internet
d. caiu 90%
e. um plano de investimentos para melhorar o serviço

f. São Paulo, Recife

4 Respostas pessoais

Produção Escrita
Respostas pessoais

Vocabulário e Pronúncia
Respostas pessoais

Gramática
1 compraram, instalaram, percebemos, ficaram

2 Algumas respostas possíveis:
• O sistema novo aumentou a produtividade da empresa nos últimos meses.
• Valdemar telefonou para a DGS Computadores ontem.
• Guto aprendeu a trabalhar com o novo sistema nos últimos dias.
• Eu gastei muito tempo em redes sociais na semana passada.
• O diretor geral demitiu vários funcionários no mês passado.

3
a. celularzinho, bonitinho **b.** salinha
c. cafezinho **d.** comprinhas

4
a. todos **b.** tudo
c. todo **d.** toda

UNIDADE 9
Começando o Trabalho
1 Texto I

2
a. No passado.
b. Não

c.

Verbos regulares	almoçou, comeram, pagou, pediu, pegou, recebeu, descontou, gastou
Verbos irregulares	foi, fez, teve, foi

d. ser, fazer, ter, ir

3 Respostas pessoais

Compreensão Oral
1 rendimento, inflação, privilegiou, 10%, tiveram

2
a. recebi, mil reais, consegui
b. tivemos **c.** foi **d.** ganhou, fez, foram, foi
e. recebemos, pudemos **f.** receberam, tiveram
g. pediu, deu **h.** ganhou, foi, teve

3
Diálogo 1: cheque
Diálogo 2: cartão de crédito
Diálogo 3: dinheiro

4
a. 1 **b.** 3 **c.** 2 **d.** 3 **e.** 2 **f.** 1

5

	Renato	**Cristina**
Prefere investir em...	ações	fundos de investimento
Valor que investe por mês	R$ 1.000,00	R$ 600,00
Por que prefere esse investimento	Porque pode ganhar bastante	Porque é seguro

Produção Oral
Respostas pessoais

Compreensão Escrita
1 Respostas pessoais

2
a. ascensão **b.** caíram **c.** futuro
d. mais **e.** superior **f.** boas

3
a. V **b.** F **c.** F **d.** V

4
Sim: II, III **Não:** I, IV

Produção Escrita
Respostas pessoais

Vocabulário e Pronúncia
2
a. empréstimo, rendimento, ações, bolsa, juros, contracheque
b. fundo, garantia, poupança, patrimônio, conta corrente, cheque

3
a. pela **b.** durante **c.** em **d.** de, a
e. dos **f.** em **g.** de

Informações Culturais
1 Os tributos pagos no Brasil.

Gramática
1
a. esteve **b.** foram **c.** vim
d. disseram **e.** demos

2
a. estiveram, foram, fez, deu, quiseram, foi
b. fomos, soube, fiquei, tive, foi, disse, pôs

3 teve, fez, pôde, disseram, veio

UNIDADE 10

Começando o Trabalho

2
a. Respostas pessoais
b. Comparação.

3 Respostas pessoais

Compreensão Oral

1 b

2
a. V **b.** F **c.** F **d.** V **e.** V **f.** V

3 Os gastos do turista brasileiro nos Estados Unidos aumentaram. Os gastos dos turistas estrangeiros no Brasil também aumentaram.

4
a. turistas, gastaram
b. 2%
c. foram maiores/cresceram/aumentaram
d. cresceram, 2010, 2011
e. gasta, todos
f. mais (do) que, canadenses

5 mais novo, família, comercial, mais, que, mais, que, menor, mais, do que, negócios, mais, do que, mercados pequenos, maiores, confortável, foi, pode

6 mais confortável que, mais espaço interno que, menor do que, mais facilmente do que, mais versátil do que, maiores que, tão confortável quanto

Produção Oral

1
a. I. você sabe o que é uma *trading company*?
II. Desculpe, Marcos, não entendi muito bem. Você pode explicar de novo?
III. Ah, sei. Agora entendi. A *trading company* é...
b. Respostas pessoais

2 Respostas pessoais

3 Respostas pessoais

Compreensão Escrita

1
Verbos no passado: revolucionou, abandonou, suspendeu, passou, foi, iniciou, iniciou, adotou, anunciou, adotaram, atingiram, deixamos, declarou, disse
Verbos no presente: é, apontam, é, colocam, é, é, é, afetam, é, são, são, têm, está (liderando)

2 b

3
a. defesa da liberdade econômica e do livre mercado
b. permissão de entrada de empresas e produtos estrangeiros
c. pacto, concordância
d. taxa, imposto
e. regra
f. listagem ou recolha de informações
g. perda, dano
h. sócio, associado, companheiro

4
a. menos **b.** mais **c.** mais **d.** menos

5
a. política comercial **b.** aumentou
c. proteger **d.** 5º **e.** afetaram **f.** impostos

Produção Escrita

1 Respostas possíveis:
a. Em 2006 o Brasil exportou 138 bilhões **de dólares**.
b. A exportação em 2009 foi **menor** que em 2010.
c. A participação percentual de produtos básicos na exportação **cresce/aumenta** de ano a ano.
d. O Brasil exportou **mais** etanol em 2010 do que em 2006.
e. Entre 2006 e 2010 houve uma alta de **214%** na exportação de minérios.
f. O Brasil exportou **menos** café do que carne em 2010.
g. A exportação de **minérios** foi a que mais cresceu entre 2006 e 2010.

2 Respostas pessoais

Vocabulário e Pronúncia

2
a. A importação de cera precisa de autorização.
[s] [s] [s][z] [z][s]
b. A comida servida a bordo só ingressa no Brasil
[k] [s] [s] [s] [z]
quando é autorizada.
[z]
c. O presunto e a hortaliça precisam de certificação
[z] [s] [s][z] [s] [k][s]
sanitária.
[s]

3
a. suave **b.** suave **c.** aspirado **d.** suave
e. aspirado, suave **f.** suave **g.** aspirado
h. suave **i.** aspirado, suave **j.** aspirado

Gramática

1
a. mais (do) que **b.** menos (do) que
c. menos favorável (do) que
d. mais favorável (do) que **e.** menos (do) que

2
a. mais
b. várias respostas possíveis, por exemplo: menos, minério
c. maior **d.** menor **e.** tanto, quanto **f.** mais

3 Respostas pessoais

UNIDADE 11

Começando o Trabalho

1
a. Passado **b.** II

2 Respostas pessoais

Compreensão Oral

1 O que você fazia no seu último emprego?; Eu trabalhava num escritório de advocacia; recebia os clientes, preenchia fichas e organizava o atendimento; organizava e mantinha os arquivos; Você participava do controle das contas a pagar e receber?; Sim, eu recolhia e depositava pagamentos, e emitia todos os recibos do escritório.

2
a. era, liderava, funcionava, diretores, queria, achava, era, melhores, gostava
b. era, avaliava, havia, encontrava, escolhia, deviam

3
a. A linguagem corporal de um candidato a um emprego durante uma entrevista.
b. I. entrevistou
II. tinha
III. fazia, eram
IV. Parecia, queria
V. Dava, estava, dizia
VI. houve, esperávamos
c. Negativa. A qualificação do candidato era boa (ele "tinha diplomas de universidades de primeira linha"), mas sua linguagem corporal foi estranha (ele "ficou quase o tempo todo de braços cruzados" e "também franzia as sobrancelhas o tempo todo").

4 esta, pode; sabe, quis, estava, tive, vi, era, sou, faço, sinto; Quais; pude, quero; disse, é, estreitos; disse, reservava, tinham, confiava; tudo, todos; teve; eram, todo; vai ser, vê; entendi

5
a. Desculpe, não entendi bem. Quer saber...
b. Respondi à sua pergunta?
c. Bem
d. Por exemplo

Produção Oral

Respostas pessoais

Compreensão Escrita

1 Respostas: Dica 1: Etapa presencial – Triagem; Dica 2: Etapa presencial – Painel de negócios; Dica 3: Etapa online

2 Respostas pessoais

3
a. Teste de inglês, português, raciocínio lógico, atualidades. Pode incluir produção de vídeos e *games*.
b. Porque elas podem distraí-lo e roubar tempo para completar a prova.
c. Elas avaliam a personalidade do candidato e as competências, como flexibilidade, foco em resultados, comprometimento, trabalho em equipe e liderança.
d. Em exemplos de obstáculos anteriores envolvendo pessoas.
e. O histórico de vida e de carreira. Estruturando o discurso de modo a destacar os pontos fortes.
f. Capacidade de análise e de síntese, além de foco em resultados, liderança e flexibilidade.
g. Ele/a deve conversar com ex-*trainees* e funcionários da empresa.

Produção Escrita

2
a. 7 **b.** 4 **c.** 5 **d.** 6
e. 3 **f.** 8 **g.** 1 **h.** 2

3
a. Prezada Sra.
b. Em primeiro lugar
c. No campo profissional
d. Antes; Nessa empresa, também
e. Além de; também
f. Agradeço a atenção e coloco-me ao inteiro dispor para contato pessoal
g. Cordialmente

4 Respostas pessoais

Vocabulário e Pronúncia

2
a. ponto de vista **b.** objetivo **c.** destino
d. prazo **e.** receptor **f.** meio **g.** agente
h. troca, substituição **i.** duração de tempo
j. ritmo, velocidade, medida

3
a. pelas, por **b.** para **c.** para **d.** pela
e. por **f.** por **g.** Para **h.** para

Informações Culturais

Respostas pessoais

Gramática

1 Respostas pessoais.

2
a. fazia, escrevia, punha, respondia, controlava
b. eram, tinha, gostava, almoçávamos, ajudavam
c. gostavam, avaliavam, davam, ficávamos, estávamos

UNIDADE 12

Começando o Trabalho

1
a. I. F **II.** V **III.** F **IV.** V

b. I. eventos pontuais no passado.
II. eventos no passado em que não se destaca nem o início nem o final.

2 Respostas pessoais

Compreensão Oral

1 pode; deve, estão; às, foi, estava; todo; mandou; Mandei; é; estão; ficou, estávamos; ficou; pode

2
a. Em uma reunião de trabalho. Os participantes conversam sobre assuntos de trabalho, tais como "custos de produção", "vendas", "aumento nos preços".
b. Não. A pessoa que se atrasou é repreendida por sua chefe devido a seu atraso.

3 b, d

4
a. I **b.** F **c.** I **d.** F

5
a. Eu queria agradecer a presença de vocês.
b. eu queria apresentar a vocês o Otávio Magalhães
c. Bem, hoje nós precisamos conversar sobre...
d. como anda o relatório?
e. Gente, vamos voltar à agenda?
f. Se não tem mais nada sobre o relatório, vamos passar adiante. / Mais alguma coisa sobre esses números? Não?
g. vamos passar adiante. / Então vamos para o próximo item.
h. Desculpe, Clara.
i. Eu não acho, não.

Produção Oral

1 Várias respostas possíveis, por exemplo:
a. Desculpe interromper, mas você não acha que isso pode ser arriscado demais?
b. Bem, de um modo geral as vendas caíram com relação ao trimestre anterior, mas elas foram mais altas do que no mesmo trimestre no ano passado.
c. Pessoal, vamos voltar ao assunto?
d. Então, vamos tentar fechar a discussão: podemos concordar que vamos reduzir os custos com fotocópias em pelo menos 20%?
e. Hoje nós temos de decidir as metas para o próximo semestre.

2 Respostas pessoais

3 Respostas pessoais

4 Respostas pessoais

Compreensão Escrita

1

	E-mail 1	*E-mail 2*
Refere-se a uma reunião no futuro.	x	x
Estabelece o dia da reunião.	x	
Fala de uma apresentação.		x
Exige a presença dos destinatários.	x	
Menciona o trabalho de um membro da equipe.		x
A remetente usa um cumprimento informal.		x
A remetente agradece ao(s) destinatário(s).	x	x

2 Muitas pessoas acham que reuniões não são produtivas.

3
a. uma pesquisa **b.** há alguns anos
c. só **d.** segundo **e.** cresce

Produção Escrita

1 b, e, f, g, i, j, k, q

2 Respostas pessoais

Vocabulário e Pronúncia

1
a. agenda **b.** ausente **c.** encerrada
d. início **e.** prazo **f.** obrigatória
g. unânime **h.** ata **i.** selo
j. voto de minerva **k.** estado civil **l.** cargo

3
a. ficamos **b.** está **c.** anda **d.** vive

Gramática

1
a. quando estavam em reuniões.
b. para esclarecer o procedimento.
c. quando não entendia as ordens.
d. porque não eram produtivas.

2 estávamos, ouvimos, ficamos, interrompeu, sabíamos, era, terminou, estava, saímos

3
a. ficou, concordaram
b. estava, disse, era
c. tivemos

d. era, pediam, entregava, analisavam
e. pedi, lembrei, detestava
f. foi, determinamos

4 trabalhava, tínhamos, eram, marcou, vim

UNIDADE 13

Começando o Trabalho

1
a. ordem; sugestão
b.
1ª conjugação: Aplique (aplicar), Digite (digitar), Salve (salvar)
2ª conjugação: Escreva (escrever),
3ª conjugação: Insira (inserir), Exiba (exibir)

2 Respostas pessoais

Compreensão Oral

1 Respostas pessoais

2
a. as mensagens.
b. em ordem.
c. com informações não essenciais.
d. informações demais no *slide*.
e. fontes e cores fáceis de ler.
f. as imagens e vídeos.
g. o texto.
h. o tema a fundo.
i. a apresentação.
j. confiança durante a apresentação.

3
a. Observem **b.** Vejam **c.** Olhem
d. Percebam **e.** Confiram

4 Repostas: Boa tarde; Obrigada pela presença de todos; Meu nome é; Eu vou começar falando sobre; Depois; Para terminar; Bem, isso é tudo sobre; Agora, vamos passar para; Por exemplo; Um exemplo disso é; Em outras palavras; A ideia principal é...; Então, resumindo; Alguém tem alguma pergunta?

6

	Pontos positivos	Pontos negativos
Luiz Fernando	Estava calmo; concluiu a apresentação com tempo sobrando; deu mais exemplos no final; as pessoas gostaram.	Problemas de conexão, não pôde apresentar um vídeo; o gerente interrompeu a apresentação várias vezes.
Carina	As pessoas estavam interessadas; o chefe deu os parabéns.	Não conseguia projetar apresentação; estava nervosa; passou do tempo.

Produção Oral

Respostas pessoais

Compreensão Escrita

1
a. II. **b.** VII. **c.** III. **d.** I. **e.** VI. **f.** V. **g.** IV.

2
a. ouvintes **b.** prestigiados **c.** agredir
d. exageradamente **e.** distintas

3
a. animado **b.** comportar-se **c.** comprometer

4
a. II **b.** I **c.** II **d.** II **e.** I

Produção Escrita

1
a. precisando dos serviços de agentes de segurança.
b. Faça o seguinte antes de contratar uma empresa de segurança.
c. Respostas pessoais

2 Respostas pessoais

Vocabulário e Pronúncia

1
a. Vícios de linguagem
b. Palavrões
c. Gírias
d. Termos técnicos
e. Termos incomuns

Informações Culturais

1 terno, gravata, camisa, calça social, *jeans*, camisa esporte, terninhos, sapatos, saltos altos, saias, vestidos, mangas curtas, blusas, sandálias.

2 Respostas pessoais

Gramática

1
a. Seja conciso/a
b. Diga o essencial
c. Responda às perguntas de maneira direta
d. Não use figuras demais
e. Não escreva muito nos *slides*
f. Use fontes grandes
g. Mude o tom de voz
h. Fale com naturalidade
i. Saiba bem o tema da apresentação
j. Fique calmo/a

2 organize, escolha, seja, fale

3
a. Façam... **b.** Estejam... **c.** Vão...
d. Não usem... **e.** Evitem...

4
Opção 1: a **Opção 2:** b **Opção 3:** b **Opção 4:** a

UNIDADE 14

Começando o Trabalho

1

a. 1, 5 **b.** 3, 4 **c.** 2

2 Respostas pessoais

Compreensão Oral

1

b.

cumpridas expandido contratada contatados relacionada atingida	reduzido ultrapassado lançado cadastrados distribuídos concluídos

c.

-ado	-ido	Terminações irregulares
contratada (contratar) contatados (contatar) relacionada (relacionar) ultrapassado (ultrapassar) lançado (lançar) cadastrados (cadastrar)	cumpridas (cumprir) expandido (expandir) atingida (atingir) reduzido (reduzir) distribuídos (distribuir) concluídos (concluir)	feitas (fazer) entregues (entregar) revisto (rever)

2 foi fixada, foram elaborados, foi reavaliada, foram cortadas, foram limitadas, foram implementadas, foi estimada, foram estimadas, foi ampliada, foi verificado, foi comprovado

3

a. Bem avaliado

b. Pontos positivos: Informações bem gerenciadas; Relatórios produzidos; Sistemas funcionam como projetados; Necessidades da empresa atendidas; **Pontos negativos:** Custos não reduzidos (custos altos); Tecnologia não atualizada regularmente.

Produção Oral

Respostas pessoais

Compreensão Escrita

1

a. Os resultados de uma pesquisa sobre ferramentas de avaliação.

b. Poucas empresas usam sistemas formais de avaliação.

2

a. a área de RH ainda usa práticas convencionais.

b. não permite comparar decisões tomadas ao longo do tempo.

c. um potencial ganho quando a empresa usa ferramentas de avaliação.

3

a. instrumentos

b. limitam, reduzem

c. presentes, efetivas

d. de acordo com; na mesma linha

e. melhoramento

f. dando preferência

g. pequeno período de tempo

h. ajuda

4

a. prioriza **b.** atuais **c.** restringem

d. aprimoramento **e.** curto prazo

Produção Escrita

Respostas pessoais

Vocabulário e Pronúncia

2 definição, elaboração, formulação, identificação, implementação, mobilização, operação, utilização, orçamento, planejamento, análise, controle, plano, projeto, trabalho

Gramática

1 usada, feita, estabelecidos, alcançados, cumpridas, vistas, abertas, feitos

2

a. A avaliação foi realizada no mês passado.

b. As tarefas foram divididas entre os supervisores.

c. O relatório foi escrito depois do expediente.

d. Os supervisores foram avaliados em seguida.

e. Os funcionários foram convidados a discutir as avaliações.

f. O diretor geral foi elogiado na reunião.

g. Nós fomos promovidos/as depois da avaliação.

UNIDADE 15

Começando o Trabalho

1

a. I. Cena 2; II. Cena 1

b. I. situações que começaram no passado e vêm até o presente; II. situações que aconteceram antes de outro ponto no passado.

2 Respostas pessoais

Compreensão Oral

1

Benefício	Percentagem
Salário	83%
Bônus	56%
Férias extras	48%

Gastos com mudança	28%
Horários flexíveis	27%
Pagamento em ações	24%
Educação	24%
Planos de saúde	20%

2
a. F **b.** F **c.** V **d.** V
e. F **f.** F **g.** V **h.** V

3 Respostas: Entendo o seu ponto de vista, mas...; Acho que nós dois concordamos que...; Para mim faz mais sentido...; O que você está propondo é...; Acho que podemos chegar a um acordo, mas...; Entendo o seu ponto de vista, mas...; Hum!... Não sei. Acho que; Não tem problema; Essa é uma boa sugestão; Deixa eu ver se entendi: você quer...

4
Diálogo 1: chegamos a um acordo
Diálogo 2: as coisas assim por enquanto
Diálogo 3: satisfeita com essas decisões
Diálogo 4: pensar um pouco mais sobre tudo isso
Diálogo 5: dar uma resposta amanhã

Produção Oral
1 Algumas respostas possíveis: Quando Fernando fez novo pedido de aumento, ele já tinha assumido a chefia do departamento; Quando Fernando começou a procurar novo emprego, ele tinha pedido aumento duas vezes; Quando o chefe lhe deu um aumento de 5%, Fernando já tinha começado a procurar emprego; Quando Fernando trocou de emprego, ele já tinha recebido 5% de aumento.

2 a 6 Respostas pessoais

Compreensão Escrita
1
a. revelada, apresentada
b. tem medo de
c. independentemente de
d. gosta de
e. é considerado
f. ferir, ofender
g. pessoa que participa de uma conversa
h. um grande problema
i. vão dar direção

2
a. comparação **b.** conclusão
c. contraste **d.** conclusão

3 b, d

4
a. uma pesquisa
b. de impasses
c. não entendem quais são os interesses dos envolvidos
d. envolvem impasses
e. é preciso ouvir e fazer perguntas

Produção Escrita
2 c, d, e, f, g, h, i

3 Respostas pessoais

Vocabulário e Pronúncia
1
a. ponto de vista **b.** ultimato **c.** ceder
d. exigência **e.** receptivo **f.** contraproposta
g. merecem **h.** impasse **i.** consenso
j. regatear

3
a. [z] **b.** [ks] **c.** [s] **d.** [ʃ] **e.** [s]
f. [s] **g.** [ʃ] **h.** [s] **i.** [z] **j.** [ks]

Informações Culturais
1
a. Os brasileiros não gostam de ser chamados de latinos.
b. Os brasileiros não se sentem confortáveis falando espanhol.
c. A improvisação é parte do estilo de negociação.
d. Regatear faz parte do estilo brasileiro.
e. O contato pessoal é importante.
f. Os brasileiros misturam formalidade e informalidade.
g. No Brasil é importante ter jogo de cintura. / É importante ter jogo de cintura no Brasil.

Gramática
1 têm negociado, temos contratado, temos estado, têm feito, tem melhorado

2 tinha trabalhado, tinha sido, tinha dito, tinha assinado, tinha incluído

3
a. têm negociado os salários.
b. tinha sido diretor de vendas.
c. porque os diretores tinham dito que não iam negociar.
d. temos conseguido benefícios melhores.
e. tenho pedido aumento todos os meses.

UNIDADE 16
Começando o Trabalho
2
a. Nós **b.** Nós
c. Às discussões, isto é, "elas"
d. Às mudanças, isto é, "elas"

3 Respostas pessoais

Compreensão Oral

1
a. analisarmos **b.** ficarem **c.** chegarem
d. saberem **e.** termos **f.** refazerem
g. sentarem

2 Frases:
a. dizerem **b.** discutirmos
c. montarem **d.** enviarmos

Usos:
a. Depois de verbos de percepção (*ver, ouvir*).
b. Depois de preposição.
c. Após verbos como *mandar, deixar, fazer*.
d. Após expressão impessoal (*é importante, é bom, é melhor* etc.).

3 Sobre as vantagens de vídeos promocionais/ publicitários *on-line*.

4
Vantagens: testar
Detalhes: lançar, alcançar, mudar, ter, ficar
Exemplo: mostrar, reduzir, levar, atingir, custar, veicular

5
a. Anúncios de produtos
b. Várias respostas possíveis, por exemplo, descrição/ vantagens de produtos, imperativos ("compre", "comece"").

6
Produto 1: Telefone celular / Pode usar até 5 funções ao mesmo tempo.
Produto 2: Carro / É movido a água.
Produto 3: Computador / É o mais leve e o mais rápido do mercado.

7 b, d, e, h

8 Por exemplo; e isso é um exemplo de; um bom exemplo é; outro exemplo [...] é...

Produção Oral
Respostas pessoais

Compreensão Escrita
1 Respostas pessoais

2
a. parte da rua onde as pessoas andam
b. aproximação; maneira de aproximação
c. arranjo; arrumação
d. levar para longe
e. potenciais consumidores
f. espaço; lugar; atmosfera

3 b

4
a. 2 **b.** 4 **c.** 1 **d.** 5 **e.** 3

5
a. organizar **b.** atrair **c.** aumentar
d. considerar **e.** afastar

Produção Escrita
1 c / Respostas possíveis: a palavra "folheto" na referência do texto, o uso da palavra "aplicativo" duas vezes no teto, a foto e os nomes dos *smartphones*, o uso da palavra-chave "baixe".

2 Respostas: Uso de você; seu/sua; Uso de negrito; Uso de itálico; Uso de imagens e cores; Uso de fontes diversas; Uso de caixa alta (letras maiúsculas); Uso de verbos no imperativo (veja, faça, observe etc.); Uso de conectivos para adição de ideias (e, além disso, também etc.)

3 Efeito dominó

4 Respostas pessoais

Vocabulário e Pronúncia

1
a. símbolo ou nome que identifica um produto
b. parte da loja onde se expõem os produtos atrás de um vidro
c. impresso que identifica as características de um produto
d. recipiente para empacotar um produto
e. empresa que apoia uma ação, instituição ou pessoas em troca de espaço publicitário
f. tipo de propriedade intelectual associada a um produto
g. painel publicitário de grandes dimensões usado em ruas e estradas

2
a. *outdoor* **b.** embalagem
c. patrocinador **d.** marca registrada
e. rótulo **f.** marca **g.** vitrine

3
a. consumidores. **b.** orçamento
c. público-alvo. **d.** arrumação **e.** publicitária

Informações Culturais
Respostas pessoais

Gramática

1
a. exige diversos profissionais.
b. atenção à organização dos produtos para vender mais.
c. a fim de divulgar seu novo produto.
d. por não dizer a verdade sobre o produto.
e. comprar bons produtos.

2 Respostas: divulgarem, falarem, desejarem, pensarem, percebermos, dizer

3 dizerem, conseguirmos, produzirem, convencermos, fazerem

4
a. depois de expressão impessoal
b. depois de verbo de percepção
c. depois de preposição
d. depois de verbo causativo

UNIDADE 17

Começando o Trabalho

1
a. que
b. Desejo, vontade: quero, exijo, preciso, espero; **Dúvida, incerteza:** duvido, suspeito
c.

1ª conjugação	2ª conjugação	3ª conjugação	Há verbos irregulares?
termina em -e(m)	termina em -a(m)	termina em -a(m)	sim

2
a. tenham + ... (Respostas pessoais)
b. estejam + ... (Respostas pessoais)

Compreensão Oral

1
a. tenha **b.** sejam **c.** melhore **d.** recebam

2
a. faça **b.** queiram **c.** consiga **d.** estejam

3
a. tenha **b.** expliquem **c.** estejam **d.** seja

4
a. explique **b.** seja **c.** queira **d.** grite

5

Diálogo	Reclamação	Solução proposta	O/A cliente fica satisfeito/a?
1	Problema com TV a cabo	Enviar técnico	Sim
2	Barbeador não funciona	Trocar por outro	Sim
3	Troca de peça	Não efetuar a troca	Não
4	*Netbook* com tela branca	Trocar por outro modelo	Parcialmente

6
a. Sobre frases que clientes gostam de ouvir.

b.

Frases	Detalhes
"Sinto muito pela espera"	Peça desculpas antes que o cliente reclame.
"Quero me certificar de que não vou lhe dar uma informação errada"	Seja honesto. Caso não saiba uma resposta, procure a informação. Caso o cliente espere, ofereça café ou água.
"Sei que você está infeliz com essa situação"	Mostre que entende a situação caso o cliente fique chateado.
"Vamos garantir que estamos em sintonia"	Quando se estabelece um acordo com o cliente, é importante deixar as coisas claras.
Senhor Fulano/Senhora Beltrana (usar o nome da pessoa)	Usar o nome da pessoa é uma cortesia básica e indica um serviço personalizado.

Produção Oral

1 Respostas pessoais

2 Respostas pessoais

3
Bom atendimento: Como a senhora sabe...; É muito difícil...; Eu entendo, mas...; Talvez no futuro isso mude.
Mau atendimento: Não posso fazer nada; Telefone mais tarde; Agora não é possível.

4 Respostas pessoais

Compreensão Escrita

1 Respostas pessoais

2 O que é?; Como acontece?; A quem denunciar?; Como agir?

3
a. reparar **b.** garantir **c.** sanar
d. recomendações **e.** medicamentos **f.** solicitar

4
a. obrigação **b.** aviso
c. corrigir **d.** os conselhos

5 procedimento, exige, esclareça, alcance, seja, retirado, pagam, denúncias, siga, danos

Produção Escrita

1
a. As duas cartas foram escritas por um consumidor insatisfeito com o atendimento num restaurante.
b. A carta 1 usa tom informal; a carta 2 usa tom formal.
c. A carta 2. Cartas de reclamação devem ser formais.

2 Respostas pessoais

Vocabulário e Pronúncia

1

a. Não importa o que os outros pensam
b. Não importa o que vai se passar
c. Não há mais nada a fazer
d. Mesmo assim; apesar disso
e./f. De maneira nenhuma

3

a. tomem **b.** seja **c.** tussa
d. façam **e.** relate **f.** sigam, doa
g. façam **h.** Aconteça

Gramática

1

a. fique **b.** faça **c.** atendam
d. seja **e.** goste

2 dê, saiba, diga, trate, seja

3 é, fique, entendam, perguntam, façam, são, pensam, é, retornem, saiba, procurem

UNIDADE 18

Começando o Trabalho

1

a. condição
b. hipótese
c. eu, infinitivo, ia

2 Respostas pessoais

Compreensão Oral

1

a. contrataria **b.** pediria **c.** falsificaria
d. diria **e.** produziríamos **f.** faria
g. seriam **h.** precisaríamos **i.** teria

2

a. descobrisse, faria **b.** agiria, estivesse
c. soubesse, perderia **d.** diria, perguntasse
e. quisesse, mostraria **f.** fosse, teria

3

	Que problema ético está sendo discutido?	**Quais são as alternativas propostas?**	**Que decisão é tomada?**
Diálogo 1	corrupção	demissão; conversa; investigação	investigar
Diálogo 2	como investir o lucro	mercado imobiliário; parceria com a prefeitura; contratar mais funcionários	parceria

4 Respostas: Temos uma situação delicada; Essa situação é inaceitável; E se nós chamássemos o Diogo; Se nós conversássemos com ele, poderíamos; Talvez nós pudéssemos; E se investíssemos

Produção Oral

Respostas pessoais

Compreensão Escrita

1 Respostas pessoais

2

a. por meio de **b.** levantamento
c. companhia **d.** contemplou
e. quesitos **f.** figurado

3 c

4 c

5

a. levantamento **b.** por meio de
c. contemplar **d.** quesitos **e.** elaborar

Produção Escrita

2

- tem excepcionais sistemas de gestão ambiental
- tem transparência ao relatar suas iniciativas sustentáveis
- possui uma política global de igualdade de oportunidades para os funcionários
- faz esforços em envolver os parceiros

3

- empenha-se em diminuir o impacto da empresa no meio ambiente
- empenha-se em garantir a segurança e saúde de seus funcionários.

4 Respostas pessoais

5 Respostas pessoais

Vocabulário e Pronúncia

2

a. sinal gráfico sobre uma letra
b. lugar para sentar-se
c. inflamar; queimar; ligar
d. subir; aumentar
e. recenseamento
f. sentido; percepção
g. transferência de posse ou de direitos
h. reunião; conferência; tempo de consulta, espetáculo etc.
i. divisão de um estabelecimento; subdivisão de um livro
j. jornada
k. imperativo / presente do subjuntivo de "viajar"
l. numeral: 100

m. preposição: indica falta

3 Respostas pessoais

Informações Culturais
1 Ambos tratam do conceito de "tempo" para os brasileiros.

Gramática
1 respeitaria, seria, faria, daria, ajudaria, teriam

2 conseguisse, fizessem, tivesse, observasse

3
a. Se eu fizesse algo errado, eles descobririam imediatamente.
b. Se a empresa investisse em ações sociais, conseguiria resultados positivos.
c. Se o diretor geral tivesse autoridade, exigiria prestação de contas.
d. Se nós aderíssemos à sustentabilidade, ajudaríamos o meio ambiente.
e. Se eles quisessem bons lucros, investiriam em programas sociais.

UNIDADE 19

Começando o Trabalho
1
a. situações repetidas no presente, habituais, que acontecem repetidamente.
b. possibilidades no futuro.
c. O Presente (do Indicativo)
d. Várias respostas possíveis, por exemplo: alguns verbos (falar, compreender, assumir) têm a mesma forma no infinitivo e na conjugação com "eu".

2 Respostas pessoais

Compreensão Oral
1
a. 1: P, 2: F, 3: P, 4: F, 5: F, 6: P, 7: F, 8: F

2
a. Saber: 2, Poder: 6, Ser: 1, Fazer: 3, Ir: 5, Ter: 8, Ver: 7, Vir: 4

3 ser, fiquei, mas, ótimo, queria, há, pouco, bem, qualquer, agir, ouvir, pedir, rumo, periodicamente, perdeu, ideia, mesmo, envolver, afeta, do, você, que, tenha, interferem, Só, de, trabalho, setor, precisam, deles, fazem, seja, sintam, fizer, colaborar

4
a. Que ele é um líder natural.
b. I. costuma ser o centro da conversa; II. não é interrompido; III. sempre almoça com os colegas; IV. colegas o consultam sobre assuntos profissionais; V. é uma pessoa com autoridade.

5 Respostas: Ou seja; ou melhor; isso significa que; como se pode ver

Produção Oral
1 Respostas pessoais

2 Respostas pessoais

3 Respostas pessoais

4
Características de um bom líder: Várias respostas possíveis, por exemplo: sempre ouve os outros, mas toma decisões com segurança; sabe delegar; inspira confiança; aprende com outros bons líderes; sabe orientar e motivar etc.

Compreensão Escrita
1 Respostas pessoais

2 Respostas pessoais

3 Respostas pessoais

4
a. se aposenta **b.** apego **c.** afastá-lo
d. sombra **e.** endereçar **f.** exigir

5
a. V **b.** F **c.** V **d.** F
e. V **f.** F **g.** V

6
a. apego **b.** compare **c.** afastar
d. presença **e.** endereçar **f.** quiser

Produção Escrita
1 2, 3, 1

2

Apresentar comentários gerais	As pessoas + Presente do Indicativo
Apresentar comentários específicos	No seu caso
Apresentar opinião/ sentimento pessoal	Em minha opinião / confesso que
Dar conselhos	É melhor você + infinitivo

3 Respostas pessoais

Vocabulário e Pronúncia
1 Significado: a equipe ainda é leal a ele. Expressão ligada a futebol.

2
a. dar atenção a alguém
b. fazer algo errado
c. acreditar; ser leal a alguma coisa
d. eliminar (uma pessoa) de uma situação ou relação

e. fazer algo forçosamente
f. aposentar-se; deixar de exercer uma função
g. retirar-se; sair de um lugar
h. trabalhar fortemente

3 Respostas pessoais

4 bom, ótimo

5
a. lugar para guardar dinheiro; lugar para sentar
b. endereço da internet; um lado de uma folha de livro
c. parte da roupa que cobre o braço; fruta
d. vegetal; mapa de prédio ou casa
e. santo; conjugação do verbo ser; saudável

Gramática
1 der, puder, tiverem

2 vai ser, fizer, vai ter, estiverem, vão colaborar, faz, der, vão jogar

3 vai, vamos sentir, vamos conhecer, vier, for, vai gostar, acostumar, vai ver, houver, vai ajudar, vamos fazer, quiser

4
a. vou
b. consiga
c. atingir
d. investisse

UNIDADE 20

Começando o Trabalho
1
a. Futuro
b. Acrescenta-se *-emos* ao infinitivo do verbo.
c. Formal
d. vamos precisar, vamos ampliar, vamos reduzir, vamos buscar, vamos negociar, vamos investir, vamos procurar, vamos estabelecer

2 Respostas pessoais

Compreensão Oral
1

	Pretérito Perfeito	Futuro do Presente
a.		negociarão
b.	aplicaram	
c.	entenderam	
d.		ouvirão
e.		distribuirão
f.	pagaram	

2 ocuparão, chegará, virão, ocupam, eram, tinham

3
a. À burocracia que afeta a competitividade das empresas.
b. I. 85%; II. 56%; III. 41%; IV. 36%
c. Porque a burocracia cresceu (conseguiu crescer).
d. Aumenta o uso de recursos em atividades não ligadas à produção.

4
a. Impostos e margem de lucro.
b.

Valor do vinho no produtor	R$ 15
Impostos e taxa de importação	R$ 18
Margem de lucro média do importador	R$ 11,55
Imposto sobre a venda	R$ 15,59
Margem de lucro do restaurante	R$ 22,25
Preço para o consumidor	R$ 82,39

5 assusta, ignora, trará, 20%, pretende, tornarão, 2015, será, 2018, terão, atingirem, causará, 26%, afetará, precisam, 52%, possuem, 13%, recompensa

Produção Oral
Respostas pessoais

Compreensão Escrita
1 criará, serão

2
a. cadastro
b. destravar
c. visa
d. apagão
e. etapas
f. desembaraço
g. mercadorias
h. carimbos
i. liberar
j. pauta

3
a. V **b.** F **c.** V **d.** F **e.** F
f. V **g.** F **h.** V **i.** V **j.** V

4
a. quase **b.** registrar **c.** saltar
d. levam **e.** ações

Produção Escrita
1
a. Do *site* <http://www.tst.jus.br/perguntas-mais-frequentes>.
b. Várias respostas possíveis, por exemplo: "tst" indica que o *site* é do Tribunal Superior do Trabalho; "jus" indica que o *site* é de um órgão da justiça; "br" indica que o *site* é brasileiro; "perguntas-mais-frequentes" sugere o assunto da página do *site*.
c. A pessoas que têm problemas relativos ao trabalho.
d. Respostas pessoais

2 Respostas pessoais

3 Respostas pessoais

Vocabulário e Pronúncia

1

a. 1. estar sob muita pressão; 2. passar o tempo fazendo coisas sem importância; 3. fazer algo sem cuidado, malfeito; 4. em detalhes; 5. resolver um problema; 6. não fazer o que se espera; decepcionar; 7. levar a culpa de algo que não se cometeu.
b. 1. tolerar algo errado sem dizer nada; 2. discutir e fazer acusações em voz alta; 3. tomar atitude que pode levar a problemas; 4. ter problemas; sair-se mal em alguma coisa; 5. desistir de tudo; 6. tentar uma mudança que não faz diferença.
c. 1. não resultar em nada; 2. desilusão, decepção; 3. que não relata a verdade; que não é cumprido/a; 4. reclamar de forma veemente; 5. pessoa chata, desagradável, inconveniente; 6. perder a educação/a paciência.

2 Respostas pessoais

Informações Culturais
Respostas pessoais

Gramática

1 contrataremos, teremos, farão, usaremos, conversaremos, serão

2
a. A presidente liderará a reestruturação.
b. Os contratos serão avaliados.
c. Os diretores darão assistência a cada setor.
d. A presidente trará soluções inovadoras.

3
a. vão rever
b. decidiram
c. cortará
d. resolva
e. fizer

GLOSSÁRIO PORTUGUÊS-INGLÊS

Abbreviations:
adj.: adjective conj.: conjunction interr.: interrogative lit.: literally
n.: noun pl.: plural sing.: singular v.: verb

Note: translations are mostly to American English.

A

a bordo on board
à frente de ahead of
à medida que as
à noite at night
a partir de based on; starting from
a respeito de about
a seguir following, next
a senhora you (sing., *formal*, female)
a tempo in time
abaixo below
abandonar to abandon
abertura opening
abolir to abolish
abordagem approach
abraço hug
abrangente encompassing
abrir to open
ação share, stock; action
acarajé a typical dish from Bahia
acento accent mark
achar to find; to think (that…)
acima above
ações shares, stocks
acontecer to happen
acordo agreement
acostumado/a (be) used to
acostumar-se to get used to
açúcar sugar
aderir to adhere
adiantamento advance
administração de empresas business administration
admirar to admire
adotar to adopt
advertência warning
advogado/a lawyer
aeroporto airport
afastar to push away
afinal after all
agenda agenda
aglomerar-se to crowd together
agora now
agricultor/a farmer
agrotóxico (agro)chemicals
água water
águia eagle
ajudar to help
alcançar to reach
alcunha nickname (*formal*)
alcunhar to give a nickname (*formal*)
alegre happy
além de besides
algum/a some, any
ali there
alimento food, nourishment
alinhado/a aligned
alto/a high; loud
alugar to rent
aluguel rent
amanhã tomorrow
ambicioso/a ambitious
ambiente environment
âmbito range (*no âmbito geral*: in general)
ampliar to enlarge
amplitude amplitude, scope
amuado/a sulky, surly
andar (n.) floor
andar (v.) to walk; to be
anedota joke
ângulo angle
aniversário birthday
ano year
antecessor/a predecessor
antecipar-se to be ahead of
anterior previous
antes before
antigamente formerly; once
antipático/a unpleasant
aparelho device
apelar to appeal
apelido nickname
apelo appeal
apertado/a tight
apertar as mãos to shake hands
aperto de mãos handshake
aplicar to apply (something); to enforce (rules)
aplicativo app
apoio support
após after
aposentadoria retirement
aposentar-se to retire
aprender to learn
aprendizado learning
apresentação presentation
aprimoramento refinement
aproveitar to enjoy
aproximação approach
aquecido/a heated
aqui here
arquiteto/a architect
arquivo file

arranjo arrangement; disposition
arrogante arrogant
arrumação arrangement; disposition; tidying up
às vezes sometimes
assento seat
assessor/a aide; advisor
assessorar to assist; to advise
assessoria advisement
assim thus, therefore; this way
assim por diante so forth
assim que as soon as
assinar to sign
assistência support
assumir to assume, to take over, to shoulder
ata minutes
até up to
até breve so long
até logo so long
até mais tarde see you later
atencioso/a attentive
atender to attend to; to serve; to answer (telephone)
atendimento service
atingir to reach
ativo/a active
atrás behind
atrasado/a late
atraso delay
através through; by means of
atual current, present
atualmente currently
atuar to perform, to work; to act; to be present in a market
aula class
aumento raise
ausente absent
autoavaliação self-assessment
autoritário/a authoritarian
avaliar to evaluate
ave bird
avenida avenue
aviação aviation
avião airplane
avisar to warn

B

bacana nice
bairro neighborhood
baixar to lower; to download
balança comercial trade balance, balance of trade
balançar to sway
balancear to balance
balde bucket
banco bank; bench
banco de dados data bank
banheiro bathroom
barato/a cheap
barbeador electric shaver
barca ferryboat
barreira barrier
barulhento/a noisy
bastante much, a lot
beber to drink
beijo kiss
bem well
bem remunerado/a well paid
bem-vindo/a welcome
bens assets; goods
bilhete ticket
biscoito cookie; cracker
bloco de notas notepad
blusa blouse
boa tarde good afternoon
bolsa de valores stock exchange
bolsa scholarship, financial aid (for studies); stock market; purse
bolso pocket
bom dia good morning
bom/boa good
bombeiro/a firefighter; plumber
bonito/a pretty
braço arm
busca search
buscar to look for, to search

C

cação a type of fish
cada each
cadastrar to register
cadastro registry
café coffee
café da manhã breakfast
cair to fall
caixa box; cashier
caixa eletrônico ATM
calado/a quiet
calça(s) pants
calça social dress pants
calçada sidewalk
calçados shoes
calor heat
Câmara House (legislative body)
camarão shrimp
camisa shirt
camisa esporte casual shirt
campo field, area; countryside
canal channel
candidato/a candidate
caneta pen
cansado/a tired
capaz capable
capital de giro working capital
carga load
carga de trabalho workload
cargo post, position, job
carne meat
caro/a expensive; dear
carregamento cargo, load
carreira career
carro car
cartão de visita business card
casa house
casado/a married
casamento wedding; marriage
ceder to concede
censo census
censura censorship
cera wax
cessão cession
chateado/a upset
chato/a boring (*Que chato!*: What a pity!)
chave key
checar to check

chefe boss, head
cheio/a full
cheque check
chuva rain
chuvisco snow (TV interference); (lit.) drizzle
cinema movie theater
circular to circulate
citar to cite
claro certainly
claro/a clear; obvious
cliente client
cochilar to nap
colaborador/a employee
colher to pick (fruits and vegetables)
com with
combinado agreed
combinado/a combined
começar to begin, to start
comemorativo/a commemorative
comer to eat
cometer to make
como as, such as
como how
compartilhar to share
competente competent
competitividade competitiveness
comportar to allow for; to contain
comportar-se to behave
compra purchase
comprar to buy
compreender to understand
comprimento length
comprometimento commitment
compromisso engagement; obligation
comunicativo/a outgoing
comunidade community
concerto concert
conciliação (bancária) reconciliation
concluir to conclude
concorrente competitor
concurso public service exam
confiar to trust
conforme according to
congresso conference
Congresso (Nacional) Congress
conjunto set
conhecer to meet; to know
conhecimento knowledge
conseguir to obtain, to get
consertar to fix
conserto repair
construção civil construction
consultoria consulting
consumidor/a consumer
conta bill, check; account
conta corrente checking account
contabilidade accounting
contador/a accountant
contar (com) to count on
contêiner container
contente content, happy
conter to contain
contracheque paycheck
contraproposta counterproposal
contratação hire
controlar to control
convencer to convince
conversar to talk
convocar to call (a meeting)
cor color
coração heart
corpo body
correr (bem) to go well, to work out
cosméticos cosmetics
costumar to usually do something
cozinha kitchen
crescer to grow
crescimento growth
criança child
cruzar to cross
cuidado care; caution
cuidados pessoais personal care
cumprimentar to greet
cumprimentar-se to greet each other
cumprimento greeting
cumprir to carry out, to perform, to accomplish
cumprir metas to achieve, to meet goals
currículo curriculum, CV, résumé
curso superior college / university education
curto prazo short term
custo cost

D

dados data
danificar to damage
dano damage
daqui a in (*x* hours/days/months etc.)
dar to give
dar (os) parabéns to congratulate
dar um passeio to stroll
data date
de of; from
de acordo com according to
de fato in fact, really
de primeira linha first rate
de tirar o fôlego breathtaking
década decade
decidir to decide
declarar to declare
dedicado/a dedicated
dedicar-se to dedicate oneself
defeituoso/a defective
defesa defense
deixar to let, to allow; to leave, to quit
delegar to delegate
demais too much
demissão dismissal; resignation
demitir to fire, to dismiss
dentre among

dentro inside
denunciar to denounce
depender to depend
depois after(wards); later
depois de amanhã the day after tomorrow
desafiador/a challenging
desafio challenge
desaparecer to disappear
descansar to rest
descontar to cash (a check); to discount
descontar em to take something out on someone
descontraído/a relaxed
descrito/a described
desde since
desejar to wish, to desire
desejo wish, desire
desembaralhar to unscramble
desembarcar to get off, to disembark
desempenho performance
desempregado/a unemployed
desenvolver to develop
desenvolvimento development
desfrutar to enjoy
desigual unequal
desigualdade inequality
desligar to disconnect, to turn off; to hang up
desonesto/a dishonest
despedida farewell
despedido/a fired
despesa expense
dessa maneira this way
destacar to highlight, to emphasize
destaque prominence
destinatário/a addressee
destino destination
desvantagem disadvantage
detalhe detail
detentor/a holder
dever should, must, ought to
devolução return
devolver to return
dia day
diária daily rate
dica hint
diferença difference
diferente different
dificuldade difficulty
digitar to type
diminuir to decrease
dinâmica activity; dynamics
direcionar to aim, to direct
direito (n.) right; Law (profession)
diretriz directive
dirigir to direct
dirigir-se a to address someone; to go to a place
discreto/a discreet
discutir to discuss
disponibilizar to make available, to offer
disponível available
disposição disposition; disposal
dissimulado/a dissimulative; sly
ditadura dictatorship
divertir-se to have fun, to enjoy oneself
dívida debt
dividir to divide; to share
divulgador/a sales rep
divulgar to publish; to publicize
dizer to say
dobro double
doce de leite dulce de leche (a dessert made from milk)
doença illness
doente sick, ill
dominador/a domineering, overbearing
dotado/a de having, be endowed with
durante during
durar to last
dúvida doubt
dúzia dozen

E

e and
é isso mesmo that is right
(não) é verdade that is (not) true
e você? and you?
edição editing
editor de texto word processor
efetuar to perform
egoísta selfish
elevado/a elevated
elevador elevator
elogio compliment
eloquente eloquent
em in; on
em contrapartida on the other hand
em sintonia in tune
embaixo under
embalagem packaging
embarcar to board
embrulho package
empregador/a employer
emprego job
empresa business, company
empresário/a businessman/woman, entrepreneur
empréstimo loan
encaixar to fit
encargo duty
encargos sociais social benefits
encarregar-se to be in charge of
encerrado/a finished
encomenda order, request
encomendar to order
encontrar to find
endereço address
energia energy
enfatizar to emphasize
enfermagem nursing
enforcado/a strangled
enfrentar to face; to deal with
engenharia engineering
enlatado/a canned
enquanto while
ensino (n.) teaching

ensino médio high school level
ensino superior university level
entender to understand
entidade entity
entrada entry
entrar to go; to come in
entre between
entrega delivery
entregar to deliver
entretanto however
entrevista interview
entrevistar to interview
equatorial equatorial
equipe team
erro mistake
escanteio corner kick (in soccer)
escassez shortage
escolher to choose
escravidão slavery
escravo/a slave
escritório office
esforçar-se to make an effort
espantado/a surprised
esperar to wait
esquartejado/a quartered
esquina street corner
estabelecer to establish
estabelecimento (comercial) commercial establishment
estação station
estado civil marriage status
estadual (adj.) state
estagiário/a intern
estar em dia to be up to date
estelionatário/a embezzler
estimular to encourage
estoque stock
estrangeiro/a foreign
estreito/a narrow
estudar to study
eventual occasional
evitar to avoid
exagerado/a exaggerated
exibir to show
exigência demand
exigente demanding
exigir to demand
expandir to expand
expediente office hours, business hours
expor to expose
exportar to export
extrovertido/a extroverted

F

fábrica factory
facilidade capacity; ease
falar to speak; to talk
falência bankruptcy
falsificar to counterfeit
falta (n.) lack; absence
fato fact
fatura invoice
faturamento income
fazer to do, to make
fazer sentido to make sense
fazer sol to be sunny
feio/a ugly
feliz happy
ferir to wound
ferramenta tool
fibra ótica optical fiber, fiber optics
ficar to become; to stay
ficha form
filho son; child (son or daughter)
filial branch
filme film, movie
fim de semana weekend
final do ano end of the year
financiamento financing
fins objective
firma firm, company
fiscalizar to control, to examine
fixar to set, to establish
flexibilidade flexibility
flexível flexible
focar to focus
folha de pagamento payroll
folheto brochure
fonte source
formação acadêmica academic background
formação profissional professional background
formiga ant
fornecedor supplier
forte strong
fraco/a weak
frango chicken
franquia franchise
franzir as sobrancelhas to frown
fraude fraud
frente fria cold front
frequentemente often
fresco/a fresh
fruta fruit
função job, role, function
funcionar to work (e.g., a device); to function
funcionário/a employee

G

ganhar to earn
garantia guarantee, warranty
garantir to guarantee
geração creation; generation
gerente manager
gerir to manage
gesto gesture
gestor/a manager
gostar to like
grande big, large
gratuitamente for free
gratuito/a free of cost
grau degree
gravata tie
grave grave, serious
greve strike
guia guide

H

hein (Que bom, hein!) huh
hesitante hesitant
histórico/a historical
hoje today; nowadays
hoje em dia nowadays

homem man
honesto/a honest
hora marcada appointment
hortaliça greens
hospedagem accommodation
hospedar to house, to accommodate
hóspede guest
humor (bom/mau) mood

I

idade age
ideia idea
idioma language
idoso/a elderly
igual same, equal
igualdade equality
imobiliária real estate agency
imóvel real estate
impecável impeccable
importar to import
impositivo/a imposing
imposto tax
imposto de renda income tax
imprescindível indispensable
impressionante impressive
impressora printer
inaceitável unacceptable
incansavelmente tirelessly
incentivar to encourage
incentivo incentive
incerteza uncertainty
incluir to include
inclusive including
índice index
infelizmente unfortunately
inflação inflation
inflexível inflexible
inibidor/a inhibiting
início beginning
inovar to innovate
inscrição registration
inseguro/a insecure
insistir to insist
instalar to install
integrar to integrate; to be part of
inteligente intelligent
intercâmbio exchange
interessante interesting
interlocutor interlocutor
intriga scheming
investir to invest
iogurte yogurt
ir to go
irmã sister
irmão brother
irritado/a annoyed
isenção exemption
isso é muito bom that's very good

J

jardim zoológico zoo
jato jet
joelho knee
jogador/a player
jogar to play
jornada de trabalho workday
jovem young
junto/a together
jurista jurist
juros interest (finance)
justa causa just cause

L

lá there
lançamento (n.) launch
lançamento (de NF) issuing (a receipt)
lançar (produto) to launch, to release
lavanderia laundry, launderette
lazer leisure
leal loyal
legal legal; cool (slang)
legalizado/a legalized
lei law
leite milk
leitura reading
lembrança gift; remembrance
lembrar to remember
ler to read
levado/a a sério taken seriously
levantamento survey
levantar to lift up; to bring up (a topic); to withdraw (money)
levar to take
leve light
liberdade liberty, freedom
licença leave
licitação bid
lidar com to deal with
líder leader
liderança leadership
ligar to turn on; to phone; to connect
ligação phone call; connection
ligado/a a connected to
ligeiramente slightly
limpar to clean
limpeza cleaning
limpo/a clean
língua language
língua materna mother tongue
lisonjeado/a flattered
listar to list
livraria bookstore
logo que as soon as
loja shop, store
lojista shopkeeper
longe far
longo/a long (*ao longo de*: throughout time/distance)
longo prazo long term
lucrativo/a profitable (*sem fins lucrativos*: non-profit; *com fins lucrativos*: for profit)
lucro profit
lugar place
luta struggle
lutar to fight
luxo luxury

M

machucar-se to hurt oneself
madeira wood
mãe mother

maestro music conductor, maestro
maior bigger, larger
maioria most
mais de more than
mala direta mass mailing
mandar to send; to order (someone to do something); to command
maneira way, manner
manga sleeve; mango
manteiga butter
manter to maintain
mão de obra labor
máquina machine
maravilhoso/a wonderful
marca label, trademark
marcar to schedule; to mark
margem de lucro profit margin
mas but
material journalistic piece
matéria-prima raw material
matriz headquarters
mau/má bad
medicamento medicine
médico/a physician
medida measure
médio/a average
meio middle
meio(s) means
meio/a half
meio ambiente environment
meio tempo meanwhile
mel honey
melhor best; better
melhoramento improvement
melhorar to improve
melhoras wishes for someone's better health
melindrar to offend
membro member
memorando memo
mencionar to mention
menor smaller
menos less; fewer
mercado market
mercado de trabalho job market
mercadoria merchandise
merecer to deserve
merenda snack; meal that children receive at school
mês month
mesmo exactly
mesmo assim even so
meta goal
metalúrgico steelworker
meter to put
meticuloso/a meticulous
meu/minha my; mine
milho corn
minério de ferro iron ore
modelo model
moderno/a modern
modificado/a modified
modo way, manner
molusco shellfish
montadora automaker
moradia housing
morar to live (in a place)
morte death
movimentado/a busy (street; city)
muda seedling
mudar to change
muito much, very
muito prazer nice to meet you
mulher woman
multa fine
municipal municipal
município municipality
museu museum

N

na verdade actually
nacionalidade nationality
não é?/né? isn't it?, isn't it right?
nascer to be born
navegar to navigate
negar to deny
negociar to negotiate
negócio business; dealing
nicho niche
no entanto nevertheless
noivo/a groom; bride; fiancé(e)
nome name
nortear to guide
nota fiscal receipt
notar to notice
notícia news
número number
nunca never

O

o que what; which
o senhor you (sing., *formal*, male)
obrigado/a thank you
obrigatório/a mandatory
obter to obtain
ocorrer to happen, to occur
ocupado/a busy
odontológico/a dental
oferecer to offer
onde where
ônibus bus
operário/a factory worker
orçamento budget
orçar to budget
ordem order
organizar to organize
orgulhoso/a proud
orientação orientation, guidance
orientar to guide
otimista optimist
otimizar to optimize
ousado/a audacious, daring
outdoor billboard
outorgar to grant
outro/a another, other
outros/as others
ouvir to hear; to listen
ovo egg

P

pacote package
pagamento pay, payment
pagar to pay
página page
pai father
país country

palestra lecture
papel paper; role
par peer
parabéns congratulations
parar to stop
parceiro/a partner
parcelar to pay in installments
parceria partnership
parque park
partido (political) party
passar de... para to go from... to
passageiro/a passenger
passeio stroll; drive; tour
pasta folder
patrimônio assets
pauta agenda
peça part
pedir to ask for; to request
pedir demissão to resign (from job)
pedra stone
pegar to take (mode of transportation); to pick up
pela primeira vez for the first time
pequeno/a small
perceber to notice; to perceive
perda loss
perder to lose, to waste
perder a hora to oversleep
perdurar to last
perfil profile
pergunta question
perigoso/a dangerous
perto near
pesado/a heavy
pesar to weigh; to be important
pescado catch of fish
pesquisa research
pesquisar to research
pessimista pessimist
péssimo/a terrible
pessoa person
pessoal personnel; personal
petróleo oil, petroleum
pincel atômico marker
pipoca popcorn
pisoteado/a stomped on
planejamento planning
planejar to plan
planilha spreadsheet
plano de saúde health plan, health insurance
planta plant; blueprint
poder can, to be able to
pois since; because
pois não okay; yes?; can I help you?
polidez politeness
política policy; politics
polpa pulp
pomar orchard
ponto de ônibus bus stop
ponto de vista point of view
pontual punctual
por per (per week, per month); by; through
pôr to put
por enquanto for the time being
por favor please
por mês monthly
por outro lado on the other hand
por que why
por um lado on the one hand
porque because
portanto therefore
portar-se to behave
possuir to possess
postura position, posture
poupança savings; savings account
praça square (in a town)
prato do dia today's special
prazo deadline
preceder to precede
precisar to need
preço price
predial related to buildings, predial
prédio building
prefeito/a mayor
prefeitura city hall
preferência preference
prejudicar to harm
prejuízo financial loss
preocupar-se to worry
preparação de alimentos meal preparation
preparado/a prepared
preparar to prepare
prestar contas to account for
prestígio prestige
presunto ham
prévio/a previous
previsto/a foreseen, expected
prezado/a dear
prezar to value
principalmente mainly; especially
priorizar to prioritize
procedimento procedure
processamento de carnes meat processing
processo de seleção selection process
proclamação proclamation
procurar to look for
produção production
professor/a teacher, professor
proibido/a prohibited
projetor projector
prolongado/a prolonged; long
promissor/a promising
promoção promotion
promulgar to promulgate
pronto/a ready
própolis propolis
propor to propose
propriedade property
proteger to protect
publicidade advertising
publicitário/a (n.) adman, adwoman; person who works in advertising
publicitário/a (adj.) referring to publicity
público-alvo target audience
puxar to pull

Q

qual which
qualquer any
quando when
quantia amount
quanto(s)/quanta(s) how much; how many
quarto bedroom
quase almost
que (conj.) that
que (interr.) what
que azar! how unfortunate!
que bom! how nice!
que chato! too bad!
que legal! that's great!
que ótimo! how excellent!
que pena! what a pity!
que sorte! how fortunate!
queda fall
queijo cheese
queixa complaint
quem who
querer to want

R

rapidamente quickly
raramente rarely
reagir to react
realizar to carry out, to perform; to achieve
recado message
receber to receive
receita revenue, income
recentemente recently
recibo receipt
reciclagem recycling
recitar to recite
reclamação complaint
reclamar to complain
recompensa reward
recompensar to reward
reconfiguração redesign; reconfiguration
recorrer to appeal
recrutamento recruiting, recruitment
recuperar-se to recover
recurso resource
recusar-se to refuse
rede network
rede social social network
reembolso reimbursement
refeitório dining hall
refém hostage
reforma renovation
reformar to reform
refrigerador refrigerator
regatear to haggle, to bargain
região region
regra rule
regulamento regulation
relacionamento relationship
relatar to report
relatório report
remuneração pay
renda income
render to yield results; to be productive
rendimento income
rescisão rescission
resíduo waste
resistência resistance
responsável responsible
resposta answer
restar to be left
restaurante restaurant
restringir to restrict
resultado result
resumir to summarize
resumo summary
retenção retention
retornar to return
reunião meeting
reunir-se to meet with
revista magazine
revogar to revoke
revolucionar to revolutionize
riso smile
rodada (n.) round
rodoviária bus depot
romance novel; romance
rua street
ruim bad
rumo direction

S

saia skirt
sair to leave
sala room; living room
sala de imprensa press room
salário bruto gross salary
salário liquido net salary
salto alto high heels
sandálias sandals
sapato shoe
saudável healthy
saúde health
se if
seca drought
seção section
seguir to follow
segurança security
seguro de vida life insurance
selo stamp
selo oficial official stamp
sem without
semana week
semelhança similarity
semelhante similar
semente seed
semestre que vem next semester
semiárido semiarid
sempre always
sempre que whenever
senso sense
sensorial sensorial
sentar-se to sit down
ser to be
será que I wonder if
sério/a serious
servir to serve
sessão session
setor division, department; sector
siderurgia steel industry
sigla initials
significativo/a significant
signo (zodiac) sign
simpático/a nice, pleasant (person)
sindicato workers' union

sintetizar to summarize
só only; just
sobrancelhas eyebrows
sobrar to be left over
sobre on; over; about
sobremesa dessert
sobrenome last name
sobreviver to survive
sóbrio/a discreet
sócio/a partner
socorro help
sofrer to suffer
sofrimento suffering
soja soy
soro serum; whey
suar to sweat
subsídio subsidy
subtítulo subtitle
suceder to happen; to follow
sucessão succession
sucessor/a successor
sucursal branch office
superar to overcome
supermercado supermarket
suporte support
suprimir to suppress
suprir to meet (needs)
suspender to suspend; to cancel
sustentabilidade sustainability
sustentar to support
sustentável sustainable

T

tamanho size
também also, too
tarefa task
tarifa tariff
taxa rate; tax, tariff
teatro theater
tecer to weave
tela screen
temer to fear
tempo time; weather
tentar to try
ter to have
terceirizar to outsource
terminar to finish, to end
terninho pantsuit
terno suit
terra soil
TI IT (information technology)
time team
título title
todo/a entire, all
todos/as all
tomar to take
trabalhador/a (adj.) hardworking
trabalhador/a (n.) worker
trabalhar to work
tradução translation
tradutor/a translator
tranquilo/a tranquil, quiet, calm
trazer to bring
trecho excerpt
treinamento training
trem train
triagem triage
tributo tax, duty
trilha trail
troca exchange
trocar to exchange
troco change
tudo everything

U

último/a last
um com o outro with each other
um pouquinho a little
unânime unanimous
usuário/a user
utilizar to utilize

V

vacina vaccine
vaga opening, position
vale a pena it is worth it
valor value
valorização valorization
vamos let's
vantagem advantage
veicular to distribute (e.g., ad, video)
veículo vehicle
venda sale
vender to sell
ventar to be windy
vento wind
ver to see
verdura greens
verificar to verify, to check
versátil versatile
vestido dress
viagem trip
viajar to travel
vir to come
visar to aim
vítima victim
viver to live
você you (sing.)
vocês you (pl.)
vontade wish, desire
voto de minerva tie-breaking vote, deciding vote

Z

zangar(-se) to get angry

Este livro foi composto na fonte Utopia Std e
impresso em abril de 2024
pela Gráfica Paym, sobre papel offset 75g/m².